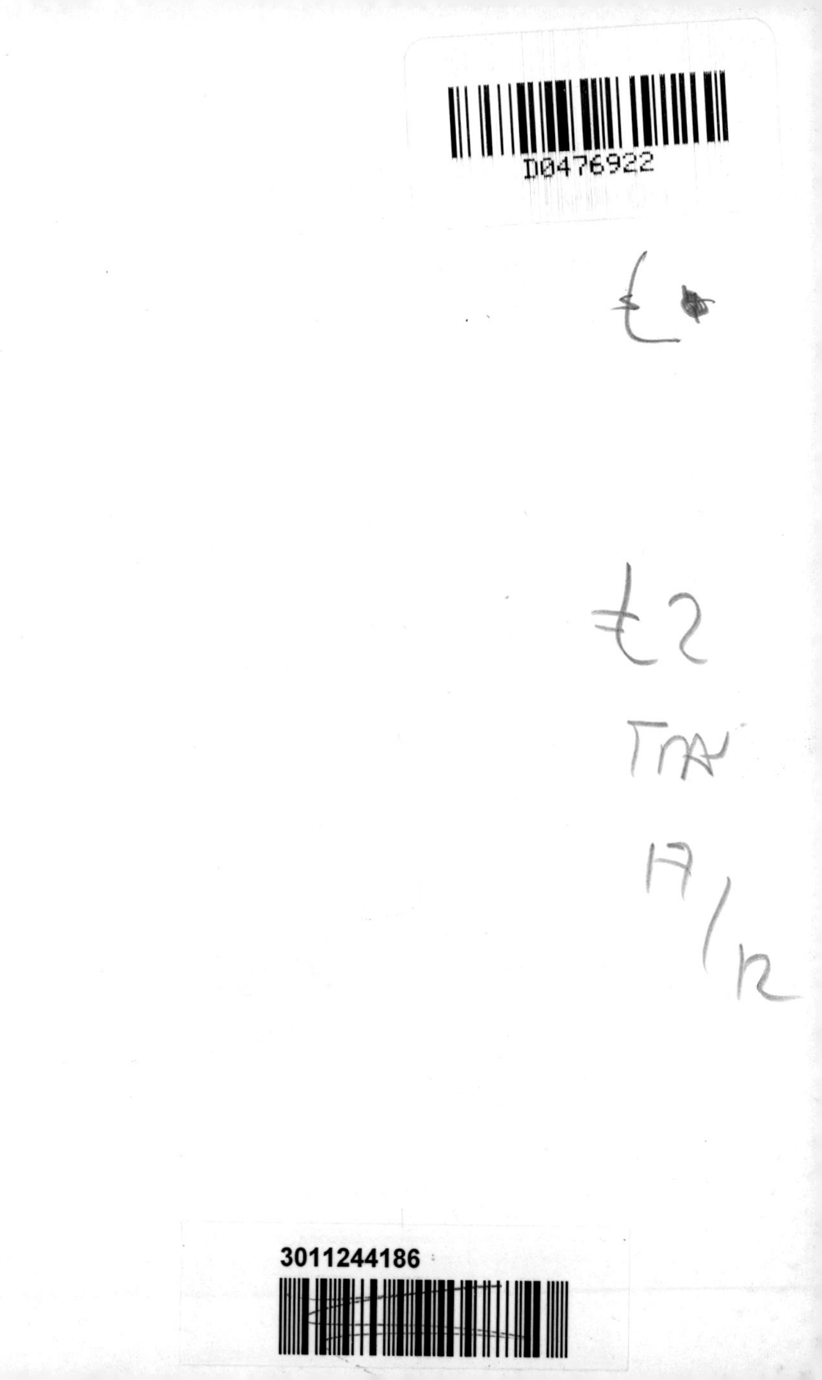

TRAED OER

Mari Emlyn

GOMER

Argraffiad cyntaf – 2004

ISBN 1 84323 438 6

Dymuna'r cyhoeddwyr gydnabod cymorth
Cyngor Llyfrau Cymru.

Argraffwyd yng Nghymru gan
Wasg Gomer, Llandysul, Ceredigion SA44 4JL

RHAN UN

HEDDIW

1

Gorfododd Leri ei llygaid i agor. Roedd Huwcyn wedi gwneud ei waith yn rhagorol yn ystod y nos ac roedd un o'i gyfeillion, yr eiliad honno, yn cael modd i fyw wrth daro'i forthwyl yn staccato rhythmig digyfaddawd ar ei thalcen. Roedd llafn denau lachar o haul yn mynnu hollti ar draws ei hamrannau drwy agoriad yn y llenni a dynnwyd yn flêr, frysiog y noson cynt. Nid bod gan Leri gof o'u cau, chwaith. A dweud y gwir doedd ganddi ddim cof yr eiliad honno o gyrraedd adref, heb sôn am ddiosg ei dillad a chau'r llenni. Gobeithio nad yn y drefn honno y gwnaeth hi bethau chwaith, neu mi fyddai Mr Pearce Bod Alaw dros ffor' wedi cael modd i fyw! Do, bu'n noson fawr; a'r ddiod a draflyncwyd wedi diddymu, unwaith yn rhagor, rhai o gelloedd prin y cof.

Craffodd dros ymyl ei gwely ar y domen o lyfrau, llythyrau heb eu hateb, anfonebau gan wahanol gwmnïau cerdd, paced gwag o Marlborough Lights yn cydbwyso'n nerfus ar ben blwch llwch llawn dop, ei Bach Remedy, ei *beta blockers*, ei dillad isaf – pob un dim ond yr hyn roedd hi wirioneddol ei angen, sef dau baracetamol a diod o ddŵr. Caeodd ei llygaid ar y llanast. Ceisiodd smalio nad oedd ganddi gur pen, mai ei dychymyg oedd yn chwarae ei hen driciau budr unwaith eto. Byddai'n rhaid iddi godi, ond nid rŵan: dau funud bach arall i ymbaratoi at wynebu diwrnod arall.

Roedd y diwrnod hwn yn unigryw. Hwn, ei diwrnod llawn cyntaf yn ddeugain oed. 'Deugain oed! A hithau'n dal i ymddwyn fel pe bai'n ugain!' Geiriau Dafydd, nid ei geiriau hi. Roedd o wedi gwneud ei bwynt yn eithaf huawdl ar ddechrau'r noson yn y Vic, sef nad oedd yn cymeradwyo ymddygiad meddw ei chwaer fach. Diolch byth iddo adael yn fuan. Mi fyddai'n sicr o fod wedi ei diarddel yn llwyr pe gwelsai hi'n hanner bwyta Hywel Huws, un o'i disgyblion, oriau'n ddiweddarach yng nghefn y Ship. Yn fuan wedyn fe gafodd hi a'i gosgordd eu lluchio allan am wagio peiriant condoms toiledau'r dynion a'u defnyddio'n falŵns pen-blwydd. Ac i lle'r aethon nhw i gyd wedyn? Roedd ganddi gof o fynd o'r Ship i'r Harp cyn baglu draw wedyn i'r clwb nos. Onid yn yr Harp y bu'n canu carioci? Beth oedd y gân? Fedrai hi yn ei byw â chofio. Cell arall yr ymennydd wedi diflannu am byth.

Doedd hi ddim wedi gofyn am gael parti. Doedd hi ddim wedi gofyn i bawb fynd allan ar y *piss*. Nid ei bod hi'n gwrthwynebu noson wyllt a sesh rownd Dre, dim ond nad oedd cyrraedd y deugain oed, yn ei thŷb hi, yn achos dathlu, a doedd y criw brith a aeth efo hi ddim yn ffrindiau mynwesol iddi. Ffrindiau pot peint oedd y rhan fwyaf ohonynt. Byddai wedi bod yn llawer gwell gan Leri fod wedi treulio'r noson yn rhywle cudd efo Dei, ond fedrai hi ddim sôn am hynny wrth ei ffrindiau, ddim wrth neb. Byddai noson felly wedi bod yn well nag unrhyw anrheg pen-blwydd er iddi gael bwnshaid anferth o rosod cochion ganddo ben bore ddoe â'r neges ar ei waelod 'Ti wyddost beth ddywed fy nghalon . . .!' Ond roedd Dei, ysywaeth, wedi gorfod mynd i weld ei ferch mewn gala nofio. Gwyddai Leri na ddylai edliw i'r ferch gael sylw ei thad – ond wedyn, nid pob dydd roedd rhywun yn ddeugain oed. Fe fyddai wedi gwneud unrhyw beth er mwyn cael ei gwmni neithiwr. Dim ond fo a hi, hi a fo. Neb arall. Ni fyddai'n rhaid poeni am ymateb pobol eraill. Doedd neb ond hi a Dei yn gwybod. Eu cyfrinach nhw. Dyna rywfaint o'r apêl. Dyna rywfaint o'r rhwystredigaeth. Wyddai neb am faint eu cariad, y teimladau nwydus y gallai cnawd yn erbyn cnawd yn y dirgel eu deffro. Doedd dim ond rhaid i Dei ei chusanu, i frathu ei gwefus isaf, ac fe deimlai Leri ei dorlifau mewnol yn ymagor yn ffrwd, un ar ôl y llall – fel afon Vltava Smetana – yn cynyddu a chodi yn ei angerdd. Chwarddodd Leri wrthi hi ei hun wrth feddwl am y gymhariaeth. Ond roedd o'n wir, a'r hyn oedd yn braf rhyngddi hi a Dei oedd ei bod yn gallu dweud pob math o bethau gwirion fel'na wrtho fo, heb ofni iddo ei bradychu. Doedd fiw iddo ei bradychu. Doedd ganddi hi ddim byd i'w golli – yn wahanol iddo fo. Na, roedd hi'n hanfodol bwysig na ddeuai neb i wybod am eu perthynas, neu mi fyddai *sham* ei briodas ar ben, byddai ei statws fel asiantwr tai yn disgyn a byddai'r twyll a'r rhagrith yn destun trafod ac yn fêl ar fysedd degau o bobol bach gul Dre am fisoedd. Onid oedd Isobel Robinson, gwraig Dei, yn ffrindiau mynwesol â Linda, chwaer-yng-nghyfraith Leri? Byddai Dafydd yn hanner ei lladd pe gwyddai ei bod yn cael affêr efo gŵr ffrind gorau ei wraig, o bawb!

Roedd yn gas gan Leri y gair yna; a beth bynnag, roedd hi'n ddynes sengl, nid hi oedd yn cael affêr, ond fo. Beth oedd affêr yn ei gyfleu beth bynnag? Doedd o'n sicr ddim yn cyfleu'r berthynas arbennig oedd rhyngddi hi a Dei. Roedd affêr yn swnio'n beth aflednais a byr-dymor. Ond nid felly eu perthynas nhw. Roedd honno'n beth hyfryd, yn llawn nwyd, ac wedi para bron i bum mlynedd erbyn hyn, a dim argoel, diolch byth, ei bod am ddod i ben.

Roedd Dei wedi cydnabod yn barod nad oedd yn 'ddigon o ddyn' i wneud y peth gonest, anrhydeddus, a gadael ei 'snotan o wraig'. Byddai'n rhaid i'w blentyn hoff fod dipyn yn hŷn cyn y gallai wynebu'r drin honno. Nid oedd Leri'n argyhoeddedig y byddai Dei yn gadael ei wraig bryd hynny chwaith, ond ysgubai bob un o'i hamheuon ynglŷn â Dei o dan garped trwm ei hymennydd. Ceisiai Leri hefyd anwybyddu'r achlysuron pan fyddai ei chydwybod o bryd i'w gilydd yn ei phigo wrth feddwl am y twyll a'r loes y byddai'r holl affêr yn ei achosi pe deuai Isobel Robinson i wybod – Duw a'i helpo. Pan oedd hi wedi crybwyll ei hofnau dyfnaf wrth Dei, roedd yntau wedi ei sicrhau nad oedd yr hyn yr oeddent yn ei wneud yn brifo neb – cyn belled nad oedden nhw'n cael eu dal! Fe gafodd ei ddal unwaith, tua saith mlynedd yn ôl, pan oedd yn gweld hogan ifanc, ddeng mlynedd yn iau na fo'i hun. Byth ers hynny bu Isobel yn ei wylio fel barcud. Roedd Dei wedi ceisio darbwyllo Leri mai perthynas ysgafn oedd honno, nad oedd hi fel y berthynas hon, yn llawn angerdd a dwyster. Roedd gan Dei ffordd efo geiriau. Dyna pam efallai ei fod yn asiantwr tai mor llwyddiannus. Roedd o'n medru ei swyno hi ag un frawddeg – er y gwyddai iddo ddweud geiriau tebyg wrth ddwsinau o ferched hygoelus eraill yn y gorffennol.

Gwyddai yn y bôn mai rhyw *cul de sac* o berthynas oedd hi, ond fedrai hi ddim yn ei byw â rhoi'r brêcs ar yr holl beth. Gwyddai y dylai roi'r gorau iddo, nad oedd ganddi unrhyw hawl arno, nad oedd o'n gwneud dim lles iddi hi, nac ychwaith hithau iddo yntau. Ond doedd ganddi ddim calon i wneud; fedrai hi ddim gadael iddo fo fynd. Roedd hi'n gaeth iddo. Roedd o fel cyffur iddi. Ar ôl pob cyfarfyddiad mi fyddai'n disgwyl am ei ffics nesaf. Roedd hi, yn ôl Dei, yn diwallu ei anghenion rhywiol i gyd – yr hyn nad oedd yn wir gartref. A beth amdani hi, Leri? Beth oedd ei hanghenion hi? Wyddai hi ddim. Yr unig beth a wyddai yr eiliad honno oedd y byddai'n rhaid iddi gael tabledi cyn i'w phen ffrwydro.

Ciledrychodd ar y cloc larwm. Roedd hi'n tynnu am hanner dydd. Byddai'n rhaid iddi godi cyn bo hir. Roedd ganddi res o ddisgyblion yn dod ar ôl cinio. Doedd hi ddim yn arfer dysgu ar ddydd Sadwrn, ond roedd gan rai o'r lliprynnod bach anwybodus arholiadau gradd ddydd Llun. Daria! Cofiodd bod Hywel Huws yn un ohonyn nhw. Fo oedd yn cael y wers gyntaf. Ochneidiodd Leri. Pam wnaeth hi daflu ei hun arno fo, o bawb, neithiwr? Doedd gan hogyn pump ar hugain oed ddim diddordeb mewn hen wraig ganol oed fath â hi, siŵr iawn! Doedd ganddi hi ddim diddordeb ynddo fo chwaith, dim ond bod rhan ohoni am brofi i'w chyfeillion a'i chydnabod nad oedd hi'n hen ffrij: bod ganddi deimladau rhywiol. Roedd hi hefyd yn flin bod Dei wedi methu newid ei drefniadau i dreulio ei phen-blwydd gyda hi. Ai dial arno roedd hi wrth gusanu llanc ifanc a chael ei chofleidio gan ei freichiau gwydn? Ond pa fath o ddial oedd hynny? Doedd Dei ddim callach, a fyddai o ddim chwaith. Roedd Leri eisiau anghofio'r bennod fach anffodus yna.

Gwersi piano! Roedden nhw'n gallu bod yn fwrn arni. Roedd plant ar hyd yr oesau wedi swnian ar eu rhieni am gael rhoi'r gorau i'w gwersi. Wnaethon nhw erioed ystyried am eiliad nad oedd athrawon piano yn mwynhau'r gwersi bob tro chwaith? Oedden nhw wir yn meddwl ei bod hi'n mwynhau gwrando arnyn nhw, wythnos ar ôl wythnos, yn gwneud yr un camgymeriadau gwirion, yn baglu drwy eu sgêls a'u harpeggios, yn smalio eu bod wedi cyffwrdd â'r piano o leiaf un waith ers y wers ddwytha – a hithau'n gwybod yn iawn nad oedd y rhan fwyaf ohonynt wedi codi caead yr offeryn, heb sôn am geisio gwella ar berfformiad siang-di-fang yr wythnos flaenorol!

Dim ond un disgybl y gallai ddweud i sicrwydd ei bod yn wir mwynhau ei ddysgu; yn edrych ymlaen at ei wers. Sam oedd hwnnw. Roedd hi'n meddwl y byd ohono. Edrychai arno'n fwy fel mab nag fel nai. Roedden nhw'n deall ei gilydd i'r dim. Roedd ganddo wir dalent, yn gerddor wrth reddf. Gallai Sam ddweud wrth daro'i fys yn erbyn gwydr pa nodyn a ganai – a hynny er pan oedd o'n ddim o beth – a phawb yn rhyfeddu at ei ddawn naturiol. Er gwaethaf hyn, y peth olaf yr oedd Leri'n ei ddymuno oedd i Sam gael cerddoriaeth wedi ei wthio i lawr ei gorn gwddw. Roedd pwysau mawr arno gan Dafydd a Linda i barhau â thraddodiad cerddorol y teulu, ac efallai i guddio'r siom a'r cywilydd a daenwyd dros y teulu pan fu iddi hi, Leri, fethu â gwireddu breuddwyd a disgwyliadau tawel ei mam. Roedd ei methiant yn fêl ar fysedd ei thad, fodd bynnag. Doedd gan Leri mo'r stamina, y dyfalbarhad na'r gyts i fod yn unawdydd proffesiynol yn ei dŷb llafar ef. Byddai'n well o lawer, os na fedrai ei ferch ddod o hyd i yrfa go iawn, iddi fod yn athrawes gerdd mewn ysgol, neu, os oedd raid, fod yn athrawes biano. Ond merched digon rhyfedd oedd athrawesau piano fel arfer. Hen ferched sur, fel peli camffor llwydaidd, yn byw fel lleianod unig, trist, a dim ond eu cerddoriaeth yn gwmni iddyn nhw! Doedd dim llawer o bethau cadarnhaol y gallai Leri eu dweud am ei thad, ond roedd un peth yn sicr, roedd o wedi taro'r hoelen ar ei phen. Daeth ei broffwydoliaeth yn wir, ar wahân i'r darn am y lleianod! Oedd, roedd Leri bellach yn belen gamffor drist.

'Cachu allan!' Dyna oedd dadansoddiad Dafydd o benderfyniad Leri i roi'r gorau i chwarae'n gyhoeddus, a hithau wedyn yn ei gynddeiriogi wrth nodi mai ymadrodd Saesneg oedd hwnnw. Dyna ei ffordd hi o anwybyddu'r ffaith fod yna elfen o wirionedd yn nehongliad ei brawd. 'Does 'na neb o'n teulu ni yn ildio i lwfrdra' oedd ei sylw parod, pigog wedyn. Gwyddai Dafydd iddo lwyddo yn ei ymgais i'w brifo. Roedd ei sylw'n pigo'n ddyfnach nag y tybiai a'r colyn yn dal yn sownd. Gwyddai Leri fod gan Dafydd ei boen hefyd a hwnnw'n un ddannodd mawr tragwyddol. Poen cenfigen oedd hwnnw, am ei fod yn gwybod na chafodd o mo'i fendithio â 'dawn' gerddorol teulu eu mam. Fe geisiodd, yn blentyn, ddysgu'r piano a'r trwmped gan lwyddo i ryw raddau, ond ddisgleiriodd o ddim erioed. Doedd hyn ddim yn siom enbyd i neb, dim ond i Dafydd druan. Pam nad etifeddodd o y greddfau cerddorol oedd yn eiddo i gynifer o aelodau teulu ochor eu mam?

Roedd eu mam yn meddu ar lais canu bendigedig, ond bod eu tad, am ryw reswm anesboniadwy, yn gwrthwynebu iddi ganu. Roedd un o frodyr eu taid yn gerddor dawnus mae'n debyg, a'u hen daid, gŵr Nain Jôs yr oedd gan Leri frith gof ohoni, hefyd yn ganwr cydnabyddedig yn ei fro. Mae'n rhaid bod Dafydd wedi tynnu ar ôl eu tad, na chaniataodd i'w wraig barhau â gyrfa bosib fel cantores. Nid arno fo roedd y bai i gyd am hynny; roedd o, fel ei wraig, yn ysglyfaeth i'w gyfnod. Roedd hi'n amhosib i wraig a mam ifanc ar ddechrau chwe degau'r ganrif ddiwethaf ddilyn gyrfa fel cantores broffesiynol. Er mwyn ufuddhau i'w gŵr, er yn groes i'r graen, fe ymneilltuodd ei mam yn llwyr o fyd cerdd. Daeth i delerau â'i cholled drwy ymgolli a dianc i fyd llyfrau. Bu'n athrawes Saesneg pan fyddai galw amdani i gyflenwi mewn gwahanol ysgolion.

Tybed beth fyddai wedi digwydd i'w mam pe bai hi wedi priodi rhywun arall, rhywun a werthfawrogai ei thalent? Petai ei mam wedi bod yn ddyn, neu heb briodi, mae'n debyg y byddai'r stori wedi bod yn dra gwahanol. Wyddai Leri ddim beth oedd diben priodi beth bynnag. Pam fod pobol yn priodi? Roedd modd dangos cariad tuag at gymar heb wisgo modrwy. A doedd y rhan fwyaf o ffrindiau priod Leri ddim mewn cariad â'u gwŷr. Ddim bellach. Y cyfan fydden nhw'n ei wneud fyddai cwyno amdanyn nhw, neu eu trafod yn ffilsi-ffalsi a'u canmol hyd at y cymylau, a Leri'n gwybod yn iawn bod y gwŷr 'meddylgar', 'caredig' hyn yn ffwcio rhyw ferch ifanc wahanol bob cyfle posib. Yn y swyddfa, yn y stiwdio, yng nghefn car, mewn Travellodge, ar ben mynydd, ar drip golff, rygbi, pêl-droed, tidli-wincs! Sut gwyddai hi hyn? Roedd hi wedi ei gael o le da. On'd oedd Dei yn adnabod pawb yn Dre a phawb yn ei adnabod yntau? Ond neb cystal â hi!

Pam priodi? Pam? Roedd pob un o'i chyfoedion wedi gwneud. Ai o ddiflastod roedd pobol y lle 'ma'n priodi?

Ai er mwyn cael un diwrnod o gyffro, o sylw yng nghanol undonedd bywyd? Cael pawb yn sbio arnoch chi, a chithau'n un marshmalo mawr yn eich taffeta gwyn! Fêl wen, lilis gwynion, teisen wen, pais wen, dillad isaf sidan gwynion, cnawd gwyn ar liain gwyn, dŵad gwyn yn wynwy gwyn gludiog. Gwyn, gwyn, dihalog wyn. Glân, glân briodas.

Gwyddai Leri ei bod yn sinic. Oedd hi'n ymateb fel hyn oherwydd cenfigen, tybed? Ac eto, doedd hi erioed wedi bod yn un o'r merched hynny fyddai'n breuddwydio am y 'diwrnod mawr'. I lawer o'i ffrindiau, diwrnod eu priodas oedd diwrnod gorau eu bywydau, a Leri yn ddistaw bach yn tosturio wrthyn nhw. On'd oedd pob diwrnod i fod i ragori ar y llall? Neu o leiaf bod gobaith am ddyddiau gwell? Fe fyddai'n ddigon am Leri i feddwl mai diwrnod ei phriodas oedd ei diwrnod gorau erioed. Beth oedd pwrpas byw os oedd eich diwrnod gorau eisoes wedi bod?

Ond priodi wnaeth pawb ond hi. Beth arall oedd 'na i'w wneud ym merddwr cwter Dre a'r pentrefi cysglyd cyfagos – priodi neu fenthyg gwŷr priod eraill am ychydig oriau o bleser. Gwasgu egni rhywiol bywyd i un prynhawn byr mewn gwesty rhad, tan y tro nesaf. Dyna ei hanes hi, ac roedd hi'n eithaf bodlon ei byd. Eithaf.

Ar ôl ei phum mlynedd yn Llundain, bu Leri'n byw am gyfnod gyda'i mam, yn gofalu amdani cyn symud o'r Dre i'r Dyffryn. Doedd hi'n adnabod fawr neb yno, er mai o'r Dyffryn yr hanai teulu ei mam erstalwm. Fe fagwyd ei thaid yno, ond buan y symudodd yntau i'r Dre er mwyn cael gwaith. Ers cau'r chwareli, ac yn sgil hynny cau'r siopau, doedd dim swyddogaeth i'r Dyffryn bellach. Dim ond un gair oedd i ddisgrifio'r lle, a *depressed* oedd hwnnw. Petai Leri'n deffro o'i chwerwder blin fe welai bod y Dyffryn hefyd yn ddrych niwlog o'i chyflwr truenus hithau.

Roedd Leri'n fodlon cydnabod yn ddistaw bach ei bod hi'n rhwystredig iawn ar brydiau am na fedrai weld Dei mor aml ag yr hoffai. Roedd Dei yn byw yn Dre, gwta bum milltir o'r Dyffryn. Ond nid y pum milltir oedd y rhwystr i'w perthynas, ond Isobel. Wedi dweud hynny doedd Leri ddim yn eiddigeddus ohoni, nac ychwaith o'i ffrindiau priod. O leiaf fe allai hi, yn wahanol i'w ffrindiau, roi gwres y tŷ ar ba dymheredd bynnag yr oedd hi eisiau. Yn wahanol i'w ffrindiau, fe wyddai hi'n union lle roedd *remote control* y teledu. Yn wahanol i'w ffrindiau, roedd sedd ei thoiled hi wastad i lawr a chaead y past dannedd yn ei le. Yn wahanol i'w ffrindiau, doedd dim rhaid iddi olchi tronsys a smwddio crysau, na choginio prydau erbyn rhyw awr benodedig. Yn wahanol i'w ffrindiau, roedd hi'n wahanol.

Yr unig beth oedd ganddi hi'n gyffredin â'i chyfoedion erbyn hyn oedd nad oedd yr un ohonynt yn gwbl hapus eu byd. Roedd gan bob un ohonyn nhw eu hofnau, ac nid yr ofnau bychain fel ofn pry cop neu fwci bo, ond ofnau gwirioneddol. Ofn byw ac ofn marw. Yr ofnau hynny oedd yn gorfodi pawb i guddio pob pryder, pob cywilydd, pob siom, pob methiant. Ofn datgelu ofn. Dyna oedd o. Cuddio popeth er mwyn peidio gorfod diosg clogyn llawenydd, balchder a llwyddiant, a dinoethi'r ofn. Ond o leiaf, meddyliodd Leri, gan geisio'i llusgo ei hun o'r twll anobaith yma yr oedd hi wedi dechrau ei gloddio iddi'i hun, roedd ganddi hi ei hannibyniaeth. Doedd hi ddim yn unig, wel, ddim yn aml. Mae'n siŵr bod rhai o'i ffrindiau priod yn edrych ar ei bywyd bach hi drwy sbectol yr un mor halog. Leri Huws a'i phiano a'i bywyd bach meudwyaidd diflas. Hy! Tasa nhw m'ond yn gwybod!

A beth am rywun fel Hywel Huws? Anorac o lanc os fuodd 'na un erioed! Ac yn enw popeth, beth oedd y diben iddo fo, o bawb, gael gwersi piano? Roedd Hywel yn gitarydd i Acne, grŵp heb owns o gerddoriaeth yn perthyn iddo fo. Roedd y prif leisydd yn gryg ac yn dôn-fyddar, y drymiwr heb fawr o rythm a Hywel yn gitarydd bas go lew oedd erbyn hyn yn gallu chwarae *Twinkle Twinkle Little Star* yn eithaf deheuig ar y piano. Os dysgu darllen cerddoriaeth ar gyfer y band oedd y cymhelliad, pam ddiawl ei fod mor awyddus i sefyll arholiad Gradd Un yr *Associated Board*? Doedd bosib nad oedd hynny'n gwneud llawer o les i'w strît cred!

A beth wnaeth y piano i Leri? Pe bai hi'n onest efo hi ei hun, roedd y piano wedi cyfoethogi'i bywyd, a'i ddifetha ar yr un pryd. Doedd 'na'r un diwrnod yn pasio heb iddi ail-fyw ei *début* gorchestol yn y Wigmore Hall, ac yna yn sgil ei llwyddiant, ei phrofiad hunllefus fel unawdydd piano yn y Barbican, yn chwarae Consierto Tchaikovsky i'r piano. Dyna oedd y tro diwethaf iddi chwarae'n gyhoeddus. Beth oedd wedi digwydd iddi y noson honno? Pam na allai fod wedi chwarae'r Tchaik fel roedd hi'n ei wneud bob bore ers hynny? Dyna ei ffordd hi o ddelio â'i methiant, chwarae adrannau anoddaf y consierto fel ffordd o ddechrau pob diwrnod. Roedd ei phrofiad yn y Barbican yn ei gormesu'n ddyddiol er bod dros bymtheng mlynedd ers hynny. Ni rannodd Leri ei theimladau ynghylch y perfformiad hwnnw â neb. Roedd yr holl beth yn parhau i fod yn llawer rhy boenus.

Ddaeth y piano â hapusrwydd go iawn iddi hi? Onid canu'r piano oedd prif destun y ffraeo rhyngddi hi a'i thad erstalwm? Onid canu'r piano oedd ei ffordd hi o gyfathrebu â'i mam? Wyddai Leri ddim beth oedd yr atebion i'r cwestiynau hyn, er eu bod yn llechu yng nghefn ei meddwl yn dragywydd. Roedd un peth yn sicr, ni fedrai Leri wneud heb y piano, chwarae'n broffesiynol ai peidio. Ac yn anad dim roedd o'n dod â rhyw fath o incwm bychan iddi, y gwersi yn ei chartref a'r gwersi a roddai'n achlysurol yn y Ganolfan Gerdd. Ond crafu byw roedd hi a dweud y gwir, yn byw yn ei thŷ capel ar rent, heb obaith yn yr hinsawdd economaidd presennol o brynu tŷ yn lleol ar ei chyflog pitw hi. Yr unig obaith o wneud hynny fyddai gwerthu'r piano, ond beth wnâi hi wedyn? Ta waeth, gobeithiai Leri y byddai neithiwr bellach yn ddim ond niwl i Hywel a'i fod yn sylweddoli mai tipyn o hwyl diniwed oedd y cyfan!

Ar wahân i'w gwersi piano, a'r ffaith fod yn rhaid iddi gael tabledi cur pen, gwyddai Leri y byddai'n rhaid iddi godi o'r gwely gan fod awydd mawr newydd ddod drosti i fynd i'r lle chwech. Cofiodd iddi daflu cyrri Madras i lawr ei chylla dioddefus cyn troi am adref neithiwr. Bu bron iddi â chael hartan yn ei gwely ei hun pan glywodd dorri gwynt, ac nid ei gwynt hi oedd o. Trodd yn betrus i edrych, a gweld yn yr hanner gwyll fod yna ddyn ifanc noeth wrth ei hymyl.

'*Better an empty house than a bad tenant,* ia Leri!' meddai'r dyn.

Teimlodd Leri ei hun yn mynd yn chwys oer drosti wrth sylweddoli mai Hywel Huws oedd perchennog y llais ar ochr draw ei gwely hi. Rhoddodd wên wan iddo a rewodd yn ystum o banig llwyr pan roddodd y llanc plorog ei ddwylo bach chwyslyd ar ei bronnau a throi ei thethen chwith fel petai'n chwilio am Classic FM, cyn dweud: 'Blydi hel, Leri, uffar o ddiawl lwcus ydy'r Dei Robinson 'na!'

2

Eisteddai Leri fymryn y tu ôl i Sam gan ei astudio'n ddistaw bach wrth i'w fysedd pedair blwydd ar ddeg fwytho nodau ei Bösendorfer. Roedd ei ddehongliad aeddfed o *Nocturne* Chopin yn hudol. Roedd ei drênyr chwith wedi ei blygu o gwmpas coes flaen y stôl biano, ei gefn yn lled-grymu dros y nodau, a'i wallt melyn yn cosi ei war yn gudynnau Lisztaidd. Roedd yn sgilffyn main llynghyraidd, ar drothwy'r cyfnod rhyfedd hwnnw rhwng bod yn blentyn a bod yn ddyn. Cofiai Leri y wers gyntaf un a roddodd iddo dros ddeng mlynedd yn ôl. Roedd hi wedi mentro awgrymu ei fod yn rhy ifanc i ddechrau gwersi piano, ond mynnodd Dafydd yn rhodresgar 'bod yr amser wedi dod'!

Tybiai Leri fod diffyg synnwyr cyffredin ei brawd yn rhan o'i alar. Roedd eu tad newydd farw ar y pryd a'u mam anghofus ag angen gofal arbennig. O fewn pum mlynedd i farw eu tad fe symudwyd eu mam i Gartref Fronheli. Roedd gofalu amdani am bum mlynedd heb fawr o gymorth gan ei brawd wedi ei threchu. Bu symud eu mam i Fronheli yn destun dadl chwerw rhwng Leri a'i brawd, un ymysg llawer o ddadleuon dros y blynyddoedd.

Gwyddai Leri fod ei brawd yn teimlo y dylai hi fod wedi parhau i ofalu am eu mam. Wedi'r cyfan, doedd Leri ddim yn brysur iawn. Doedd ganddi hi ddim plant, dim byd mawr yn galw ar wahân i'r gwersi piano, dim cyfrifoldebau, dim ymrwymiadau i ddim na neb, dim morgais. Dim byd!

Pe byddai wedi parhau i ofalu am eu mam ni fyddai'n rhaid iddyn nhw fod wedi gwerthu'r cartref. Roedd Dafydd yn dal i edliw hyd heddiw iddi hefyd wrthod gwerthu'r tŷ am y cynnig uchaf; ond dadl Leri oedd y byddai ei mam yn gwaredu o feddwl am Saeson yn byw yn Gwynfryn. Ymateb oeraidd Dafydd ar y pryd oedd 'Fydd hi ddim callach'. Ymateb yr un mor oeraidd Leri wedyn oedd, 'Os na fydd hi ddim callach am Gwynfryn, fydd hi chwaith ddim callach ei bod hi'n byw yn Fronheli yn hytrach na hefo fi.' Bryd hynny, doedd ei mam ddim wedi ei hadnabod hi, na neb arall, ers dros chwe blynedd, nag ychwaith am ddwy flynedd olaf ei hoes. Nid byw oedd hynny, ond bod.

Wrth geisio gwerthu Gwynfryn 'radeg honno y cyfarfu Leri â Dei am y tro cyntaf. Fo oedd yr asiant a werthai'r tŷ. Teimlodd Leri ryw atyniad magnetig iddo yn syth. Roedd yna ddawns yn ei lygaid direidus wrth iddo wneud nodiadau brysiog ar Gwynfryn, gan sleifio edrychiad slei bob hyn a hyn ar goesau hirion yr athrawes biano leol. Pan aeth hi efo fo i ddangos y llofftydd, teimlai Leri ei hun yn gwrido fel un o domatos tŷ gwydr Bod Alaw. Wrth sefyll un bob ochr i'r gwely Edwardaidd mawr yn llofft ei mam bu'r ddau yn fud am funud, yna torrodd Leri ar y distawrwydd anghyfforddus drwy gynnig paned iddo. Gwenodd yntau arni cyn dweud ei fod ar dagu eisiau paned. A dyna a fu, tan iddo ddechrau dod â darpar brynwyr o gwmpas bob cyfle posib. Fe wnâi Leri'n siŵr ei bod yn edrych ar ei gorau bob tro y deuai, ac ni fu'n hir cyn i'r dwylo yn ogystal â'r llygaid gael mwynhau llyfnder ei choesau.

Baglodd Sam ar draws yr adran gromatig ar dudalen olaf y *Nocturne* gan ei deffro o'i myfyrdod. '*Fuck it!*' sgyrnygodd o dan ei wynt. 'Pardwn, Sam?' meddai Leri gan ffug-synnu. 'Glywis di fi,' meddai'n bwdlyd. Eisteddodd y ddau'n fud am ennyd gan adael i'r hen gloc mawr yn y cyntedd lusgo'i dic-toc yn gyfeiliant i'r distawrwydd. Ymhen hir a hwyr fe drodd Sam ati: 'Dwi'm isio'i neud o!' Gwyddai Leri'n iawn at beth y cyfeiriai. Gadawodd i'r cloc yn y cyntedd, y cloc y galwai ei mam erstalwm yn 'gloc Graianog', dician ddwywaith eto cyn ateb: 'Does dim rhaid i ti. Gei di neud y Rachmaninov yn lle.' Doedd Sam ddim yn gwrando. 'Na!' meddai'n chwyrn, 'dwi'm isio neud o o gwbl. Dwi isio canolbwyntio ar y *Young Musician of the Year.*'

Roedd ganddo bwynt. Roedd ganddo lawer o waith i'w baratoi ar gyfer y gystadleuaeth fawreddog honno – roedd yna bum rownd i'r gystadleuaeth. Pe llwyddai i fynd yn ei flaen i'r *Final* yng Nghaeredin, byddai hynny'n golygu paratoi oddeutu pymtheg o ddarnau ar gyfer yr holl rowndiau ynghyd â chonsierto i'w chwarae gyda'r *BBC Scottish Orchestra* yn y rownd olaf un.

Llyncodd Leri ei phoer. Gwyddai fod brwydr o'i blaen, nid rhyngddi hi a Sam – fydden nhw byth yn ffraeo; dadlau, bydden, ond nid ffraeo. Na, mi fyddai hi'n Waterloo go iawn rhyngddi hi a'i brawd. 'S'dim rhaid i ti neud os ti'm isio.' Edrychodd Sam arni'n syn. 'Ma' Mam a Dad yn mynnu.' Gwenodd Leri arno. ''Na i ddeud bo chdi'm yn barod.' Gwyddai Leri y gallai ei nai chwarae unrhyw un o'r *Nocturnes* heb fawr o drafferth pe rhoddai ei feddwl ar waith. Gwenodd Sam ei wên hyfryd, ddiolchgar arni. Gwên mor llydan â'i ysgwyddau. Aeth y ddau drwodd i'r gegin gefn am baned a smôc.

Roedd y rhyddhad yn amlwg ar ei wyneb a theimlai Leri elfen o ymollwng hefyd. Doedd hi erioed wedi cymeradwyo gwthio'r un o'i disgyblion i gystadlu mewn Eisteddfodau, nac mewn unrhyw gystadleuaeth arall tasai hi'n dod i hynny. Mwynhau cerddoriaeth oedd y flaenoriaeth. Roedd Sam wedi ennill dan 15 oed y llynedd yn yr Eisteddfod, a chael clod a sylw mawr am ei berfformiad gwefreiddiol o *Étude* Chopin, Opus 25, rhif 11. Doedd Leri ddim yn gweld unrhyw bwrpas iddo wneud eto os nad oedd yn dymuno. I beth? Tasa fo'n ennill, ac roedd ganddo siawns dda o wneud, pa fath o ennill fyddai o? A tasa fo'n colli fyddai o ddim yn ennill. Ond sut fyddai darbwyllo Dafydd a Linda o hynny? Mi fyddai'n rhaid iddi fagu plwc rhywsut. Roedd Sam yn rhy bwysig i'w ddefnyddio fel y pypedau eisteddfodol eraill.

Yn sgil ei lwyddiant y llynedd cawsai Sam gynigion rif y gwlith i ymddangos ar wahanol raglenni teledu. Cytunodd Leri iddo wneud un, ac un yn unig, a hynny dim ond gyda chydweithrediad Sam. Cafodd adolygiadau gwych, ac un o newyddiadurwr y celfyddydau yn mynd mor bell â'i alw'n 'Paganini'r piano!' Roedd Sam a hithau wedi chwerthin hyd at ddagrau wrth ddarllen ei golofn. Daeth enw Paganini wedyn yn gyfystyr â dirmyg iddynt. Ers hynny byddai unrhyw un a fyddai'n ymddwyn yn ffuantus neu'n ymylu ar or-ddweud, yn gwneud Paganini o bethau; neu unrhyw berson roedden nhw'n teimlo ei fod â thipyn o feddwl ohono fo'i hun – fe'i gelwid byth wedyn yn Baganini o ddyn.

Tra oedd y ddau'n eistedd uwchben eu paneidiau ac yn tynnu ar eu sigaréts daeth gwich negeseuon o ffôn bach Leri. Ceisiodd guddio'i gwên wrth weld mai Dei oedd yn anfon neges ati. Agorodd amlen y neges ffôn:

8.30 heno . . . . . .

Gan fod Isobel, ei wraig hir-ddioddefus, wedi cael cyfnod o wirio ei ffôn bach, gan chwilio byth a hefyd am gliwiau i gadarnhau ei hamheuon gwaethaf bod ei gŵr yn anffyddlon eto, roedd Dei wedi awgrymu na ddylen nhw orffen eu negeseuon gyda'r xxx arferol ond, yn hytrach, ddefnyddio eu cod personol eu hunain, sef atalnodau llawn. Cyfrodd Leri sawl un a ddanfonodd y tro hwn. 'Faint tro 'ma?' gofynnodd Sam a'i lygaid yn pefrio gan ddireidi. 'Chwech,' meddai hithau'n gwirioni fel hogan bach mewn siop fferins. 'Www! Un yn llai na'r wsos dwytha!' pryfociodd Sam hi. 'Mae'n rhaid bod lyfyr boi yn dechra cwlio off!' Roedd Sam yn gwybod ei bod hi'n gweld dyn priod, ond wyddai o ddim pwy.

Llyncodd Leri ei phaned ac arswydodd wrth feddwl am yr hyn ddywedodd Hywel Huws wrthi drannoeth ei phen-blwydd. Tybed oedd ei pherthynas â Dei yn wybodaeth gyffredinol? Oedd pobl Dre'n gwybod, rhieni rhai o'i disgyblion, Sam . . .? *Shit!* Oedd Sam yn gwybod? Gwelodd Sam hi'n crychu ei thalcen ac edrychodd arni'n ymholgar. Edrychodd Leri arno yntau, y ddau ohonyn nhw'n edrych i fyw llygaid ei gilydd. A wyddai Sam mai Dei Robinson, gŵr ffrind gorau ei fam, oedd ei chariad cudd? Roedd Sam yn llawer rhy aeddfed, yn rhy hyderus mewn llawer ffordd ac eto, fel pawb arall, yn llwyddo i guddio ei wir ofnau a'i bryderon. 'W't ti'n gwbod pwy ydy o?' Cododd Sam ei ysgwyddau'n enigmatig heb ddangos ei fod yn gwadu nac ychwaith yn cadarnhau. Cyn mentro dweud mwy arweiniodd Leri o'n ôl at y piano: cystadleuaeth neu beidio, fe gâi'r diawl bach digywilydd oresgyn y rhannau cromatig cyn diwedd ei wers!

Ond cyn i Sam gael cyfle i gyrraedd adran gromatig y *Nocturne* fe ganodd ffôn y tŷ. Diawliodd Leri pwy bynnag oedd yn ei ffonio, a hithau ar ganol gwers. Atebodd y ffôn gydag 'ia?' cwta, diamynedd.

'Leri?' meddai'r llais lled-gyfarwydd. 'Rebecca Lerpwl sydd yma.' Roedd yn rhaid i Leri ymatal rhag chwerthin wrth glywed cyfnither ei mam yn gwneud Paganini o bethau wrth gymryd cyfenw newydd. Rebecca Ellwood oedd hi, a bu'n byw efo'i mam yn Lerpwl ers iddi golli ei gŵr bum mlynedd ar hugain yn ôl. Ciliodd ei hawydd i chwerthin pan glywodd Rebecca'n dweud: 'Newyddion drwg mae gen i ofn, Leri. Mi fuodd Mam farw echnos. Meddwl y basach chi isio gwbod.'

Llifodd lluniau'r gorffennol yn ôl i sgrin y cof. Dodo Wini. Dodo Wini, chwaer ei thaid a modryb i'w mam. Dodo Wini oedd fel botwm bach yn eistedd yn ddel yn pletio'i dwylo yn ei chadair o flaen ffenest y fflat bychan bach a gefnai ar gae Goodison. Dodo Wini a wyliai'n ddeddfol ganlyniadau'r pêl-droed ar y teledu bob prynhawn Sadwrn i weld pa hwyl roedd Everton yn ei gael. Dodo Wini a fyddai'n piffian chwerthin o dan ei mwstás, fel hogan fach yn gwneud castiau drwg. Dodo Wini a fyddai, cyn iddi fethu cerdded, yn rhedeg i'r twll dan grisiau bob tro y byddai'n storm. Ers iddi dorri ei chlun sawl blwyddyn yn ôl fe fyddai'n mynnu bod ei merch, Rebecca, yn taflu'r garthen o frethyn cartref dros ei phen pan fyddai unrhyw sôn am dywydd mawr.

Cofiai Leri iddi hi a Sam fynd i Lerpwl, rhyw saith mlynedd yn ôl. Roedd Dafydd wedi cael gafael ar ddau docyn prin i fynd i weld y meistr, Alfred Brendel, yn rhoi datganiad ar y piano yn Neuadd y Philharmonic. Ond roedd Leri wedi llwyddo i gael dau docyn prinnach fyth – dau docyn i fynd i weld Derby Everton a Lerpwl. I Goodison y sleifiodd y ddau, a doedd Dafydd na Linda ddim callach tan i Dodo Wini eu bradychu ar ddamwain mewn cerdyn Nadolig yn fuan wedyn. 'Braf gweld fod Samuel bach yn cefnogi'r Toffees!' Roedd Dafydd yn gandryll efo'i chwaer am fynd â Sam, y tu ôl i'w gefn, i weld 'hen gêm bêl-droed' yn hytrach nag i fwynhau prynhawn o ddiwylliant. Nefoedd fawr, dim ond saith oed oedd y c'radur bach!

Ar ôl y gêm aeth Leri â'i nai i weld ei hen-hen Ddodo Wini, yr hyn na wnaeth ei dad na chynt na wedyn. Er i'r tywydd ddal ar gyfer y gêm, roedd hi wedi codi'n wynt, ac roedd rhagolygon y tywydd yn darogan stormydd. Welodd Sam mo'i Ddodo Wini y tro hwnnw chwaith gan ei bod fel un o wrachod Macbeth yn cnewian yn ei chwman o dan ei charthen. Chododd hi mo'i hwyneb i edrych ar Sam na Leri'r prynhawn hwnnw! Roedd ganddi ofn gwirioneddol wrth glywed sŵn y daran yn trystio draw rhywle dros y Mersi. Peth rhyfedd ei bod â'r ffasiwn ofn a hithau wedi gorfod wynebu tymhestloedd bywyd llawer iawn mwy. Roedd Dodo Wini yn un o wyth o blant a wasgwyd i dŷ bychan yn y Dyffryn. Do, fe welodd Dodo Wini galedi a phrofi colledion trymion.

Roedd gan Leri gywilydd wrth iddi sylweddoli mai dim ond dwy waith y bu iddi ymweld â Dodo Wini wedyn, a hithau ddim ond yn byw rhyw gwta awr a hanner i ffwrdd. Cydymdeimlodd Leri â Rebecca yn ei phrofedigaeth ac addawodd y byddai hi'n ceisio dod i'r cynhebrwng oedd i'w gynnal ddydd Sadwrn.

Wedi rhoi'r ffôn yn ôl yn ei grud ac adrodd yr hanes wrth Sam fe gafodd Leri fflach sydyn o ysbrydoliaeth. 'Dwi'n meddwl y dylia ti ddod i gynhebrwng Dodo Wini.' Edrychodd Sam arni'n sardonig. 'Ond wnes i erioed ei chyfarfod hi, wel, ddim go iawn. O'dd hi'n cuddio dan flanced fawr yr unig dro i mi ei gweld hi!' Gwenodd Leri arno: 'Ond mi fydd yn rhaid i ti ddod. Mae'r cynhebrwng ddydd Sadwrn!' 'So?!' meddai Sam yn ei ffordd arddegol ddihafal ei hun. 'Ti'm yn dallt nagwyt! O hogyn mor glyfar, ti'n gallu bod yn rhyfeddol o dwp. Be arall sy'n digwydd ddydd Sadwrn, Sam?' Lledodd gwên fawr fendigedig dros ei wyneb gwelw. 'O ia! Y Steddfod Gylch!'

3

Os oedd yna un peth yn gwylltio Leri – ac mi roedd sawl peth – hwnnw oedd cloch y drws yn canu a hithau'n ymlacio'n braf mewn bath poeth llawn swigod persawrus. Torrodd groen ei ffêr wrth geisio gorffen eillio ei choesau'n frysiog, gan ddiawlio o dan ei gwynt a gweddïo yr un pryd y byddai pwy bynnag oedd ar y rhiniog yn blino aros, mynd, a gadael llonydd iddi. Nid Dei oedd yno, fe wyddai hynny. Roedd dros hanner awr arall cyn iddo fo gyrraedd a doedd o byth yn brydlon. Fe dybiai Leri weithiau ei fod yn fwriadol hwyr bob tro – dim ond er mwyn gwneud iddi boeni'r mymryn lleiaf. Roedd hithau'n hen law ar chwarae gêmau hefyd. Fe geisiai ddisgwyl o leiaf hanner awr cyn ateb unrhyw neges ffôn, er ei bod ar dân eisiau cysylltu efo fo'n syth bìn. Ond roedd hi'n iawn iddo yntau ddioddef dipyn bach hefyd. Na, nid Dei oedd yno, meddyliodd Leri wrth geisio atal y ffrwd waed ar waelod ei choes. Drwy'r cefn y deuai Dei bob tro, rhag i'r Geranium dros ffor – Mr Pearce Bod Alaw – fod yn ei le arferol yn sbecian drwy'r llenni.

Canodd y gloch eto. Y tro hwn, mae'n rhaid bod bys y sawl oedd yno'n wyn wrth bwyso'n galed, ddi-ball ar fotwm y gloch. Taflodd Leri dywel amdani a stryffaglian i lawr y grisiau gan adael diferion dŵr a gwaed yn llwybr fel briwsion Hansel a Gretel ar ei hôl. Gallai weld ffrâm ddi-siâp ei brawd drwy un o gwareli gwydr lliw y drws derw. Mor debyg yr edrychai ei silwét i'r *Honey Monster* hwnnw ar yr hysbyseb grawnfwyd! Agorodd gil y drws, a chyn iddi gael cyfle i ddweud nad oedd hi'n adeg cyfleus, er y dylai hynny fod wedi bod yn hollol amlwg i unrhyw un oni bai ei fod yn ddall, fe wthiodd Dafydd ei gorff mawr trwm, afrosgo heibio iddi. Tywyllodd y cyntedd i gyd wrth iddo lenwi'r lle. Wrth gau'r drws, gwelodd Leri y Geranium yn symud ym Mod Alaw. Cafodd ei themtio i agor ei thywel, ond cofiodd nad oedd Mr Pearce yn ddyn iach. A beth bynnag, gwell fyddai ymatal rhag dinoethi ei hun ddim rhagor – roedd geraniums yn bethau sensitif! Teimlodd Leri'r oerfel yn gafael amdani a chaeodd y drws yn glep.

Dilynodd ei brawd i'r gegin gefn. Roedd o'n dawnsio gan ddicter gan edrych flynyddoedd yn hŷn na'i ddeugain a thair oed. Doedd ei jîns *stretch* o Marks and Spencer, â'i linyn gwast yn nes at ei wddw nag at ei ganol, ddim yn gwneud fawr i'w ddelwedd ddiolwg. Edrychai fel arweinydd boliog y Gerddorfa Ieuenctid Genedlaethol erstalwm pan wahoddwyd Leri atynt fel unawdydd piano ifanc.

Teimlai Leri awydd chwerthin. Beth welsai Linda druan ynddo erioed? Ac eto, roedd hi'n batrwm o wraig. Roedd hi'n wahanol iawn i Dafydd. Un ddistaw, swil, yn ymylu ar fod yn llygoden fach o wraig oedd Linda, ac eto câi Leri yr argraff mai hi oedd yn rhedeg y sioe yn eu tŷ nhw. Fe fyddai'n dlos pe na bai golwg ychydig yn efengylaidd arni. Y dillad oedd ar fai. Mynnai wisgo trywsus tebyg i'r rhai a wisgai mam Leri erstalwm. Nid trywsus y'i gelwid bryd hynny, ond 'slacs'. Wyddai Leri ddim bod siopau'n dal i'w gwerthu heddiw. Na, doedd y slacs a'r gardigan o wlân angora lliw te fel pi-pi cath yn gwneud dim ffafrau â hi. Ond er gwaethaf ei chwaeth – neu ei diffyg chwaeth – rhyfeddai Leri o hyd at y gwrthdaro rhwng llyfnder lliw hufen ei chroen a dyfnder duon ei llygaid. Y ddau yn creu harmoni perffaith o eboni ac ifori. Llygaid ei fam oedd gan Sam, nid llygad pŵl ei dad.

Agorodd Leri y botel Rioja oedd wedi ei bwriadu ar ei chyfer hi a Dei. Edrychodd ar gloc Graianog o'i blaen yn y cyntedd. Roedd o leiaf ugain munud arall cyn y byddai Dei yno – digon o amser i glywed neges Dafydd a chael gwared ohono, gobeithio.

'Be 'di'r nonsens yma am Samuel a'r Steddfod?' poerodd Dafydd. 'A ti 'di dechra yfad ar ben dy hun rŵan, do?' meddai'n rhagrithiol wrth iddo gymryd dracht helaeth o'r gwin. Sut arall oedd person sengl fod i yfed?

Hysiodd Leri fo i eistedd yn lle bod fel gafr ar d'ranna yn ei chegin fach hi. Roedd o'n gwneud y lle'n flêr, neu o leiaf yn flerach. Doedd hi ddim wedi cael cyfle i glirio ar ôl y pasta a gafodd amser swper. Tynnodd Leri anadl ddofn a cheisio esbonio bod Sam yn awyddus i fynd i gynhebrwng Dodo Wini. Gwawdiodd Dafydd hi. 'Wnaeth o erioed ei hadnabod hi!' 'Naddo, mwya'r c'wilydd!' atebodd Leri yn ddistaw. 'O fi sy'n cael honna, ia?' Doedd Leri ddim yn gweld neb arall yn ei chegin yr eiliad honno, er bod ei hofnau'n cynyddu fesul eiliad y deuai Dei yno ar eu traws.

'Mae o 'di cael ei siâr o gnebrynga'n barod, Leri!' meddai Dafydd yn stowt.

Doedd Leri ddim yn licio cyfaddef iddi beidio â chofio nac ystyried hynny.

Roedd un o ffrindiau mynwesol Sam (a thybiai Leri efallai ei fod yn fwy na dim ond ffrind) wedi cyflawni hunanladdiad bron i flwyddyn yn ôl. Roedd hynny wedi bod yn groes galed i Sam a'i gyfoedion ei chario. Roedd Michael, ei ffrind, oedd yn fachgen pymtheg oed galluog tu hwnt, wedi mynd ar ei feic yn ei wisg ysgol yr holl ffordd i Lanfairfechan un bore, ac wedi eistedd ar fainc ar blatfform yr orsaf am dros awr a hanner. Roedd dau drên wedi bod drwy'r orsaf tra oedd Michael yn eistedd yno'n ymddangosiadol ddi-hid yn darllen ei gylchgrawn cyfrifiaduron. Roedd dynes y tocynnau wedi bod yn cadw llygad arno, yn methu deall beth roedd llanc ifanc yn ei wneud yn eistedd mor hir ar orsaf mor oer ar fore dydd Llun. Oni ddylai fod yn yr ysgol? Wnaeth hi ddim byd, er iddi ystyried ffonio ei ysgol. Roedd hi'n llawer rhy brysur y bore hwnnw yn tecstio ei chariad newydd. Dyn priod, mae'n debyg. Doedd yna ddim dynion sengl del ar ôl. Yn toedd affêrs yn bethau cyffredin! Roedd pawb wrthi. Os oedd John Major â'r gallu i gael affêr, yna roedd gan unrhyw un! Mor hawdd oedd cyfiawnhau gweithred anfoesol.

Roedd y ddynes wrthi'n gorffen ei neges awgrymog pan glywodd drên Caer yn dod yn y pellter. Doedd y trydydd trên a ddeuai drwy Lanfairfechan y bore hwnnw ddim yn stopio, ac am hwnnw roedd Michael yn disgwyl. Gwelodd y ddynes docynnau Michael yn plygu ei gylchgrawn, ei adael ar y fainc ac edrych ar ei wats. Roedd ei amseru'n berffaith. Eiliadau cyn i'r trên wibio heibio Llanfairfechan ar ei ffordd ar hyd arfordir gogledd Cymru fe gamodd Michael dros erchwyn y platfform i'w gwsg hir. Chlywodd y ddynes docynnau mo wich ei ffôn bach yn nodi fod ei neges wedi cyrraedd yn llwyddiannus.

Roedd gyrrwr y trên, druan, yn un dibrofiad. Roedd

newydd gyflawni ei uchelgais oes y flwyddyn honno o gael bod yn yrrwr trenau. Fe welodd y bachgen yn wynebu ei ddiwedd o dan ei drên heb fedru gwneud dim. A dyna oedd ei daith olaf fel gyrrwr trenau. Fedrai o ddim wynebu eistedd o flaen ffenest trên byth eto heb weld Michael a chlywed ei gorff yn cael ei ddarnio gan olwynion dur ei drên.

Bu Leri a Sam yn trafod am gyfnod hir wedyn ai llwfr ynte dewr oedd dewis Michael i ladd ei hun? Daeth y ddau i ryw lun o gytundeb mai cyfuniad o'r ddau oedd o. Cofiai Leri fod yna stori yn eu teulu nhw o hunanladdiad. Doedd hi ddim yn cofio pwy yn union, ond rhywun o deulu ei thaid a Dodo Wini. Wnaeth neb adrodd yr hanes yn iawn wrthi – doedd hunanladdiad ddim yn bwnc i'w drafod yn agored. Roedd yna stigma o hyd mewn methu dygymod, mewn iselder a hunanladdiad. Dim ond rŵan, dros gan mlynedd ar ôl ei farwolaeth, y dechreuwyd cydnabod gwir achos marwolaeth Tchaikovsky hefyd. Dywedwyd o'r dechrau'n deg i'r cyfansoddwr farw o golera, ond yn ddiweddar fe ddatgelwyd ei bod yn fwy tebygol iddo farw drwy lyncu gwenwyn yn fwriadol. Tchaikovsky o bawb! Deuai ati bob dydd i'w phlagio fel hen grachen yn gwrthod ildio.

Deuai marwolaeth yn beth mwy cyfarwydd bob dydd, meddyliodd Leri. Roedd ei gallu i gael ei synnu gan newyddion trist neu drasiedi yn pylu, ac eto roedd marwolaeth ac ofn marwolaeth ar flaen ei meddwl, yn enwedig rŵan ers iddi gyrraedd ei deugain oed. Roedd hi mor ymwybodol bellach o freuder bywyd, o anhrugarowgrwydd amser. Roedd hynny'n un rheswm ei bod yn ildio bob tro i Dei. Pasio drwodd roedden nhw.

Doedd hi ddim yn brifo neb. Doedd hi ddim eisiau peri loes i neb, dim ond iddi gael cadw Dei yn ddistaw bach iddi hi ei hun. Fo oedd un o'i phleserau prin hi. Fo oedd yn gwneud iddi deimlo'n ifanc, yn fyw, ac yn ei gwmni o byddai'n teimlo weithiau, bron, ei bod hi'n anfarwol.

'Dos i wisgo rhwbath, wir Dduw!' sibrydodd ei brawd o dan ei wynt. Aeth Leri'n ufudd, wasaidd i'r llofft a thaflodd hen dracwisg blêr amdani. Cydiodd yn ei ffôn bach a'i roi yn ei phoced. Byddai'n rhaid iddi rybuddio Dei yn o fuan pe na byddai Dafydd wedi gadael cyn hanner awr wedi wyth. Daria'i brawd os oedd o am ddifetha noson brin yng nghwmni Dei. Doedd hi ddim wedi ei weld ers cyn ei phen-blwydd ac roedd hwyliau da wedi bod arni ers cael y neges ganddo'n gynharach ei fod yn dod draw. Wyddai hi byth faint o amser y gallai ei dreulio gyda hi, ond byddai awr neu ddwy yn well na dim. Ysai am deimlo ei ddwylo'n mwytho pob rhan o'i chorff, ei dafod yn goglais . . .

'Dyma ei flwyddyn olaf o yn y gystadleuaeth o dan bymtheg,' rhefrodd Dafydd yn ei flaen wrth iddi setlo'n ôl i bwyso'n erbyn y sinc, â'i gwydryn yn ei llaw. Doedd hi ddim am eistedd efo fo wrth y bwrdd pin rhag iddo fo ddechrau meddwl bod croeso iddo fo aros i yfed cynnwys y botel i gyd. 'Be 'di'r ots?' atebodd hithau. 'Mi fasa'n ennill hyd yn oed tasa fo dan bedair ar bymtheg. Ma' pawb yn gwbod hynny! Does ganddo fo ddim byd i'w brofi. Gad iddo fo gael seibiant bach, neith fyd o les . . .' Ond doedd ei brawd, yn ôl ei arfer, yn gwrando dim. Roedd ganddo araith faith, wedi ei pharatoi i daro'r man gwan.

'Jyst am dy fod ti wedi methu, does dim rhaid i bawb arall neud hefyd! Rwyt ti'n trosglwyddo dy baranoias dy hun ar yr hogyn bach.' Hogyn bach! Roedd o'n bedair ar ddeg! Carlamodd yn ei flaen.

'Dydy Samuel ddim yn dioddef o nerfau fel roeddet ti. Mae o'n hyderus, mae o mor gartrefol ar lwyfan . . .' *O! Plis!*

'Ma' Linda a fi'n awyddus, fel ti'n gwbod, iddo fo drio'r *Young Musician of the Year* flwyddyn nesa.' Oedd, roedd hi *yn* gwybod, ac er nad oedd ganddi wrthwynebiad mawr i hynny, roedd hi'n meddwl efallai ei bod hi braidd yn rhy gynnar. Ond roedd Sam hefyd yn awyddus, ac oherwydd hynny cytunodd Leri i'w helpu hyd eithaf ei gallu i baratoi'n drylwyr. Doedd Sam ddim angen unrhyw densiynau di-angen i dynnu ei sylw oddi ar y dasg aruthrol o'i flaen.

'Ma' Linda a fi . . . 'dan ni hefyd yn meddwl . . . yn . . . credu . . . yn . . .' Daeth rhyw atal mawr dros ei brawd a gwyddai Leri fod hynny'n arwydd o newyddion mawr i ddod. Cynheuodd sigarét. Edrychodd Dafydd arni fel tasa hi'n faw.

'Oes rhaid? A dyna beth arall, mae Samuel yn dod adre o fan hyn yn drewi o fwg. Dwyt ti ddim yn dangos esiampl dda iawn iddo fo! Ma' Linda a fi wedi penderfynu . . . ar ôl peth ystyriaeth . . .' Roedd o'n swnio fath â beirniad Eisteddfod. 'Mi anghofian ni am y Steddfod 'leni gan ei fod o'n benderfynol o fynd i'r cynhebrwng 'ma, ond er mwyn ei baratoi o at yr *Young Musician*, ma' Linda a fi'n diolch yn fawr i ti am bob dim, ond yn meddwl y basa'n gneud lles iddo fo gael gwaed newydd, ymdriniaeth wahanol . . .'

Roedd gan Leri eithaf syniad o'r hyn oedd i ddod. Gwelodd fod cloc Graianog, o ran malais, ar frys gwyllt heno. Llusgo fel hen wreigan oedd o yn ystod y gwersi piano gynnau. Blydi grêt! Esgusododd ei hun ar ganol pregeth ei brawd ac aeth i'r ystafell biano er mwyn anfon neges at Dei.

Paid dod. Problem . . .

Aeth yn ôl i'r gegin at Dafydd, oedd erbyn hyn yn llowcio'r gwin drud. 'Pwy oedd gen ti mewn golwg, Dafydd?' gofynnodd iddo mor ddiniwed ag oen. Pesychodd ei brawd yn ddramatig cyn yngan yr un enw roedd Leri wedi ei ofni. 'Dr Christopher Moffet, Adran Gerdd Manceinion . . .' Ia, ia, fe wyddai'n iawn pwy oedd o, ac fe wyddai hefyd y byddai Sam yn ei gasáu â chas perffaith. Paganini o ddyn os buodd 'na un erioed! 'A be ma' Sam yn ei ddeud am hyn i gyd?' gofynnodd.

'Roedd Linda a fi . . .' Linda a fi! '. . . yn teimlo ella y basa hi'n well tasa ti'n deud wrtho fo.'

Digon oedd digon! 'Dos i grafu! Gei di neud dy waith budr dy hun. Dy benderfyniad di – sori, Linda a chdi – ydy hyn, ac mi gewch chi ddeud wrtho fo,' meddai Leri a choegni'n gafael ymhob sill. Edrychodd Dafydd arni â'r llygaid blinedig, di-emosiwn.

'Ia, iawn, ocê, os ti'n meddwl mai dyna sydd ora i Samuel.' Gorau i Samuel!

Roedd y botel win bron yn wag a doedd Leri'n sicr ddim yn bwriadu rhannu un arall efo'i hannwyl frawd. Cododd Dafydd yn drwsgl ar ei draed gan ofyn 'Faint sydd arna ni am tymor yma?' 'Gad o!' atebodd hithau'n bwdlyd. Teimlai Leri un o'r *panic attacks* bondigrybwyll yn codi ei ben unwaith eto. Doedd hi ddim wedi cael un ers tro byd, ddim ers cynhebrwng Michael. Wyddai hi ddim beth sbardunodd y pwl y diwrnod hwnnw, ai marwolaeth ingol bachgen ifanc dawnus ynte'r ffaith ei bod wedi gorfod eistedd wrth ymyl Isobel Robinson, o bawb, yn yr eglwys.

Ceisiodd frwydro yn erbyn y cryndod a ddaethai drosti wrth hebrwng ei brawd at y drws. Byddai'n rhaid iddi gymryd *beta blocker* cyn mynd i'w gwely. Ei gwely unig, oer. Ffarweliodd Dafydd â hi gan ddiolch yn gwbl annidwyll unwaith eto am ei holl waith a'i theyrngarwch ar hyd y blynyddoedd efo 'Samuel'. Pan oedd yr *Honey monster* ar fin cyrraedd y giât ar waelod y llwybr, ar ei gwaethaf ni fedrai Leri beidio â galw ar ei ôl:

'Dafydd!' Trodd i edrych arni fel petai mellten wedi ei daro. 'Bechod am Dodo Wini yntê!'

4

Gwisgodd Leri ei siwt cynhebrwng. Hon oedd y siwt a wisgodd i gynhebrwng ei mam. Cawsai'r siwt Planet ddrud ddigon o ddefnydd wedi hynny hefyd. Roedd hi'n sicr wedi cael gwerth ei phres o'r dilledyn a brynodd yn fympwyol un prynhawn gwlyb yng Nghaer. Wyddai hi ddim yr adeg hynny y byddai cynhebryngau'n dod yn bethau llawer mwy cyffredin iddi hi. Ar un cyfnod fe fyddai'n cyfri faint o briodasau fyddai ganddi i edrych ymlaen atyn nhw – neu eu dioddef – mewn blwyddyn. Erbyn hyn cyfri faint o gynhebryngau y bu ynddyn nhw mewn blwyddyn fyddai hi'n ei wneud. Doedd hi ddim wedi bod mewn priodas ers sawl blwyddyn. Roedd y cyfnod hwnnw ar ben. Roedd hi bellach yn dechrau ar gyfnod partïon ysgariad rhai o'i ffrindiau, a phob un ohonyn nhw'n dweud yn ysmala mai hi oedd wedi gwneud y peth callaf wrth aros yn sengl; ei bod hi wedi bod yn llawer dewrach na nhw wrth ymwrthod â'r norm o briodi, gwneud y peth iawn . . .

Doedd Leri ddim yn ystyried y peth yn ddewrder. Roedd hynny'n jôc. Nid ei bod hi wedi peidio priodi o ddewis: doedd hi erioed wedi deisyfu priodi nac ychwaith wedi cael cynnig. Doedd hi ddim wedi llwyddo i gynnal perthynas yn ddigon hir, ar wahân i Dei. Ond roedd hwnnw wedi ei rwydo eisoes. Wyddai'r un o'i ffrindiau am Dei. Dei. Dei. DEI. Roedd dweud ei enw'n gwneud iddi deimlo'n gynnes braf. Dei. Sibrydodd ei enw yn nrych y cwpwrdd dillad a gweld ôl ei hanadl yn diflannu fel gwlith y bore. Gwelodd ei hadlewyrchiad yn ymdarddu o'r niwl wrth i'r drych loywi'n llyn llonydd oer eto.

Doedd y siwt lliw piwtar ddim wedi dyddio gymaint â hynny ond roedd hi, Leri, wedi heneiddio dipyn yn ystod y blynyddoedd diweddar. Doedd hyblygrwydd croen ei hwyneb ddim yr hyn y bu. Roedd y cylchoedd llwydion o dan ei llygaid yn duo'n llawer rhy gyflym. Roedd ei gwallt melyn yn britho'n bupur a halen drosto. Wedi dweud hynny, doedd siâp ei chorff ddim wedi newid cymaint â hynny. Oedd, roedd y sgert ychydig yn dynnach nag oedd hi pan fu ei mam farw, ond roedd hi'n dal yn cau – cyn belled â'i bod hi'n dal ei bol i mewn! A hyd yn oed os oedd ganddi dipyn o fol uwd yn dechrau ffurfio, fyddai neb ddim callach; roedd y siaced yn cuddio hynny.

Roedd ei chorff yn dal i blesio Dei. Roedd o wedi mopio arni. O fewn dim i ddod i'r tŷ, fe fyddai wastad yn rhwygo ei dillad oddi arni, a hithau fel doli glwt yn gadael iddo ei gorchfygu. Fe safai yno, yn y gegin, yn y cyntedd, ar y grisiau, yn lle bynnag, â'i dillad yn gylch o gwmpas ei thraed. Sawl gwaith, wrth ei dadwisgo, y dywedodd wrthi faint roedd o wedi gwirioni arni, ar ei bronnau, ar ei choesau, ar bob tro yn ei chorff, ar sidaneiddiwch ei blewiach, ar lyfnder melfedaidd ei chroen . . . Ond ddywedodd o erioed ddim byd am ei hwyneb. Dyna pam, bob tro y deuai acw, bod yn well gan Leri olau canhwyllau pŵl na golau llachar, rhag ofn bod ei hwyneb yn ei siomi.

Eisteddodd wrth ei bwrdd ymbincio ac agor ei bocs pethau tlws. Cydiodd ym mwclis aur ei mam. Fe wisgai hon heddiw, er nad oedd hi'n gweddu'n iawn efo coler ei siwt. Agorodd y cylch aur ac edrych ar yr wynebau a ymguddiai yng nghrombil tenau'r gadwyn. Llun ei mam a'i thad pan oedden nhw tua'r un oed â hithau rŵan. Wrth gau'r cylch aur fe wyddai bod ei rhieni ynghlwm mewn cusan dragwyddol – er na welodd hi erioed mohonyn nhw'n cusanu, na hyd yn oed yn cyffwrdd. Roedd sut y daeth hi a Dafydd i fod yn dipyn o ddirgelwch!

Fe roddodd ei mam y gorau i'w gyrfa fel cantores er mwyn magu'r ddau. Chlywodd Leri erioed mohoni'n edliw hynny iddi hi na'i brawd, ond gwyddai ei bod hi weithiau'n breuddwydio am yr hyn a allasai fod wedi bod. Treuliai ei mam nosweithiau'n gwrando ar hen recordiau gan ymdrybaeddu mewn hiraeth. Hiraeth am beth neu bwy, doedd Leri ddim yn siŵr. Ond gwyddai bod ei mam yn ddynes llawn potensial – nid yn unig fel cantores, ond hefyd fel person llawn rhamant a nwyd – ac i Leri roedd hi'n fwy o bechod na wireddwyd y potensial hwnnw na'r un cerddorol. Byddai ei mam yn darllen – na, nid darllen, yn lleibio llyfrau – yn enwedig llyfrau rhamantus neu gyfrolau o farddoniaeth. Fe ddyfynnai farddoniaeth, awdlau, penillion telyn, sonedau, emynau – unrhyw beth ag iddo arlliw o ramant yn perthyn iddo.

Roedd gan ei mam gasgliad di-ri, yn ymylu at fod yn afiach, o waith a hanes Sylvia Plath. Sylvia Plath a fu'n ddigon anystyrlon i benderfynu marw ar ddiwrnod geni Leri. Ar bob pen-blwydd fe fyddai ei mam yn taenu cwmwl ar ei dathlu drwy ochneidio'n alarus a dweud 'Sylvia druan!' Sylvia! Fel petai hi'n ei hadnabod yn dda! Roedd Leri'n casáu Sylvia Plath. Roedd hi'n blydi boncyrs! Doedd hi'n gweld dim bai ar Ted Hughes am weld dynes arall. Roedd angen bod yn sant i fyw efo 'Sylvia druan'. Wedi dweud hynny, toedd y ddynes ddewisodd o yn ei lle hi fawr gwell chwaith. Doedd lladd ei hun ddim yn ddigon i honno, roedd rhaid lladd eu merch fach nhw hefyd. O leiaf roedd Sylvia wedi arbed y plant, wedi gadael bisgedi a llefrith iddyn nhw tra stwffiodd hi ei phen i'r popty nwy. Chwarae teg, roedd hi dipyn mwy meddylgar na'r ail wraig! Dyna oedd yn digwydd i bobl briod, yn enwedig i ferched priod – roedden nhw'n mynd yn hollol dw-lal.

Doedd bywyd priodasol ei rhieni ddim yn bicnic i gyd chwaith. Doedd gan Leri erioed gof o weld ei thad yn frwnt efo'i mam, ond doedd dim hoffter, dim agosatrwydd rhyngddyn nhw. Roedd ei thad i ffwrdd byth a beunydd ar gyrsiau neu gynadleddau efo'i waith yn y Coleg. Bob tro y deuai Leri a'i ffrind gorau Alwen yn ôl i'r tŷ am de ar ôl ysgol, roedd ei mam yn ei chau ei hun yn y parlwr bach cefn yn darllen, gan harthio arnynt pan fyddai'r sŵn yn codi: 'Ewch allan i chwara, bendith tad i chi!' Cuddiai Leri gywilydd oerni'r croeso drwy ymhyfrydu yn neallusrwydd ei mam, 'Y Llyfrbryf!'

Mor wahanol fyddai'r croeso yng nghartref Alwen. Roedd agor drws cefn Afallon fel agor drws ar fecws, a hwnnw'n fecws prysur yn llawn arogleuon bwyd, cacennau a danteithion o bob math. Roedd Anti Joanna yn bicitiwr o'r fam ddelfrydol a'i llewys wastad wedi eu torchi, a blawd yn haen denau dros ei breichiau breision. Doedd ryfedd, â'r holl goginio, ei bod hi'n llond ei chroen. Byddai cacen gri a lemonêd cartref yn eu disgwyl bob tro ac roedd ei chrempog, neu ei 'phancos' – gan mai o Aberteifi y deuai Anti Joanna yn wreiddiol – yn bleser pur.

Bu Anti Joanna farw'n ifanc iawn, pan oedd Alwen a Leri'n dal yn yr ysgol. Dyna oedd profiad cyntaf Leri o gynhebrwng, ac fe griodd y glaw drwy'r gwasanaeth yng nghapel Soar, yn y fynwent ac yna wedyn yn y te bach yn Afallon. Roedd y gymuned leol wedi bod yn brysur yn gwneud brechdanau ham, bara brith a chacennau cri, ond doedden nhw ddim yr un fath. Doedd 'na ddim yr un blas arnyn nhw â rhai Anti Joanna druan. A dyna fam Leri wedyn, a gafodd fyw am bron i ugain mlynedd yn hwy nag Anti Joanna, ac eto, pwy fyddai eisiau byw pan nad oedd gennych atgofion?

Roedd Anti Joanna'n rhoi ei holl sylw i'w phlant ac i ffrindiau ei phlant. Doedd mam Leri ddim. Tybed ai dyna pam nad oedd gan Leri lawer o amser i blant, nad oedd hi fel rhyw hen iâr glwc yn dyheu am gael plant, am na chafodd hi, efallai, lawer o sylw gan ei rhieni ei hun?

Canu'r piano oedd ei hunig ffordd o ennill sylw a chael clod gan ei mam.

Beth fyddai ei mam yn ei feddwl o Dei, tybed? Ceisiodd ddwyn i gof y dynion eraill a fu yn ei bywyd, y rhan fwyaf ohonynt yn sioe un noson. Doedd hi erioed wedi bod yn snobyddlyd lle roedd caru yn y cwestiwn. Diwallu chwant oedd y nod. Roedd caru, am ba hyd bynnag, yn golygu ymroddiad, agosatrwydd, nwyd – yr union bethau y crefai Leri amdanyn nhw. Roedd Dei'n diwallu'r tri angen yna iddi – wel, y ddau ddiwethaf beth bynnag.

Roedd Dei ar ei meddwl ddydd a nos. Doedd dim awr yn pasio nad oedd hi'n meddwl amdano. Ai cariad oedd hyn? Ai dim ond wedi dotio ar ei gilydd roedden nhw? Ai perthynas gnawdol yn unig oedd hi? Ai mewn cariad â bod mewn cariad oedd hi? Ai crefu am sylw roedd hi? Oherwydd fe wyddai y câi ganddo, yn ystod yr ychydig achlysuron pan oedden nhw efo'i gilydd, ei holl sylw, gant y cant. Ond ai cariad ynte serch oedd hynny?

Cofiodd un o'r dyfyniadau a ddysgodd ar gyfer ei Lefel O Cymraeg: 'Blodyn prin yw serch yn tyfu ar glogwyn tranc, ond fe dyf cariad fel y dderwen . . .' Hyd yn oed yn bymtheg oed, roedd Leri wedi medru uniaethu efo Blodeuwedd. Pwy fyddai eisiau Llew pan roedd Gwilym Brewys o gwmpas?! Daethai Leri fwy a mwy i'r casgliad nad oedd bodau dynol a monogami yn mynd law yn llaw yn gytûn. Roedd tor-priodasau ei ffrindiau'n awgrymu hynny, ac Alwen ei ffrind gorau yn un o'r ystadegau ysgariad. Roedd sefyllfa Dei ac Isobel yn brawf o hynny. Roedd Leri wedi mentro holi Dei unwaith beth fyddai ei ymateb o pe byddai'n clywed fod Isobel yn gweld dyn arall, ei bod yn cyfarfod dynion mewn llofftydd gwestai er mwyn cael boddio'i chwant? Chwerthin wnaeth Dei. Doedd y peth ddim yn bosib! Doedd Isobel ddim eisiau neb ond fo. Ond wrth gwrs ei fod yn bosib, dadleuodd Leri. Roedd Isobel yn ddynes a chanddi anghenion rhywiol fel pawb arall. Ateb ysmala Dei wrth frathu ei chlust oedd – 'Dim chwarter gymaint â ti, Ler!'

Gwyddai Leri nad oedd bywyd gartref i Dei yn fêl i gyd. Roedd Isobel fel cysgod iddo ymhobman. Doedd o ddim yn cwyno amdani'n aml. Doedd Leri ddim yn hoffi ei glywed yn siarad yn gas amdani. Roedd hynny, am ryw reswm, yn gwneud iddi deimlo'n sobor o anghyfforddus. Roedd ganddi bechod drosto. Roedd o ynghlwm yn un o'r sefyllfaoedd stereoteip hynny lle roedd yn parhau'n ŵr priod 'er mwyn y plant'! Oedd ganddi bechod drosto? Nac oedd, nid drosto *fo*; roedd ei chydymdeimlad hi mewn gwirionedd â'r cadach llestri o wraig oedd ganddo. Piti'n gymysg â ffieidd-dod. Roedd bywyd adre iddi hithau hefyd ymhell o fod yn un delfrydol, mae'n siŵr. Ond lle oedd ei hunan-barch hi? Wedi dweud hynny, pwy oedd Leri i siarad am hunan-barch a hithau'n eistedd bob nos yn gaeth i'w ffôn bach, yn disgwyl i Dei gysylltu?

Diolch byth am y ffôn bach! Y ffôn bach oedd yn gadwyn ar angor eu cariad. Roedd derbyn ac anfon tecst yn rhagori hyd yn oed ar sgwrs ffôn. Gallai Leri ddatgelu pethau mawr emosiynol, a chuddio yr un pryd o dan fwgwd anwel negeseuon y ffôn bach heb i neb weld llonder ei hwyneb gwritgoch na chlywed cryndod diymwâd ei llais. Fu bodiau ei dwylo erioed mor brysur, y dwylo hynny a fu'n gysur ac yn felltith iddi; y dwylo a fu'n addo gyrfa lewyrchus cyn iddynt ddechrau ei bradychu.

Roedd gan Leri amser i'w ladd. Aeth i lawr at y Bösendorfer. Ei phleser a'i phoen. Bu ei rhieni mewn dyled ar hyd eu bywydau er mwyn iddi gael ei phiano, ffaith yr atgoffwyd hi ohoni bron yn feunyddiol gan ei thad. Roedd ei mam, am yr unig dro y gallai Leri gofio, wedi herio ei gŵr. Fe fynnodd eu bod yn talu am y piano gorau posib iddi – Steinway os oedd rhaid.

Fodd bynnag roedd Leri wedi mopio un bore, pan gafodd fynd i gartref ei thiwtor ym Manceinion yn hytrach nag i'r coleg am wers. Roedd gan ei thiwtor Steinway, Model B, piano unionsyth Yamaha a phiano gyngerdd fach arall ym mhen draw yr ystafell oedd â'i orchudd yn snêc amdano. Arweiniodd ei thiwtor hi at y Steinway, ond roedd llygaid Leri ar y piano a guddiai yng nghornel bellaf yr ystafell. Gofynnodd yn swil a gâi weld o dan orchudd y piano yn y gornel. Gwenodd ei thiwtor arni gan dynnu'r gorchudd yn ofalus, fel pe bai'n dadwisgo hen gariad nad oedd wedi ei gweld, na'i chyffwrdd ers tro byd. Bösendorfer oedd yr enw arno. Cynigiodd ei thiwtor iddi ei chwarae. Eisteddodd Leri o flaen y piano a'i gasyn mahogani. Roedd ei sain yn gynnes, yn agos-atoch, yn hyfryd. Syrthiodd mewn cariad ar amrantiad â'r piano. A dyma'r piano a brynodd ei rhieni gan ei thiwtor am ddeng mil o bunnoedd yn fuan ar ôl y wers honno.

Doedd gan ei rhieni ddim deng mil o bunnoedd wrth gefn. Dyna un rheswm pam nad oedd yna fawr ddim arian yn weddill wedi i'r ddau ohonyn nhw farw. Roedd yn rhaid defnyddio'r arian a gafwyd am Gwynfryn i dalu rhai o'u dyledion, ac am le eu mam yn Fronheli, gan adael dim ond ychydig filoedd ar ôl iddi hi a Dafydd.

Aeth y ddwy fil a gafodd Leri tuag at gar newydd, car ail-law – y Renault du – a dwy fil Dafydd ar wyliau iddo fo a Linda a Sam yn Ewrop. Treuliodd Sam druan chwech wythnos yng nghwmni ei rieni yn ymweld â chartrefi cyfansoddwyr mawr Ewrop! Gwelodd biano Beethoven yn Bonn, tŷ Schubert yn Vienna, piano Mozart yn Salzburg . . . Cradur bach!

Gadawodd Leri i'w dwylo ymlwybro ar hyd y nodau. Dechreuodd chwarae un o *Sonatas* Beethoven. Roedd hi'n medru ymgolli, anghofio pob dim, hyd yn oed Dei am ennyd. Mor wahanol fyddai ansawdd ei chwarae pe bai yno gynulleidfa'n gwrando. Fe fyddai pob dim yn newid. Fe fyddai ei chwarae wedyn mor hunan-ymwybodol. Fe fyddai'r dwylo'n chwysu, gan lithro'n drwsgl ar hyd yr ifori fel chwadan feddw ar lyn wedi rhewi. Fe fyddai'r cryndod lleiaf un yn meddiannu'r bysedd yn gwbl ddirybudd a byddai ei llwnc yn hollol sych. Pam? Pam na allai bellach ganu'r piano'n gyhoeddus? Pam na allai ymgolli yr un fath, ac anghofio am fodolaeth y delwau dirifedi yn eu seddi yn y neuadd gyngerdd? Beth oedd yr ofn oedd wedi cydio ynddi fel feis wrth iddi roi'r datganiad enwog ar ddechrau ei gyrfa yn y Barbican yn Llundain? Gwthiodd Leri'r atgof poenus i bellafoedd ei hymennydd ac ymgolli yn y *Sonata*. Cyn cyrraedd y diwedd, daeth Leri'n ymwybodol o bresenoldeb rhywun arall yn yr ystafell. Stopiodd yn stond a gweld Sam yn sefyll yno yn ei ddillad gorau.

'Paid â stopio. Roedd hwnna'n ffantastig.' Edrychodd Leri arno am ennyd a chodi ar ei thraed, sychu ei dwylo yng nghashmir ei sgert ac estyn am ei bag. 'Pam nad wyt ti'n chwara dim mwy?' gofynnodd yn dyner. Clywodd

Leri gorn car ei brawd yn canu y tu allan. ''Nes i ddim dy 'nabod di. Ti 'di cribo dy wallt! Ty'd, neu mi fydd dy dad yn ca'l thrombo!'

Aeth y ddau allan o'r tŷ at Dafydd, a eisteddai fel pwdin wrth lyw y Rover. Cododd Leri ei llaw yn reddfol ar Mr Pearce heb edrych a oedd yn ei le arferol ai peidio, a mynd i'r car. Roedd hi'n ddiwrnod braf, yr awyr yn las diddiwedd a'r haul yn dawnsio'i belydrau'n ddeiamwntau disglair oddi ar do tŷ gwydr Bod Alaw. Edrychodd Leri yn ôl yn hiraethus ar y tŷ capel lle bu'n byw ers i'w mam fynd i'r cartref. Roedd adfail capel Moriah ynghlwm wrtho fel crwca trwm, a hwnnw'n crebachu'n ddim, yn becyn creision yn y tân, wrth i'r car bellhau ar ei ffordd i Lerpwl i ffarwelio â Dodo Wini.

5

Cynhebrwng uniaith Saesneg! Fedrai Leri ddim coelio'r peth. Dodo Wini druan. Dim gair o Gymraeg yn y gwasanaeth nac ar y daflen. Roedd Leri'n dal i ferwi wrth i'r car gefnu ar Gilgwri a throi ei drwyn yn ôl am Gymru. Wyddai Dafydd ddim pam roedd ei chwaer fach yn gwneud cymaint o ffys. Doedd Dodo Wini ddim wedi byw yng Nghymru ers dros drigain mlynedd! Pe bai Cymru'n golygu rhywbeth iddi fyddai hi ddim wedi gadael yn y lle cynta. Synnodd Leri at naïfrwydd ei brawd. Rhaid oedd iddi ddal ei thafod rhag dweud nad oedd Cymru'n golygu rhyw lawer iddo yntau chwaith ac yntau'n troi i'r Saesneg ar bob cyfle, hyd yn oed gyda phobl a fedrai'r Gymraeg yn iawn. Ond roedd Sam yn eistedd yng nghefn y car a doedd hi ddim am frifo'i deimladau.

Roedd Sam wedi bod yn dawedog iawn drwy gydol y daith. Doedd Leri ddim wedi codi pwnc y gwersi piano a'i diwtor newydd. Byddai'n rhaid trafod y peth rhywdro, ond nid o flaen Dafydd. Roedd Leri a Sam wedi cael ysfa i chwerthin yn ystod y gwasanaeth wrth i'r Methiwsela o organyddes yn yr amlosgfa faglu ei ffordd fel malwen gloff drwy'r hen emynau. Roedd angen cymryd anadl rhwng pob gair bron, gan mor araf oedd y cyfeilio. Roedd ei pherfformiad fel petai mewn *slow motion* a Sam yn smalio bod y gerddoriaeth yn ei wneud yn gysglyd. Agorodd ei geg led y pen cyn rhewi fel delw wrth weld llygaid mellt ei dad. Rhoddodd Dafydd ddiwedd ar unrhyw hwyl drwy bwnio a thaflu cuchiau dieflig arnyn nhw fel petaen nhw'n blant drwg yn yr ysgol Sul erstalwm.

Dirywiodd pethau'n gan mil gwaeth pan aeth gwich bach ffôn Leri ar ganol y fendith. Cochodd Leri hyd at fôn ei chlustiau. Edrychodd Sam arni a'i wefusau'n cyrlio'n fwriadol. Gwyddai yntau, fel Leri, heb edrych ar y ffôn, bod y tebygolrwydd yn uchel mai'r dyn priod anfonodd y neges. Wnaeth darllen y neges ar ddiwedd y gwasanaeth ddim i godi hwyliau Leri. Ie, Dei oedd y llatai.

Methu dod heno. Is di trefnu swper.
Biti a fi di edrych mlaen at gael DOD gymaint! . . .

Edrychodd Dafydd yn flin arni fel petai'n gwybod neu'n synhwyro bod cynnwys y neges yn un aflednais.

Yn y te yn y fflat bach dinod ar ôl y cynhebrwng, rhoddodd Rebecca focs llychlyd ym mreichiau Eleri gan ddweud nad oedd hi eisiau ei gynnwys. Roedd croeso i Leri eu cael a hithau'n athrawes biano. Byddai'r gerddoriaeth o fwy o ddefnydd iddi hi nag i neb arall. Roedd croeso iddi wneud beth bynnag roedd hi'n ei ddymuno â nhw. Diolchodd Leri iddi, er nad oedd hithau chwaith eisiau mwy o gerddoriaeth. Roedd cypyrddau'r tŷ yn gwegian eisoes gan faniwsgripts a sgôrs na fyddai fyth yn debygol o weld golau dydd.

Er nad oedd hi yn ei hwyliau gorau ar ôl derbyn ei neges ffôn, roedd hi'n chwith gan Leri adael Rebecca. Dyna'r cysylltiad olaf â theulu ei mam. Roedden nhw wedi mynd yn deulu mor fach. Rhyfedd meddwl eu bod ar un adeg wedi bod yn glamp o deulu mawr. Roedd Dodo Wini a'i thaid, Idris, yn ddau o wyth o blant, a'r merched wedi byw i wth o oedran. Roedd hirhoedledd yn rhan o'i hach. Dodo Wini a Dodo Llinos, a'u mam nhw, sef hen-nain Leri a Dafydd – Nain Jôs – a fu fyw i fod yn naw deg un. Nain Jôs a adawyd yn wraig weddw wythnos ar ôl geni ei hwythfed plentyn a hithau ond yn ddeugain oed. Deugain oed! Yr un oed â Leri rŵan. Mor wahanol oedd bywyd Nain Jôs yn ddeugain oed i'w bywyd hi.

Gwrthododd Dafydd gynnig Rebecca am fwy o de gan ddweud bod yn rhaid iddyn nhw ddychwelyd am ei fod o a Linda yn mynd allan am swper y noson honno. ''Dan ni'n mynd draw at Isobel a Dei Robinson heno,' meddai gan edrych i fyw llygaid Leri. Sylwodd Leri ar blwc bach rhythmig, nerfus o dan ei lygad. A wyddai Dafydd amdani hi a Dei? Na, doedd bosib. Roedd hi'n dioddef o baranoia.

Ffarweliodd Leri â Rebecca, ac er i'r ddwy ddweud '*Keep in touch*! Cofiwch alw os dach chi'n y cyffinia!' gwyddai Leri a Rebecca na fydden nhw'n debygol o weld ei gilydd fyth eto.

Bu'n daith ddistaw yn ôl drwy ddyffryn Clwyd. Arhosodd Leri nes cyrraedd allt Rhuallt cyn pendwmpian cysgu. Roedd yr olygfa o ben yr allt honno'n un o'i ffefrynnau. Teimlai, wrth edrych i lawr y dyffryn, yr hoffai fedru hedfan, cael hofran fel barcud yn uchel uwchben y tirlun a'r arfordir a ymestynnai'n ddiddiwedd o'i blaen. Doedd ryfedd yn y byd fod y Saeson yn heidio ar hyd yr A55 i fwynhau gogoniannau gweledol gogledd Cymru. Bechod na fyddent yn gwerthfawrogi'r gogoniannau diwylliannol hefyd. Oni bai amdanyn nhw, mae'n siŵr y byddai Leri wedi medru cael morgais ar dŷ bychan erbyn hyn, ond roedd prisiau tai wedi saethu i'r entrychion yn y blynyddoedd diwethaf a doedd gan Leri ddim gobaith i brynu sied heb sôn am dŷ.

Ar ôl gwerthu Gwynfryn, a thalu dyledion ei rhieni a chost gofal cartref ei mam, bu Leri'n hir yn dod o hyd i dŷ ar rent a oedd â digon o le ynddo ar gyfer ei phiano. Roedd y Bösendorfer ymron i chwe troedfedd o hyd. Diolch byth bod Dei wedi dangos tŷ capel Moriah iddi hi. Bu'r tŷ'n wag ers tair blynedd – pwy fyddai eisiau byw drws nesaf i fynwent? Ond roedd Leri wrth ei bodd yno. Doedd hi ddim yn unig; onid oedd ganddi ysbrydion trigolion mynwent Moriah yn gwmni iddi? Ar wahân i Mr Pearce dros ffor', roedd ganddi breifatrwydd, roedd ganddi ardd fechan, roedd ganddi dŷ â chymeriad a hanes iddo – a'i cyfan am rent isel i'r Henaduriaeth.

Gwyddai Leri bod yno dipyn o waith y dylid ei wneud

ar y tŷ. Roedd tamprwydd ar hyd y wal oedd ynghlwm wrth adfail Moriah drws nesaf, ond doedd hynny'n poeni dim arni. Roedd y llwydni ar waliau'r ystafell ymolchi yn glytwaith digon deniadol a ychwanegai at gymeriad y tŷ, ac roedd y llwydni ar y nenfwd uwchben ei gwely yn edrych fel hen ddyn yn pwyntio'i fys. Sawl tro y dywedodd Dei wrthi, yn ystod ac ar ôl caru, fod yr hen flaenor yn gwgu ar eu gweithredoedd budron, a'r bys esgyrnog unwaith eto'n chwifio'i gerydd arnyn nhw?!

Pwniodd Dafydd hi i'w deffro o'i chyntun. Roedd hi adre. Diolch byth. Roedd hi'n rhyddhad cael cau drws y tŷ capel ar y byd mawr tu allan. Tynnodd ei ffôn o'i bag ac edrych eto ar neges Dei. Daria fo! Daria Isobel! Daria Dafydd a Linda! Daria pawb!

Aeth Leri'n syth i'w llofft i newid o'i dillad angladd. Tynnodd y dillad yn ddiseremoni heb wybod beth i'w gwisgo yn eu lle. Safodd yn noeth am ennyd o flaen drych y wardrob. Edrychodd ar ei chorff. Mwythodd ei bronnau. Ysai am ddwylo deheuig Dei, ond Duw a ŵyr pryd y gwelai o nesaf. Teimlai rwystredigaeth enbyd. Roedd yr holl sefyllfa'n rheoli ei bywyd. Roedd hi wedi cael cynnig i fynd i'r theatr efo'i ffrind Alwen y noson honno, a gwyddai y dylai fod wedi derbyn. Doedd hi heb fod mewn cysylltiad â'r un o'i ffrindiau ers wythnosau – ers misoedd a dweud y gwir. Roedd arni ofn gwneud trefniadau rhag iddi golli cyfle prin i weld Dei.

Ceisiodd ddwyn ei wyneb i gof. Ei wallt cwta lliw concyrs yr Hydref. Ei lygaid lliw siocled. Ei drwyn main. Ei wefusau llawnion siâp bwa Cipwid. Ei ddominos o ddannedd gwynion a led-groesai ei gilydd mor atyniadol. Ei ên pendant, styfnig. Y gwddw trwchus heulfelyn a sbeciai dros goleri ei grysau gwaith. Ei gorff llydan a'r bol tyn oedd yn dechrau pesgi ac eistedd yn hunanfoddhaus dros wregys Calvin Klein du ei drywsus llawn. A'r dwylo. Y dwylo hynny a wyddai'n union ble roedd hi eisiau iddyn nhw fynd heb iddi orfod yngan gair, dim ond ochneidio'i phleser wrth deimlo'i gyffyrddiad grymus. Fo fyddai'n rheoli bob tro. Fo fyddai'n ei gosod oddi tano fo, ar ei ben o, wrth ei ochr o, yn erbyn wal, ar y grisiau, yn y gawod . . .

Beth oedd hi i'w wneud â gweddill y penwythnos? Penwythnos gwag arall. Beth oedd wedi digwydd iddi? Pa fath o fywyd oedd hwn? Gwyddai ym mêr ei hesgyrn y dylai ddod â'r berthynas i ben. Ar y llaw arall gwyddai na fedrai wneud hynny fyth. Gwyddai ei bod yn byw mewn ofn bod hebddo. Peidio ei weld, peidio â rhoi ei hun yn gyfan gwbl iddo, peidio derbyn y negeseuon ffôn. Byddai peidio â'i weld fel peidio bod. Roedd ei afael arni fel iorwg, yn ei mygu a'i chaethiwo. Gwyddai ei bod yn rhy llwfr i brofi gwahanu oddi wrtho. Roedd hi'n unig, ond gwyddai y byddai peidio â'i weld yn unigrwydd llawer dwysach, llawer mwy poenus. Fyddai ganddi ddim i edrych ymlaen ato. Dim rhyfeddod. Dim syndod.

Meddyliodd am Dodo Wini wrth iddi luchio ei jîns a hen grys chwys amdani a mynd i lawr y grisiau. Eisteddodd ar y gris gwaelod yng nghysgod cloc Graianog gan syllu ar garped sisal brau y cyntedd. Dodo Wini druan. Onid oedd yn well ei bod wedi marw? Pa fath o fywyd a gafodd yn ei blynyddoedd diwethaf, yn eistedd yn ei chornel yn mynd o un pryd bwyd i'r llall? Ac eto, mae'n siŵr nad oedd hyd yn oed hen wraig fel Dodo Wini eisiau marw. Dim ots pa oedran – doedd y rhan fwyaf o'r ddynolryw ddim eisiau marw, pa mor ddiflas bynnag oedd bywyd. Beth oedd gan hen wraig naw deg wyth mlwydd oed i edrych ymlaen ato fo? Beth oedd gan unrhyw hen berson i edrych ymlaen ato fo? Beth oedd gan Mr Pearce Bod Alaw i edrych ymlaen ato fo? Iawn, doedd Mr Pearce ddim mor hen â Dodo Wini. Faint oedd o? Doedd o m'ond yn ei drigeiniau hwyr, ond doedd o ddim yn mwynhau iechyd. Fe'i tarawyd â'r clefyd Parkinson pan oedd o, mae'n debyg, yn ei bum degau cynnar. Roedd o'n eithaf caeth i'r tŷ heb nemor neb yn ymweld â fo.

Roedd gan Leri ofn mynd yn hen. Deffro yn y bore heb wybod pam ei bod wedi deffro. Ac eto, onid dyna fel roedd hi rŵan? Oni bai am ymweliadau achlysurol Dei, beth oedd ganddi hi i edrych ymlaen ato fo? Fyddai ganddi ddim hyd yn oed Sam i ddod am ei wersi piano bellach. Roedd hi wedi dechrau casáu pob gwers piano arall a roddai. Yr unig beth a wnâi'r gwersi piano bellach oedd gosod rhyw fath o adeiladwaith neu fformat i'w bywyd, rhoi rhyw fath o fomentwm iddo. Rhaid bod mwy i fywyd na hynny.

Beth oedd Leri i'w wneud â'i noson? Roedd ganddi awydd cryf i fynd draw i dŷ Dei ac Isobel i sbecian drwy'r ffenest. Byddai wrth ei bodd yn cael bod yn bry bach ar wal eu cartref heno wrth iddyn nhw groesawu Dafydd a Linda atyn nhw. Ysai am weld sut roedd Dei yn ymddwyn yn ei gartref ei hun, gyda'i deulu ei hun. Oedd o mor wirioneddol anhapus ag y mynnai ei fod? Ynte ai dweud hynny wrthi yr oedd o gan feddwl bod hynny'n rhyw gysur iddi? Oedd o'n meddwl amdani hi yr eiliad honno? Er cael ei themtio gwyddai Leri na fyddai fyth yn ei hiselhau ei hun i lechu y tu allan i'w gartref. Roedd ganddi'r mymryn lleiaf o hunan-barch o hyd.

Cododd o'i chwman. Roedd hi wedi cyffio ar waelod y grisiau. Wrth gerdded at y gegin trawodd flaen ei throed yn erbyn cornel y bocs a roddodd Rebecca iddi. Rhegodd tan i'r gwayw ym mawd ei throed bylu. Cododd y bocs a'i luchio ar fwrdd y gegin; cododd nimbws llwyd o lwch mws o'i chwmpas fel hen ddraig emffysemig. Agorodd Leri botel o win cyn syrthio'n swp blinedig ar y setl. Edrychodd eto ar y bocs. Roedd hi ar fin ei roi o dan y setl gyda'r holl dderbynebau a daflwyd yno i aros iddi roi trefn arnyn nhw ar gyfer y dreth incwm, ond am ryw reswm anesboniadwy penderfynodd edrych ar ei gynnwys. Agorodd y caead.

6

'Cusan Cwsg oedd Cusan Mam', 'Bedd Fy Nghariad', 'How Vain is Man', 'Ar Lan Afonydd Babel' . . . Ochneidiodd Leri wrth dwrio drwy unawdau a deuawdau brau eu tudalennau. Beth wnâi hi â'r rhain i gyd? Pwy oedd eu perchennog? Yn sicr ni fu Dodo Wini'n canu unawdau hyd y gwyddai Leri, a beth bynnag, unawdau i lais tenor oedd y rhan fwyaf o'r gerddoriaeth, ynghyd ag ambell ddarn i'r cornet. Roedd yna hefyd, yng nghrombil y bocs, faniwsgripts a'r nodiadau ysgafn mewn pensil arnynt bron yn annealladwy. Roedd teitl i un ohonynt, darn i'r piano, *Elegie*. Craffodd Leri i geisio gwneud pen a chynffon ohono. Doedd ganddi ddim llawer o amynedd. Roedd Dei, fel arfer, yn llenwi ei meddwl.

Rhoddodd y darn piano *Elegie* yn ôl gyda'r tudalennau melyn-frown eraill pan sylwodd ar enw ar waelod y darn. Ifor, 1917. Roedd y miwsig yma'n hen, a phwy oedd Ifor? Cofiodd Leri i'w Mam ddweud bod un o'i hewythrod, brawd Taid a Dodo Wini felly, wedi marw yn Ffrainc yn y Rhyfel Byd Cyntaf. Tybed ai Ifor oedd ei enw? Doedd gan Leri neb i ofyn iddyn nhw bellach. Dodo Wini oedd yr olaf o'r genhedlaeth honno. Roedd hi'n rhy hwyr i ofyn cwestiynau – roedd yr atebion iddyn nhw i gyd bellach yn y gro ym mynwent Calfaria.

Tynnodd Leri fwndel bychan arall o bapurau oedd wedi eu clymu y tro hwn â ruban goch. Wrth eu tynnu o'r bocs, gwelodd fod yna drawfforch rydlyd oddi tanynt, hen raglenni cymanfaoedd a hen lyfr emynau bychan o dan y rheiny. Byseddodd Leri'r llyfr emynau a'i glawr a fu unwaith, mae'n siŵr, yn ddu ond oedd bellach yn rhyw liw copr hydrefol. Roedd ôl llawer o ddefnydd arno. Bu'r llyfr hwn yn gymar pwysig i'w berchennog. Edrychodd Leri y tu mewn i'w glawr a gweld darn o bapur wedi ei lynu ar y clawr a'r geiriau'n galigraffi cain, yn ddu ac iddynt gysgod coch:

Cyflwynedig i Ifor Jones,
Brynengan,
County Road,
Y Dyffryn
Gan Ysgol Sul Capel Calfaria, 1910.

Oddi tano roedd ei berchennog, mae'n debyg, wedi ysgrifennu: *Delville, 1916.*

Gosododd Leri'r llyfr ar y bwrdd wrth ochr y botel win ac fe agorodd y llyfr. Yr emyn a welai o'i blaen oedd

'Bydd Myrdd o Ryfeddodau'. Ai hwnnw oedd hoff emyn Ifor, tybed? Roedd cynifer o gyfrinachau'n llechu yn y bocs a doedd dim gobaith eu rhannu. Ynte oedd 'na? Wrth dynnu'r ruban goch a glymwyd yn ddestlus gan rhywun am y bwndel papurau, gwelodd Leri mai llythyrau oedd yn y bwndel. Llythyrau Ifor. Dyma gyfle efallai i glywed ei lais, i glywed ei stori, i ddod i adnabod rhyw fymryn ar frawd ei thaid, os mai dyna pwy oedd o. Pa fath o stori fyddai hi? Unwaith eto roedd y llawysgrifen yn anodd i'w deall a'r papur mor frau nes ei fod yn ddarnau rhaflog mewn mannau. Roedd rhan uchaf y dudalen gyntaf wedi rhwygo, ac nid oedd modd gweld at bwy roedd y llythyr wedi'i gyfeirio. Tybiai Leri mai llythyr at ei fam oedd o. Cododd i nôl ei sigaréts o'i bag. Taniodd ei sigarét, ac yn ofalus, ofalus cydiodd yn y llythyr cyntaf rhwng bys a bawd ei llaw chwith a dechreuodd ddarllen yr unig ddarn o'r llythyr oedd yn weddill ac yn ddealladwy:

> *. . . Gwelwch fy mod yn iach ac mewn hwyliau pur dda ag ystyried, felly hefyd Robat, ond nis gwn pa fynud y byddaf yn newid dau fyd. Mae twrf y shells a'r bwledi yn chwyrnu ac yn burstio uwch ein pennau yn ddigon a dyrysu unrhyw greadur o ddyn . . . Balch fuasem ni yma pe gwelem y rhyfel ofnadwy yma drosodd. Nid oes neb fedr ei desgrifio hi. Teimlad mawr sydd yma – gweled hogia o'r un fan a chwi yn myned i dragwyddoldeb wrth eich hochr . . .*

Roedd Leri'n pitïo nad oedd mwy i'r llythyr, nad oedd mwy o lais Ifor, os mai llythyr Ifor oedd o. A phwy oedd Robat? Oedd o hefyd yn frawd i Ifor ac felly'n frawd i'w thaid? Cafodd fwy o lwc gyda'r llythyr nesaf, llythyr oedd ymron yn gyflawn, wedi ei gyfeirio a'i arwyddo. Ie, llythyr Ifor yn ddiamheuol oedd hwn. Teimlai Leri'r gwaed yn rhedeg yn gyflymach drwy ei gwythiennau. Diffoddodd ei sigaret, drachtiodd ei gwin a llarpiodd gynnwys y llythyr.

F'annwyl rieni,
Dyma fi unwaith eto yn ceisio ysgrifennu gair neu ddau atoch cyn gynted ag y cefais gyfle gan obeithio eich bod yn iach. Ddoe y derbyniais eich llythyr ac yr oeddwn yn fwy diolchgar nac y gall geiriau ddesgrifio o'i dderbyn a diolch yn fawr i Jennie am ddanfon y llyfr miwsig ataf.

Ry'm wedi cerdded milldiroedd er's dros wythnos, ac un noson trechwyd fi yn lân gan ludded. Roedd fy sawdl dde yn gwaedu ac erbyn i mi dynu fy esgid gwelais fod yswigen wedi codi ac wedi tori i'r byw. Cefais driniaeth gan y meddyg bob dydd hyd heddyw. Da genyf ddweyd fy mod yn holliach erbyn hyn. Nid oes rhaid i chi boeni dim amdanaf. Drwy bob anhawster gallaf glywed Mam yn dweyd yn dawel yn fy nghlust 'Cred yn Nuw a bydd pob dim yn iawn.'

Yr oedd yn galondid garw i mi eich clywed yn dweyd fod pobol y Dyffryn yn gweddio trosom yma. Byddaf yn ddiolchgar os gwnewch grybwyll fod Robat a minnau yn dymuno cael ein cofio at bawb ac yn enwedig at deulu Cumberland Stores. Byddai llymaid o ddiod ddail Mistar Evans yn dda yma. Cofion annwyl iawn at fy mrodyr a'm chwiorydd, ac yn enwedig at Llinos fach. Os gwelwch chi Marged Roberts Glan Gors, cofiwch fi yn gynnes ati hi. Cofiwch fi at bawb, maent yn rhy luosog i mi eu henwi, ond yr wyf yn gobeithio y caf eu gweled oll yn fuan.

Felly gyda'r cofion serchocaf
Ydwyf eich mab
I

Ailddarllenodd Leri'r llythyr. Pwy oedd Jennie? Ble roedd Cumberland Stores? Pwy oedd Mistar Evans a'i ddiod ddail? Pwy oedd Marged Roberts Glan Gors? Fe wyddai Leri pwy oedd Llinos. Fe gofiai Dodo Llinos yn iawn. Dodo Llinos, chwaer Dodo Wini ac Idris ei thaid, ac felly'n chwaer hefyd i Ifor. Dynes fach dwt oedd hi fyddai wastad yn gwisgo siwt frown a broitsh fach gron o berlau bychain ar ei choler. Bu'n byw yn Llannor tan iddi ymfudo i Awstralia ym 1980 i fyw gyda'i merch a'i hwyresau, a bu farw yno'r flwyddyn ddiwethaf a hithau mewn gwth o oedran.

Byddai Dodo Llinos wedi bod yn storfa amhrisiadwy o atgofion. At Dodo Llinos yr ysgrifennodd golygydd y llyfr ar ganmlwyddiant ysgol y Dyffryn i'w holi am hynt a helynt cymeriadau'r ardal erstalwm. Ganddi hi y cawsai Leri hanes Nain Jôs, mam Dodo Llinos, nain i fam Leri a hen-nain i Dafydd a hithau. Roedd ganddi frith gof ohoni, ynte ai meddwl ei bod yn cofio yr oedd hi? Bu Nain Jôs farw yn naw deg tri mlwydd oed pan oedd Leri ond yn bedair neu bump oed. Doedd bosib ei bod yn ei chofio, ond roedd hi'n sicr yn cofio hanes Dodo Llinos amdani. Ond dyna ni, roedd Leri unwaith eto'n rhy hwyr yn holi. Daeth ton o chwilfrydedd drosti. Fe wyddai enwau pedwar o'r wyth plentyn: dyna Idris ei thaid a fu farw pan roedd Leri'n saith mlwydd oed, Ifor, Llinos a Wini. Beth oedd enwau'r pedwar arall a beth fu eu hanes? Oedd Jennie, a anfonodd lyfr miwsig i Ifor, yn un ohonynt? Yn anad dim roedd ar Leri eisiau dod i adnabod ei hen ewythr Ifor, oedd yn amlwg yn gerddorol, ac am wybod beth fu ei hanes yn ystod y rhyfel.

Ceisiodd Leri ddwyn i gof ei gwersi hanes yn yr ysgol.

Fe wnaeth hi Lefel O yn y pwnc, ond cyfnod yr Ail Ryfel Byd oedd testun y maes llafur. Roedd hi'n gyfarwydd â'r dyddiadau a'r enwau mawr fel Hitler, Stalin, Mussolini, Franco, ond doedd ganddi ddim cof o ddysgu llawer am y Rhyfel Byd Cyntaf. Cywilyddiai wrth gofio bod cofgolofn i gofio'r rhai a gwympodd yn y Rhyfel Mawr yn Dre, gyferbyn â Gwynfryn, ei hen gartref; cofgolofn ac arno gloc yn wyneb iddo. Cofiai i'r prifathro yn yr ysgol gynradd ddweud y drefn wrthi pan glywodd hi'n dweud ei bod hi'n byw gyferbyn â'r cloc. 'Nid cloc, ond Senotaff,' cyfarthodd arni. Ta waeth, er byw yn ei gysgod drwy gydol ei magwrfa, nid edrychodd hi erioed ar y rhestr *verdigris* o enwau'r bechgyn arno, er iddi rythu ar y cloc yn ddeddfol am gyfnod pan oedd hi'n ferch fach bum mlwydd oed yn ceisio dirnad cymhlethdodau dyrys y bys mawr a'r bys bach.

Roedd amser yr adeg hynny'n gyfaredd a digonedd ohono ar gael. Erbyn heddiw teimlai Leri bod amser yn elyn a grechwenai'n sbeitlyd wrth godi sbîd diangen fel lleidr car yn cael gwefr o yrru'n wyllt wallgo gan herian ei hoedl ei hun. Do, bu Leri'n eistedd am hydoedd ar ben grisiau Gwynfryn er mwyn craffu ar y cloc drwy gwarel ucha'r drws ffrynt. Gwnaeth hynny heb sylweddoli'r dwyster: y rhestr o lanciau lleol na chafodd yr amser i dyfu'n ddynion. Byddai'n rhaid iddi, pan âi i Dre y tro nesaf, bicio i'w hen gartref i ddarllen y rhestr ar y gofgolofn. Efallai bod yno rai a fu yn Ffrainc efo Ifor. Efallai bod Ifor yno hefyd. Na, mae'n siŵr bod enw Ifor ar y gofgolofn yn y Dyffryn. Doedd Leri erioed wedi oedi i ddarllen yr enwau ar y gofgolofn honno chwaith.

Roedd ei dychymyg ar garlam. Sylwodd ei bod hi

wedi tywyllu ers iddi ddechrau archwilio cynnwys y bocs. Roedd hi bron yn naw o'r gloch. Doedd hi heb gael swper. Cododd i roi'r golau uwchben y setl ymlaen er mwyn iddi gael gweld yn well. Caeodd y llenni a theimlai'n glyd a chynnes yng nghocŵn ei chartref. I'r diawl â Dei a'i swper. Sylweddolodd bod dros awr wedi pasio a hithau heb feddwl amdano, heb edrych ar ei ffôn bach rhag ofn ei fod wedi gadael neges a hithau heb ei glywed. Roedd hanes Ifor a'i fiwsig a'i ryfel wedi lliniaru tipyn ar ei hiraeth am Dei, ynghyd â'i thymer ddrwg.

Cododd a thaenu menyn ar ddwy dafell o fara, a thynnu'r cig moch o'i baced seloffên. Gosododd ddau ddarn o dan y gril. Llenwodd y tecell â dŵr. Roedd y gwin wedi dechrau gadael blas cas yn ei cheg. Fe wnâi paned y tro efo'i brechdan cig moch a sos coch. Gadawodd i'w chig moch grimpio'n sych wrth iddi ymgolli mewn darn bach arall o bapur o'r bocs. Darn wedi ei dorri o bapur newydd oedd hwn y tro yma ac iddo'r pennawd:

DISTAWODD Y GÂN

Datganwr swynol oedd ein diweddar gyfaill, William Jones, County Road, Y Dyffryn, a brawd i'r brodyr cerddgar, Eben a Moses Jones, dau amlwg ar lwyfan fel datganwyr. Cystudd byr gafodd William Jones, a bu farw ddydd Gwener diweddaf yn 48 mlwydd oed. Prydnawn Mawrth daeth tyrfa fawr i'w angladd i'w hebrwng i fynwent Calfaria. Gwasanaethwyd wrth y tŷ gan y Parchn S.R Jones (B) ei weinidog a G. Davies (A) Saron ac E.T Williams (W). Yr oedd yn bresennol hefyd y Parchn Elias

Roberts, John S Jones a David Morgan, Pont y Waen. Yn eu galar mae gweddw ac wyth o blant, un a oedd adref ar leave o Ffrainc ac un, yr ieuengaf, yn wythnos oed.

Dyma ei hen daid felly, gŵr Nain Jôs, a thad i Ifor. Mae'n rhaid mai Ifor oedd yr un adref *ar leave*. Byddai'n ddifyr cael gwybod mwy, cael llenwi'r jigsô. Byddai'n rhaid cael gwybod enwau a dyddiadau geni yr wyth plentyn.

Ymsythodd Leri yn ei chadair. Roedd ganddi wayw yn ei chefn ar ôl crymu gyhyd dros y bwrdd a'r hen ddogfennau. Roedd hi ar fin codi i roi'r llestri yn y sinc pan fu bron iddi â neidio o'i chroen o glywed cloch y drws yn canu. Pwy allai fod yno yr adeg yma ar nos Sadwrn? Nid Dei – roedd o adre efo weiffi, Linda a'r palat surbwch hwnnw o frawd oedd ganddi. Aeth Leri at y drws a gweld Mr Pearce yn hofran yno fel aderyn mewn cawell. Roedd y clefyd Parkinsons yn gwaethygu ganddo.

'Leri. Mae'n ddrwg gen i darfu arnoch chi. Dwi wedi cael codwm bychan. Dim byd mawr.'

'O, Mr Pearce! 'Dach chi'n iawn?'

'Ydw tad, dim ond bod goriad y tŷ wedi disgyn o 'mhocad i pan faglish i a fedra i yn fy myw â'i godi fo. Fasa chi'n meindio?'

'Dim o gwbl. Yn lle disgynnodd o?' meddai Leri wrth ddod o'r tŷ. Dilynodd hi Mr Pearce a oedd yn gogrwn mynd o'i blaen. Edrychai fel petai ar fin disgyn eto. Gwelodd y goriad ar y tarmac rhwng ei thŷ hi a Bod Alaw. Estynnodd amdano'n gwbl ddidrafferth. Sut oedd Mr Pearce yn llwyddo ar ei ben ei hun, wyddai Leri ddim. Diolch byth mai byngalo oedd Bod Alaw. Roedd y clefyd

Parkinsons, mae'n amlwg, wedi carlamu yn ei flaen yn ystod y misoedd diwethaf. Mae'n rhaid ei fod yn cyfyngu dipyn ar yr hen greadur.

'Lle o'dda chi 'di bod?' gofynnodd Leri wrth ei dywys at y tŷ a'r rhosyn y mynydd, er mor dlws, yn tagu'r llwybr gan ei gwneud hi'n anoddach fyth i Mr Pearce wneud ei ffordd at y drws.

'Am dro.'

'Am dro!' meddai Leri heb guddio dim ar ei syndod. 'Ar eich pen eich hun?!'

'Wel ia. Dw inna fel chitha, Leri, yn byw fy hun. Pa ddewis arall sydd gen i?' Ciciodd Leri ei hun am fod mor ansensitif. O Mam bach, ai peth fel hyn oedd heneiddio ar eich pen eich hun? Dyna un o'r ychydig fanteision o briodi neu gyd-fyw; cael cwmni, cael cymorth wrth i gymalau gloi, wrth i nerfau ballu, wrth i olwg bylu, wrth i'r meddwl arafu a dod i ffwl stop. Ond oedd hynny'n reswm digonol i rwydo person arall er mwyn sicrhau bod gennych *home help* yn rhad ac am ddim?

Rhoddodd Leri'r goriad yn nrws Bod Alaw ac agorodd ag un wich aflafar. Edrychodd dros ei hysgwydd a gweld bod Mr Pearce yn sefyll fel delw crwm ar ganol y llwybr. Doedd dim cryndod o gwbl i'w weld yn ei gorff. Synhwyrodd Mr Pearce bod Leri'n disgwyl amdano. Cododd ei ben fymryn ac edrych arni. Wyddai Leri ddim beth i'w ddweud. Pam oedd o'n sefyll yn fanna mor stond? Roedd yr haul wedi cilio erbyn hyn a'r awyr serog yn oeri'r cnawd.

'Dwi 'di rhewi,' ebychodd Mr Pearce yn robotig. Roedd Leri ar fin dweud ei bod hithau hefyd pan sylweddolodd ei fod yn cyfeirio at y ffaith na allai symud.

Yn wir, ni allai symud gewyn. Beth allai hi wneud rŵan? Fedrai'r ddau ddim sefyll yno drwy'r nos.

'Oes 'na rwbath fedra i neud i'ch helpu chi i symud?' mentrodd Leri'n ofalus. Teimlai'n gyfan gwbl allan o'i dyfnder.

'Ydach chi'n gallu cyflawni gwyrthiau?' gofynnodd Mr Pearce fel atsain i'r hyn a wibiai ar hyd gwifrau ei meddwl. Gwenodd y ddau wên bathetig, ddi-glem ar ei gilydd. Aeth Leri ato a rhoi ei fraich iddo, ond yn ofer. Gwir ei eiriau. Roedd o wedi rhewi'n gorn.

'Ma'n ddrwg gen i, Mr Pearce, ond ro'n i'n meddwl mai methu stopio symud oedd rhywun oedd yn dioddef o Parkinsons?'

'Hynny, neu hyn,' atebodd.

'P'run ydi'r gwaethaf?' gofynnodd Leri a oedd wedi dechrau crynu ei hun erbyn hyn, gan oerfel.

'Ar y funud yma mi faswn i'n gwneud rhwbath am gael bod fath ag un o gŵn Pavlov eto. Rhwbath er mwyn cael cyrraedd y blydi tŷ 'cw. Dwi'n meddwl ella mod i 'di anghofio cymryd un o'r *methodones*. Ro'n i fod i'w cymryd nhw amsar te, ond mi gysgish, felly chymish i mo'r bali pils.'

Cynigiodd Leri fynd i'r tŷ i nôl y pils bach a llymaid o ddŵr iddo.

'Ia, a dowch â chadair yr un o'r gegin i ni. Mi gymith amsar i'r pils neud eu gwaith.'

Doedd gan Leri fawr o awydd eistedd ar lwybr cul Bod Alaw am hanner awr wedi naw ar noson ddigon oer ddiwedd mis Ebrill, ond fedrai hi ddim gadael Mr Pearce ar ei ben ei hun. Doedd hi chwaith ddim yn gyfarwydd iawn â Bod Alaw. Roedd hi wedi bod i mewn yno unwaith neu ddwy pan oedd ei bost o wedi'i gymysgu â'i hun hi, neu ar fore Dolig i roi iddo ei focs *shortbread* blynyddol, ond ni bu fawr o dro yn dod o hyd i'w focs pils a gwydryn ar gyfer y dŵr yn y gegin fach. Aeth â nhw allan iddo, ac yna'n ôl i nôl dwy gadair. Sodrodd Mr Pearce yn ei gadair, rhoddodd y gwydryn yn ei law, ac eisteddodd wrth ei ymyl. Llyncodd ei bils a chymerodd Leri y gwydryn oddi arno.

'Dach chi ddim wedi cael te, Mr Pearce?'

'Naddo.'

'Ma gen i botal o St Emilion ar ei hannar a dwy sleisen o gig moch 'di pasio'u *sell by date* yn tŷ!'

'Dach chi'n ffeind iawn. Mi neith y St Emilion yn champion!'

Gwenodd Leri a chroesi draw at y tŷ capel. 'Peidiwch â symud!' gwaeddodd Leri ar ei hôl.

'*Chance would be a fine thing,*' atebodd Mr Pearce fel bwled. Gwenodd Leri eto. Peth rhyfedd nad oedd o erioed wedi priodi. Roedd o'n ddyn golygus, hyd yn oed yn ei waeledd. Ac eto, pam dylai hi fynd ar hyd hen feddyliau ystrydebol felly? Onid oedd hithau'n dioddef o gydymdeimlad nawddoglyd ei chydnabod priod? Os nad oedd rhywun wedi priodi, roedd rhaid eu bod yn hoyw neu bod rhyw nam neu chwinc arnynt.

Gwisgodd Leri got amdani, cyn croesi 'nôl gyda hambwrdd ac arno baced o gnau, dau wydryn, hanner potel o win coch a channwyll i gael gwared o'r pryfetach bach pryfoclyd a ddeuai i'w plagio yr adeg yna o'r nos, ynghyd a'i ffôn bach yn ei phoced. Wedi iddi nôl cardigan o'r gegin gefn i Mr Pearce a thollti'r gwin i'r ddau ohonynt, setlodd Leri ar ei chadair wrth ochr ei chymydog.

'Dach chi'n meindio os dwi'n smocio, Mr Pearce?'

'Dim o gwbl.'

'Dach chi isio un?'

'Na, dim diolch. Ond swn i'm yn meindio tasach chi'n rholio Jamaican bach i mi.'

'Pardwn?' meddai Leri, heb ddeall yn iawn at beth roedd o'n cyfeirio.

'Rholio joint bach i mi, os wnewch chi.'

Bu bron i Leri gael gwasgfa. Oedd hi wedi ei glywed yn iawn?

'Does gen i ddim peth felly, Mr Pearce,' meddai Leri'n ymddiheurol.

'Na, ond ma' gen i un ym mhocad fy nghrys yn fan'ma. Fasa chi'n meindio ei rholio hi i mi?' Fedrai Mr Pearce ddim estyn i'w boced a bu'n rhaid i Leri ei helpu. Oedd, roedd ganddo baced o Rizlas a blewiach o wair yn cuddio yno.

Gwenodd Leri arno a dechrau rholio'r papur bach am y dôp. Roedd blynyddoedd ers iddi rolio sigarét, heb sôn am joint, ac fe deimlai i ddechrau fel pe bai ganddi ddwy law chwith, ond buan y cofiodd y grefft! Llyfodd ochr y Rizla, cyn ei rolio rhwng ei bysedd a'i bawd ac yna ei basio i'w chymydog.

'Newch chi ei thanio hi i mi hefyd, Leri? Neu ma' beryg i mi roi fy hun ar dân.'

Cynheuodd Leri y joint iddo fo ac edrych arno'n tynnu'n fodlon ar y rholyn papur a mwg melys yn llenwi'r ardd. Cynigiodd bwff i Leri. Doedd hi heb smocio'r un o'r rhain ers ei dyddiau coleg yn Llundain. Ia, pam lai!

I unrhyw un a fyddai wedi pasio, fe fydden nhw wedi gweld golygfa ryfedd. Roedd y ddau'n eistedd, bron â fferru, ar ganol llwybr at ddrws ffrynt y byngalo yn syllu i'r hanner gwyll yn smocio joint!

'Does gennoch chi ddim ffôn bach i fynd efo chi pan dach chi'n mynd allan?' gofynnodd Leri iddo wrth basio'r joint yn ôl iddo.

'Nagoes. Fedar fy mysadd i ddim taclo'r rhifau. Ma'r rhifau'n rhy fach a 'mysadd i'n rhy lletchwith. Dwi'n ffonio'r manijyr banc pan dwi'n trio ffonio'r ffansi ledi!' Chwarddodd Leri'n uchel.

Collodd Mr Pearce rywfaint o'r gwin dros ei drywsus. Diawliodd Leri ei hun am or-lenwi ei wydr. Roedd synnwyr yn dweud nad oedd hynny'n gwneud ffafr ag un oedd yn dioddef o Parkinsons. Teimlai Leri'n ddigon hyf arno bellach i'w holi ynghylch ei afiechyd a dywedodd yntau wrthi'n ddigon didaro nad oedd y cyffuriau a gawsai gan ei feddyg bellach yn effeithiol. Roedd yr arbenigwr wedi rhoi cwrs newydd o dabledi iddo eu cymryd am y tri mis nesaf, ac os nad oedd rheiny'n gwneud eu gwaith, yna gallai ddewis cael llawdriniaeth.

'Pa fath o driniaeth?' gofynnodd Leri. Roedd ysbytai'n codi ofn gwirioneddol arni.

Esboniodd Mr Pearce yn eithaf di-hid y byddai'n rhaid plannu teclyn bychan llai hyd yn oed na blewyn gwallt yn ei ymennydd ac y byddai ganddo swits ar ei frest er mwyn tanio neu ddiffodd y teclyn yn ôl y galw. Ceisiodd Leri ei gorau glas i beidio â dangos bod y ffasiwn ddisgrifiad yn codi pwys arni, ond methodd yn lân â chuddio'i harswyd greddfol pan eglurodd Mr Pearce y byddai'n rhaid iddo fod yn effro drwy'r holl driniaeth!

'Blydi hel! Swn i'm yn licio hynna,' meddai â'i hwyneb yn un pictiwr o ffieidd-dod.

'Fedra i'm deud mod i'n edrych ymlaen at y profiad,' meddai yntau'n ysgafn. 'Yr ofn mwya sy gen i ydy bod nhw ddim yn mynd i'w ffendio fo.' 'Ffendio be?' gofynnodd Leri. 'Fy mrên i!' a dyma'r ddau yn dechrau piffian chwerthin eto.

Roedd y botel win yn wag. Wyddai Leri ddim a ddylai hi nôl un arall ynte gofyn i'w chymydog a oedd o'n barod i drio'r ychydig gamau at ddrws y tŷ eto. Roedd y cryndod wedi dod yn ôl i'w gorff, ond wyddai Leri ddim ai yr afiechyd, ynte'r oerfel, ynte'r sioc o fod wedi disgyn a barai iddo grynu.

'Fasach chi'n licio i mi nôl rhwbath i chi?'

'Ma 'na botal o Barolo ar ei hannar ar fwrdd y gegin. Pam nad ewch chi i'w nôl hi? Waeth i ni gael sesh bach *al fresco* ddim!'

Cododd Leri ac aeth i mewn i Bod Alaw. Roedd hi'n lecio'i steil o. Joint – a rŵan potal o Barolo! Roedd o'n nabod ei win, mae'n amlwg. Wrth setlo'n ôl wrth ei ymyl ar lwybr yr ardd mentrodd Leri ddweud wrtho am ei hedmygedd ohono. 'Dach chi'n ddewr iawn yn wynebu afiechyd fel hyn ar eich pen eich hun, heb sôn am y driniaeth.'

Bu Mr Pearce yn ystyried ei geiriau am ennyd cyn dweud, 'Nid dewrder ydy o pan nad oes gen ti ddewis.'

Sylwodd Leri ar y newid sydyn o 'chi' i'r 'ti', a doedd hi ddim yn meindio o gwbl.

Eglurodd Leri gefndir y bocs a gawsai ar ôl chwaer ei thaid a holodd Mr Pearce am ei wybodaeth am y Rhyfel Byd Cyntaf.

'Roedd Nhad ar yr *artillery* ym mrwydr fawr y Somme. Gorffennaf y cyntaf, 1916. Fe anafwyd deugain mil o filwyr Prydain ar y diwrnod cyntaf ac fe laddwyd ugain mil. A dim ond y diwrnod cyntaf oedd hwnnw. Fe barodd brwydr y Somme am dros bedwar mis . . .'

'Ugain mil mewn diwrnod?' ebychodd Leri'n ddistaw. Roedd hynny'n gyfystyr â phoblogaeth Caernarfon yn cael ei ladd mewn diwrnod – ddwywaith.

'Ia, a dim ond 'yn hochr ni oedd hynna. Dwn 'im faint o'r Almaenwyr laddwyd. Does yna'r un rhyfel gwâr, ond hwn oedd y rhyfel mwyaf barbaraidd fuodd erioed.'

'Roedd gan eich tad dipyn o hanesion, mae'n siŵr?'

'Na. Fydda fo byth yn sôn am y peth, dim ond iddo fo, fel llawar un, ddeud celwydd am ei oed er mwyn enlistio. A'r unig sylw fydda fo'n neud bob tro fydda rhywun yn ei holi fo fydda deud: 'Mwd, mwd, mwd.'

'Faint oedd ei oed o'n enlistio?'

'Dwy ar bymtheg. Dwi'n meddwl bod rhaid bod yn bedair ar bymtheg i fynd yr adeg y torrodd y rhyfel allan. Roedd pawb yn meddwl y byddai'r rhyfel drosodd erbyn Dolig, ac i hogia ifanc r'adag hynny, roedden nhw'n gweld yr holl beth fel antur fawr, fel gwylia o'u slafdod adra. Doedd fawr ohonyn nhw, cyn hynny, erioed wedi gadael eu milltir sgwar, heb sôn am fynd ar long i wlad arall.'

Ar hyn aeth gwich negeseuon ffôn bach Leri. Aeth i'w phoced i nôl y Nokia a gweld enw Dei.

Meddwl amdanat. Sgwrs d/Llun? . . .

Caeodd y ffôn. Edrychodd ar Mr Pearce a dywedodd wrtho'n hanner cellwair, 'Y ffansi man!'

'Dyn lwcus!'

Gwenodd Leri.

'Wyt ti am ei ateb o?' gofynnodd Mr Pearce gan roi'r wên letaf a oedd yn bosib i ddioddefwr Parkinsons ei rhoi. Edrychodd Leri i fyny ar y blanced o sêr uwch eu pennau a throdd ato gan ddweud:

'Na. Dim heno. Ma' gen i gwmni difyrrach.'

Bu'r ddau'n eistedd yn fud am sbelan yn sipian eu gwin, yn rhannu'r joint a rhyfeddu at y sêr. Dangosodd Mr Pearce iddi y Cassiopia uwchben.

'Weli di o? Mae o fath â siâp W fawr.'

'Www! Dwi'n 'i weld o!' meddai Leri, wedi cynhyrfu fath â hogan fach. Dechreuodd Mr Pearce ei gwatwar; 'Wwww!' a bron i Leri ddisgyn o'i chadair wrth chwerthin yn hollol aflywodraethus a Mr Pearce yn ymuno'n ddeuawd ddwl efo hi.

Wedi iddyn nhw rhyw lun o ddod atynt eu hunain, sylwodd Leri fod Mr Pearce yn edrych yn anghyffyrddus a'i ben yn dechrau symud i fyny ac i lawr fel petai'n cytuno'n dragywydd â rhywun neu rhywrai. Trodd Leri ato:

'Mr Pearce?'

'Yli, llai o'r Mr Pearce 'ma. Elwyn 'di'r enw.'

Gwenodd Leri'n llawn embaras arno. 'Elwyn. Dudwch i mi, sut ga i fwy o wybodaeth am fy hen ewythr Ifor?'

'Be ti isio'i wbod?'

'Wel, dwi'm yn siŵr iawn. 'Swn i'n licio gwbod enwa'i frodyr a'i chwiorydd o. 'Swn i'n licio gwbod ei hanes o yn Ffrainc. Yn lle fuodd o'n ymladd, yn lle lladdwyd o.'

'Ydy ei rif milwr o gen ti?' gofynnodd Mr Pearce.

'Dwi'm yn siŵr iawn. Dwi'm 'di gorffan mynd drwy'r bocs, a deud y gwir 'tha chi.'

'Os ydy ei rif milwr o gen ti, ac os w't ti'n gwbod efo pa gatrawd roedd o, ma gen ti jans. Tria'r archifdy yn Dre am hanes dy deulu.'

Roedd yr hen Mr Pearce, neu Elwyn – fe fyddai'n rhaid iddi geisio dod i'r arfer â'i alw'n hynny o hyn ymlaen – yn ffynhonnell dda o wybodaeth.

'Athro hanes oeddach chi erstalwm?'

'Na. Athro arlunio.'

'Chi nath y llun o'r ferch sy ar wal y gegin?'

'Ia. Flynyddoedd yn ôl.'

'Mae o'n hyfryd.'

'Mi roedd y ferch yn hyfryd hefyd.'

Daeth golwg hiraethus i'w lygaid am ennyd a thorrodd Leri ar y distawrwydd drwy holi ymhellach, 'Yn lle roeddach chi'n dysgu?'

'Yn ysgol y Sir.'

'Ma' Linda, gwraig fy mrawd, yn athrawes Ffrangeg yn fanna.'

'Dyna ni. Mae ei mab hi'n dod atat ti am wersi piano.'

'Mi roedd o.'

'O?' gofynnodd Mr Pearce yn ymholgar, ond doedd gan Leri ddim awydd adrodd y stori honno rŵan.

'Stori hir. Ma' mrawd i wedi ymyrryd a, wel, ma' Sam yn cael mynd at athro ym Manceinion o hyn ymlaen.'

'Ti'n ffrindia efo dy frawd?'

'Ydy moch yn fflio?'

Ac o dan ddylanwad y joint fe chwarddodd y ddau o'u hochr hi eto, fel tasa Leri wedi dweud y jôc ddoniolaf erioed.

Roedd hi'n tynnu am hanner awr wedi deg. Mae'n rhaid bod Mr Pearce wedi ei gweld yn taflu cipolwg ar ei wats oherwydd fe ddywedodd yn syth:

‘Ei di â’r cadeiria ’ma i’r tŷ i mi rŵan, Leri?’

‘Be? Dach chi’n iawn erbyn hyn?’

Cododd Mr Pearce o’i gadair a dechrau llusgo mynd at y tŷ. Cariodd Leri y cadeiriau ar ei ôl.

‘Dwi’n lot gwell ers meitin, ond mod i heb sôn. Ro’n i’n mwynhau’r sgwrs!’

Gwenodd Leri. ‘Hen ddyn drwg dach chi.’

‘Drwg iawn, Leri, sa ti’m ond yn gwbod!’

‘Dach chi isio i mi neud rhwbath cyn i mi fynd?’ Wyddai hi ddim am Mr Pearce, ond ar ôl yr holl win a’r baco digri roedd hithau erbyn hyn yn eithaf simsan ar ei thraed.

‘W! Pa fath o gwestiwn ydy hwnna gan ddynes ifanc? Na, mi fydda i’n iawn rŵan. Diolch am dy gwmpeini. Gobeithio nad ydw i ’di difetha gormod ar dy nos Sadwrn di.’

‘Dim o gwbl. Nos da.’

Gwnaeth Leri rywbeth hollol annodweddiadol o’i chymeriad – effaith y mwg drwg a’r gwin, mae’n debyg – a phlannodd gusan ysgafn ar foch ei chymydog cyn troi am y tŷ capel. Fel roedd hi ar fin croesi’r lôn fechan rhwng y ddau dŷ, clywodd Mr Pearce yn galw’n bryfoclyd drwy’r ffenest ffrynt:

‘Leri! Cofia ddeud wrth y ffansi man bod dim rhaid iddo fo ddefnyddio drws cefn y tŷ capal o’m rhan i. Ma’ croeso iddo fo ddefnyddio’r drws ffrynt!’

Ar hynny caeodd y ffenest yn glep. Mr Pearce! Pwy fasa’n meddwl? Aeth Leri i’r tŷ dan chwerthin yn braf.

7

Bu'r daith i'r archifdy fore Llun yn brofiad diddorol, digon buddiol a rhyw fymryn yn emosiynol. Roedd Leri wedi cael hyd i ychydig mwy o hanes Ifor wrth dyrchu drwy'r bocs y noson cynt. Yn un peth roedd hi wedi dod o hyd i'w rif fel milwr, llythyr diddorol a dwys gan y Caplan i fam Ifor yn dweud ei fod yn amgáu ei lyfr emynau, ynghyd â darn o lythyr oddi wrth Marged at Ifor yn cyfeirio'n aml at yr adegau a dreuliodd y ddau ger Llyn y Ffridd. Er mor handi oedd tecstio efo'r ffôn bach, roedd llythyr caru yn gymaint mwy rhamantus. Roedd y darnau'n dechrau disgyn i'w lle, ond roedd llawer o ffordd i fynd eto cyn y gallai Leri ateb y cwestiynau i gyd.

Pam ei bod yn gwneud hyn? Wyddai Leri ddim. Beth oedd y diddordeb diweddar yn ei hachau? Oedd gan hyn i gyd rywbeth i'w wneud â'r ffaith ei bod wedi cyrraedd y canol oed, neu efallai oherwydd nad oedd ganddi fawr o deulu ar ôl ar wahân i Dafydd a Sam, a brawd i'w thad oedd yn byw yn Swydd Gaint yn rhywle? Ynte beth? Roedd hanes Nain Jôs yn cael ei gadael yn weddw yn ddeugain oed ag wyth o blant yn sicr wedi creu cryn argraff arni.

Doedd Leri, tan y bore hwnnw, erioed wedi bod y tu mewn i adeilad yr archifdy, er ei bod wedi ei basio droeon. Roedd hi hyd yn oed wedi bod yn caru â Steve, un o ffrindiau ei brawd, yn y lôn fach a gyd-redai ag ochr yr adeilad rai blynyddoedd yn ôl. Doedd hi, tan hynny, ddim wedi deall sut roedd rhywrai'n llwyddo i garu ar eu traed. Dangosodd Steve iddi sut, drwy gymorth y wal a char oedd wedi'i barcio gerllaw! Mae'n rhaid ei fod o wedi bod yno o'r blaen. Pam caru mewn hen lôn dywyll? Pam ddim yn y tŷ? Cofiodd bod ei mam yn dal yn fyw yr adeg honno a Leri'n gofalu amdani bob yn ail â gwasgu ambell i brynhawn neu gyda'r nos o ryw yn lle bynnag a gyda phwy bynnag oedd yn awyddus. Diolchai bod yna ychydig mwy o drefn ar ei bywyd rŵan. Ac eto, petai'n gwbl onest â hi ei hun, roedd ei bywyd personol yn parhau i fod yn un siop siafins shambolig. Roedd rhyw yn parhau i fod yn ddihangfa iddi hi. Codai ofn arni, ond ofn gwahanol i unrhyw ofn arall a brofodd. Roedd cael rhyw yn ei llenwi ag ofn bendigedig.

Bu'r bobol yn yr archifdy yn glên iawn wrthi. Daeth un o'r prif swyddogion ati; Robin oedd ei enw yn ôl y bathodyn ar ei wasgod wlân a honno'n wasgod ddu a llwyd a gofal cariadus i'w weld ym mhob pwyth. Roedd ganddo fop o wallt cyrliog claerwyn, er nad oedd, mae'n siŵr, fawr hŷn na Leri.

Wrth fynd yn hŷn câi Eleri hi'n anos i fesur neu ddyfalu oed rhywun. Edrychai pawb gymaint yn hŷn na hi, tan iddi edrych yn y drych, ac wedyn dechreuai feddwl bod pawb arall gymaint yn iau na hi. Tybed oedd pawb arall yn teimlo'r un fath â hi wrth fynd yn hŷn, ynte ai hi oedd yn rhyfedd, yn dioddef o baranoia? Yn ei chalon fe deimlai o hyd fel hogan un ar hugain oed, ond gwyddai na fedrai ei hwyneb na'i chorff dwyllo neb i gredu hynny. Roedd Leri wastad yn teimlo ei bod hi'n iau na phawb arall, nid oherwydd unrhyw goegfalchder, ond oherwydd teimlad cryf o israddoldeb. Er gwaethaf ei deugain mlynedd o fodolaeth, fe deimlai fel hogan ifanc ansicr o hyd, yn disgwyl aeddfedu'n oedolyn hyderus. Pryd deuai'r diwrnod hwnnw? Pryd fyddai hi'n teimlo ei bod, o'r diwedd, wedi cyrraedd ei llawn dwf emosiynol?

Ar ôl iddi ddangos ei phasbort (oedd angen ei adnewyddu ers pythefnos) fel prawf mai hi oedd hi, rhoddodd Robin docyn darllenydd iddi. Byddai'n rhaid iddi ddangos y tocyn ar bob ymweliad â'r archifdy, neu ag unrhyw un arall o archifdai'r sir. Diolchodd i Robin oedd, fel y gân, yn edrych yn swil. Dim ond unwaith y llwyddodd o i ddal cyswllt â'i llygad, ac fe dybiodd Leri iddo gochi fymryn yr adeg honno. Dilynodd hi fo i'r ystafell a amgylchynwyd â llyfrau ac a lenwyd gan bobl oedd wedi llwyr ymgolli yn y dogfennau o'u blaenau; rhai ohonynt yn gwneud nodiadau manwl. Gwelodd bod nodyn ar bob bwrdd yn atgoffa'r darllenydd mai gyda phensil, a phensil yn unig, y dylid ysgrifennu unrhyw nodiadau. Gwelodd nodyn arall yn gwahardd defnyddio ffonau symudol. Wnaeth Leri ddim diffodd ei ffôn hi, rhag ofn i Dei gysylltu, ond fe'i sodrodd ar y botwm distaw. Fe wyddai, o'r neges a gafodd ganddo nos Sadwrn, bod Dei yn disgwyl iddi hi gysylltu gyntaf, ond welai Leri ddim pam y dylai hi wneud. Fo oedd wedi ei siomi hi, wedi'r cwbl. Ei gyfrifoldeb fo oedd gwneud iawn am hynny.

Chododd neb ei ben pan ddaeth hi i mewn i'r ystafell. Dangosodd Robin iddi silff lyfrau a'i llond hi o gyfeirlyfrau. Cymerodd Leri ddau lyfr – *Wales Trades Directory 1917, Caernarvon* a *Bennett's Directory.* Trodd y tudalennau yn yr un cyntaf yn syth i adran y Dyffryn. Roedd o leiaf ddeg o siopau groser yn y pentref yr adeg hynny. Gwelodd yr enw *Evans, Cumberland Stores* a dim mwy na hynna. Edrychodd drwy'r ail lyfr. Oedd, roedd *Evans, Cumberland Stores* yn hwnnw hefyd, a'r tro hwn roedd hysbyseb wrth yr enw:

Evans' Grocery & Cumberland Stores.
Wholesale and Retail Flour Merchants,
Family Grocers and Provision Merchants
The Duffryn.
Agents for Spratt's Old Calabar. Specialities, etc.
Telephone No 1 The Duffryn

Mae'n rhaid mai dyma gyflogwr Ifor cyn iddo fynd i Ffrainc. Nid chwarelwr mohono, felly. Copïodd Leri yr hysbyseb yn y llyfr nodiadau bach a ddaethai hefo hi, yna aeth draw at Robin i ofyn lle y gallai hi weld y cyfrifiadau lleol. Tywyswyd Leri ganddo draw i gornel dywyll. Roedd hi wedi crybwyll byrdwn ei hymchwil, ac awgrymodd Robin iddi edrych drwy gyfrifiad 1901. Holodd Leri pam na châi weld cyfrifiad 1911? Byddai hwnnw'n fwy tebygol o ddatgelu mwy o'r wybodaeth roedd hi'n ei cheisio. Rhoddodd 'Mae Robin yn swil' wybod iddi yn hynod o ymddiheurol nad oedd y cyfrifiad hwnnw ar gael yn yr archifdy eto.

Aethpwyd â hi at ddrôr a'i lond o gardiau indecs. Estynnodd Robin amlen â cherdyn y tu mewn iddi a'r dyddiad 1901 arno. Hebryngodd o hi at sgrin fechan, gosod y meicro-ffilm ar blât gwydr a rhoi'r swits ymlaen. Dangosodd yn sydyn iddi sut i ddefnyddio'r teclyn a dangos pa ran o'r meicro fyddai'n dangos manylion trigolion y Dyffryn ym 1901. Unwaith eto fe ddiflannodd Robin mewn chwinciad chwannen!

Cyrhaeddodd Leri'r dudalen ar County Road. Fe

wyddai'n iawn ble roedd County Road; stryd o dai teras bychain a arweiniai o ganol pentre'r Dyffryn draw at y ffordd i fyny i'r cwm i un o'r bum chwarel yn yr ardal. Synnai Leri wrth wibio drwy'r cyfrifiad gymaint o bobl oedd yn byw mewn un tŷ. Peth cyffredin iawn oedd i ddeg o bobl fyw o dan yr un to. Peth arall a'i trawodd oedd mai uniaith Gymraeg oedd y rhan fwyaf ohonynt. Gweithio yn y chwareli cyfagos a wnâi'r rhan fwyaf o'r dynion, a rhai'n cadw'r llu o siopau a wasgwyd i bob cornel o'r pentref yr adeg honno. Gweini, cadw lojars, gwneud a golchi dillad a wnâi'r rhan fwyaf o'r merched.

Ni bu'n hir cyn dod ar draws Evans yn County Road. Roedd hi'n beth anarferol i deulu yn County Road gael gweision, os nad oedden nhw'n rhedeg siop. Mae'n rhaid mai dyma griw Cumberland Stores:

Robert Evans	*Head*	*S*	*38*	*Both*
Evan Price Evans	*Brother*	*S*	*24*	*Both*
Robert Owen	*Servant*	*S*	*16*	*W*
Laura Griffith	*Servant*	*S*	*15*	*W*

Cyfeiriai'r 'Both' at y ffaith y gallai'r person o dan sylw siarad Cymraeg a Saesneg. Roedd hi'n amlwg mai uniaith Gymraeg oedd y gweision, Robert a Laura. Tybed ai hwn oedd y Robat y cyfeiriai Ifor ato yn ei lythyr o'r rhyfel?

Wrth chwilio am ei chyndeidiau sylweddolodd Leri yn sydyn nad oedd hi'n gwybod enw cyntaf ei hen-nain. Fel Nain Jôs y cyfeirid ati bob tro gan y teulu. Ond roedd enw ei hen-daid ganddi o'r darn papur newydd am ei farwolaeth. Er ei gyfenw, ni bu fawr o dro yn dod ar ei draws yn y cyfrifiad.

William Jones	*Head*	*M*	*31*
slate quarryman	*W*		
Jane Jones	*Wife*	*M*	*24*
Richard Jones	*Son*	*S*	*5*
Ifor Jones	*Son*	*S*	*4*
Rebecca Jones	*Daughter*	*S*	*1*

Roedd yn brofiad rhyfedd gweld enwau ei theulu ar y sgrin o'i blaen. Roedd yna rhyw gwlwm rhyfedd rhwng teuluoedd, waeth pa mor agos neu bell roeddynt oddi wrth ei gilydd yn llythrennol neu'n ffigurol. Wedi dweud hynny, roedd ei theulu hi wastad wedi bod yn dipyn o faen melin o gwmpas ei gwddw; ac er nad oedd yn edliw y baich, doedd gofalu am ei mam yn y blynyddoedd diwethaf ddim wedi bod yn hawdd. Gallai gydymdeimlo ag unrhyw un a geisiai ofalu am riant, yn enwedig rhiant nad oedd bellach yn eich adnabod. Fyddai Leri fyth yn cyfaddef hynny i neb, ond roedd marwolaeth ei mam wedi bod yn dipyn o ryddhad iddi hi. Bu'n faich drom ers blynyddoedd, a hyd yn oed pan aeth i Fronheli, roedd euogrwydd Leri mor fawr fel yr âi i weld ei mam yn y cartref yn feunyddiol, er nad adwaenai hi o gwbl. Dim ond rŵan, wrth weld enwau teulu ei mam, y profodd y golled go iawn. Rŵan, flynyddoedd yn ddiweddarach, y dechreuodd alaru.

Daeth Robin ati a sibrwd wrthi fod yr archifdy'n cau dros ginio. Dechreuodd ffwndro'n lân wrth weld y dagrau ar ruddiau Leri. Gwenodd hithau arno drwy ei dagrau a dweud: 'Peidiwch cym'yd dim sylw ohona i. Dydw i ddim yn drist. I'r gwrthwyneb, dwi 'di dod o hyd i Yncl Ifor!' Syllodd 'Robin swil' yn hurt arni cyn estyn am ei siaced oddi ar bachyn ar y drws a'i heglu hi o 'na. Cyn cadw'r darn plastig a gynhwysai stôr o wybodaeth a straeon di-ri teuluoedd cyfan, taflodd Leri un cipolwg sydyn arall ar ei theulu. Daria! Dim ond tri o'r plant oedd wedi eu geni erbyn 1901, ond o leiaf roedd un enw newydd yno, Rebecca. Doedd Leri heb glywed sôn am yr enw yna gan neb o'r teulu o'r blaen – ar wahân i Rebecca, merch Dodo Wini, wrth gwrs. Roedd hi hefyd wedi cael enw Nain Jôs, sef Jane. Felly erbyn hyn fe wyddai enwau chwech o'r plant: Richard, Ifor, Rebecca, Wini, Llinos ac Idris ei thaid. Roedd dau enw arall i'w cael yn rhywle, ond o ble? Edrychodd ar enw Ifor unwaith eto a cheisiodd wneud ei syms. Os oedd o'n bedair oed ym 1901, byddai ond wedi bod yn ddwy ar bymtheg pan ddechreuodd y rhyfel yn haf 1914, ac felly'n rhy ifanc i ymuno. Mae'n rhaid ei fod yntau, fel tad Mr Pearce, wedi dweud celwydd am ei oedran er mwyn gwneud ei ran yn y rhyfel. Pam roedd pobl ar dân eisiau mynd i ladd a chael eu lladd? Clywodd Robin swil yn pesychu wrth y dderbynfa a chododd Leri, diolch iddo am ei gymorth, a mynd i gael cinio.

*　　　*　　　*

Ar ei ffordd i gaffi Molly's, aeth Leri draw i'r siop lyfrau. Roedd ganddi awydd prynu llyfr am y Rhyfel Byd Cyntaf, unrhyw lyfr a fyddai'n ei haddysgu'n sydyn am y brwydrau a'r amodau byw yr adeg hynny. Roedd hi'n ddisgybl diamynedd. Aeth Leri ar ei hunion i'r adran llyfrau ail-law. Rhyfeddai ati'i hun yn edrych yn yr adran filwrol. Pwy fyddai wedi meddwl y byddai hi, o bawb, yn chwilio am lyfr ar y rhyfel, a hithau'n cyfrif ei hun yn rhyw fath o heddychwraig?

Y llyfr cyntaf y daeth hi ar ei draws oedd *The British at War*. Llyfr clawr caled oedd o, mewn coch, glas a gwyn a llun o faes y gad a milwyr yn gyrff ar hyd y lle. Doedd hi ddim am ei brynu, yn enwedig â Jac yr Undeb yn chwifio'n haerllug uwchben y celanedd. Taflodd gipolwg sydyn ar y lluniau y tu mewn, y rhan fwyaf ohonynt yn lluniau o gadfridogion a chadlywyddion yn eu hiwnifforms a'u medalau'n syllu'n fwstasog hunangyfiawn arni. Roedd hefyd ambell ddarlun rhy erchyll, rhy grotésg o ran niferoedd i'w dirnad, o gyrff a sgerbydau'n gorwedd mewn ffosydd o fwd. Roedd yno hefyd lun wedi'i baentio gan Alexander Jamieson, Capten gyda degfed Catrawd Efrog a Chaerhirfryn, a'i bennawd oedd *'Stuck fast in the mud'*. Roedd yr arlunydd yn disgrifio'r profiad fel hyn:

> *The beginning of an awful experience! One of the 10th Service Battalion York and Lancaster Regiment got held fast by the mud and slime in a shell-hole which flooded as he struggled. To haul him with ropes was impossible as he would have died. It took four nights' hard work by the Pioneers to get him free. His comrade stood by him day and night under fire. He fed him by means of a long stick. When eventually saved both went delirious.*

Ai peth fel hyn oedd rhyfel? Ai dyma'r math o brofiadau a gafodd Ifor druan? Roedd bron bob llun yn dangos milwyr, neu eu cyrff, yn gorwedd neu'n boddi mewn mwd, ceffylau'n suddo mewn mwd oedd wedi ei gorddi gan belenni tân, cludwyr stretsiers yn ymbalfalu i gario'r clwyfedig drwy'r mwd, caplan yn darllen gwasanaeth claddu uwchben corff ifanc mewn ffos o fwd, pynfeirch wedi eu gorlwytho â bŵts i'w dosbarthu i'r milwyr yn y mwd a'r ceffylau hynny eu hunain yn gaeth yn y mwd, tanciau'n sownd yn y mwd, ffrwydrad anferth yn tasgu'n sbloets ysblennydd o fwd, pentrefi a choedwigoedd cyfan yn adfeilion o fwd, dynion yn byw ac yn marw mewn mwd. Doedd ryfedd mai un o ychydig sylwadau tad Mr Pearce ar ei brofiadau yn y Rhyfel oedd 'Mwd'. Caeodd Leri y llyfr a'i roi 'nôl ar y silff. Roedd brawd ei thaid wedi byw a marw drwy'r profiadau hyn. A phwy oedd yn cofio amdano heddiw?

Gwelodd Leri lyfr arall ar y silff, *The Poems of Wilfred Owen*. Dwy bunt oedd y pris ac fe aeth at y cownter i'w brynu.

* * *

Roedd caffi Molly yn eithaf gwag, ar wahân i un teulu bach swnllyd wrth y cownter. Aeth Leri i eistedd mor bell ag y gallai oddi wrthyn nhw, wrth y bwrdd a wynebai'r ffenest, ac archebodd dôsti tiwna a meionês a phaned o goffi. Roedd hi'n amhosib anwybyddu'r teulu bach swnllyd. '*I'm going to go nuts in a minute!*' gwaeddai'r fam ar y ddau hogyn bach bob yn ail. Eisteddai'r tad yn fud, yn ei grys Manchester United. Roedd wedi ymgolli'n llwyr ym mronnau annaturiol o fawr merch ifanc yn y *Sun* ac ni chododd ei ben unwaith. Roedd llais y fam gegog yn gafael, fel gwynt main gaeafol. '*Jordan!*' sgrechiodd eto. '*Do you want the toilet?*' Ysgydwodd yr hogyn bach ei ben gan rofio bêcd bîns i'w gylla gwag ag un law, a'r llaw arall rhywle o dan y fformeica. '*Well stop playing with yourself then!*' harthiodd hithau eto.

Gwenodd Leri'n ddistaw bach gan feddwl mai dyna un garwriaeth fawr a fyddai – yn wahanol i lawer o rai eraill – yn parhau am byth.

Cynheuodd sigarét ac agor y llyfr ar Wilfred Owen. Dechreuodd astudio rhai o'r cerddi, ambell un ohonynt yn rhy astrus i'w deall yn syth bìn, ac eraill, yn enwedig 'Futility', yn codi croen gŵydd drosti ar y darlleniad cyntaf. Daethpwyd â'i chinio a'i phaned iddi. Roedd Leri'n cymryd ei chegiad cyntaf o'i thôsti pan fu bron iddi â thagu wrth weld Isobel Robinson yn cerdded yn dalog i mewn. Doedd nunlle i guddio. Byddai'n rhaid iddi ei chydnabod, ac ar hynny daeth Isobel ati yn wên i gyd.

'Leri! Sut hwyl? Ga i ista efo chdi?' Doedd Leri ddim wedi disgwyl hyn, a doedd dim modd dianc. Eisteddodd gwraig smart y dyn a roddai i Leri y fath bleserau cnawdol, gyferbyn â hi gan wenu arni. Roedd Isobel yn dlws, yn annheg o dlws, a'i gwallt du yn disgyn yn ddel ar ei hysgwyddau bach twt. Roedd ei llygaid yn gobalt pur. Er ei bod yn ymddangos yn fodlon iawn ei byd, fe fradychai ei llygaid hi – roedden nhw'n batina o boen. Ystwyriodd Leri'n anghyffyrddus yn ei sedd.

'Roedd Dafydd a Linda acw nos Sadwrn,' meddai'r llais melfedaidd.

'Do, mi soniodd Dafydd 'i fod o'n dod acw am swpar,' meddai Leri'n betrus. Byddai'n rhaid iddi gymryd gofal mawr i beidio â dweud rhywbeth gwirion, rhywbeth a brofai ei heuogrwydd; ac oedd, roedd hi'n dioddef euogrwydd enbyd wrth eistedd yno'n ceisio ymddangos mor naturiol â phosib er bod ei thu mewn yn glymau poenus i gyd.

'Roedd Dafydd yn deud bod Sam wedi dechra cael

gwersi piano efo rhyw diwtor ffantastig yn Manchester,' meddai Isobel. Wyddai Leri ddim ei fod wedi dechrau cael gwersi. Teimlai fel petai hi wedi cael dwrn yn ei hwyneb. Roedd meddwl am Sam dan ofal athro arall yn ddigon poenus, ond roedd y ffaith na fu draw i'w gweld, i drafod y newid mawr yn ei yrfa gerddorol, yn ei brifo i'r byw. Onid oedd yr holl flynyddoedd yr oedden nhw wedi eu treulio efo'i gilydd o amgylch y Bösendorfer, y cwlwm o gyfeillgarwch clòs a ffurfiwyd rhyngddyn nhw, yn cyfrif dim?

Er mwyn cuddio'r boen a deimlai, dechreuodd Leri holi Isobel am ei phlentyn. Gwyddai bod gofyn hynny'n plesio unrhyw fam, cael y cyfle i restru rhinweddau eu hepil hoff. Bu Isobel wrthi am hydoedd yn sôn am Siân a'i doniau yn y pwll nofio. Roedd hi'n gorfod mynd ddydd Sadwrn i Gaerdydd ar gyfer treials i ymuno â sgwad ieuenctid Cymru. 'Sa waeth imi fod yn dacsi-dreifyr ddim!' meddai. Molai Isobel ei merch ddeng mlwydd oed, gan ddweud ei bod, er yn waith caled, yn gredit iddi hi a Deian. Aeth gwayw drwy berfedd Leri wrth ei chlywed yn dweud ei enw. Deian. Dei. Dei. Gobeithiai i'r nefoedd wen nad fyddai'n ei ffonio rŵan a hithau'n chwysu chwartiau yn sgwrsio'n rhagrithiol â'i wraig o.

Gwyddai Leri mai rhyw fath o ffrynt oedd hyn i gyd gan Isobel; y siarad am Siân hyn a Siân llall a 'Deian'. Gwyddai, yn ôl yr hyn a ddywedai Dei wrthi, fod y plentyn yn dipyn o lond llaw, ei bod yn gallu bod yn oriog tu hwnt ac yn boen meddwl mawr i'w mam. Roedd Siân, er ei doniau, wedi cael ei difetha'n llwyr. Dei ei hun a ddywedodd hynny wrthi. Bu Siân yn blentyn bychan a gafodd anhwylderau mawr. Bu'n dipyn o wyrth iddi oroesi o gwbl ar un adeg, ac felly roedd ei llwyddiannau yn y pwll nofio yn drysor i'w mam a gredai ar un adeg na fyddai ei merch fach fyw yn hir. Oherwydd hynny fe faddeuwyd iddi droeon am ei stranciau pan na châi ei ffordd ei hun. Gwyddai Leri fod Dei hefyd wedi dotio arni, ond ei fod yn rhy brysur yn cynllunio pryd a ble y gallai gyfarfod Leri nesa i fedru dechrau meddwl am ddisgyblu ei blentyn, a ymylai, petai rhywun yn siarad yn doc ac yn blaen, ar fod yn gwbl anystywallt. Roedd Isobel hithau'n rhy brysur yn ceisio dyfalu i ble a gyda phwy yr oedd ei gŵr persawrus, smart yn mynd ar ambell noson faith. A pham bod angen cawod cyn mynd allan ac wedyn ar ôl dod adref?

Gwyddai Leri hefyd bod Isobel hithau'n dioddef cyfnodau o iselder, a hynny am y gwyddai nad oedd ei gŵr yn ei charu. Roedd Dei wedi dweud wrth Leri ei fod o wedi cynnig ei gadael rai blynyddoedd yn ôl gan ddweud wrth Isobel y byddai hynny efallai yn ei gwneud yn hapusach, y byddai modd iddi fedru byw bywyd di-straen hebddo fo, heb yr amheuon, heb y dyfalu, heb y chwilio drwy ei bocedi, edrych drwy ei ffôn bach, holi ei berfedd efo pwy y buodd o'n yfed ac yn siarad â nhw pan âi allan bob nos Sadwrn i'r dafarn . . . Ond ateb Isobel oedd na fyddai fyth yn cael ei gwared. Roedd ei chenfigen yn wenwyn o boen a fwydai ei chynddaredd tawel, cudd. Byddai'n well ganddi fod yn weddw yn ei galar yn wylo ar lan ei fedd nag yn wraig a adawyd fel un o'r bagiau bin ar waelod llwybr yr ardd bob nos Fawrth. Doedd dim cywilydd mewn marwolaeth – o leiaf fe fyddai hynny'n ennyn tosturi ac edmygedd am ei dewrder – ond fel arall, dim ond dirmyg a'i hwynebai.

Casâi Leri ei hun am y gwyddai mai hi oedd yn gyfrifol am boen meddwl y ddynes dlos a eisteddai gyferbyn â hi, ac a sgwrsiai mor glên â hi. Ffieiddiai Leri ei hun ond aeth i deimlo'n gan mil gwaeth pan welodd Dei yn cerdded i mewn a dod draw at y bwrdd. Ni chyffrôdd ddim o'i gweld. 'Leri, sut wyt ti erstalwm?' Rhoddodd Leri iddo ymdrech o wên wrth i Isobel godi ei boch tuag ato i dderbyn cusan Jiwdas ei gŵr. Eisteddodd Dei yn gwbl ddigynnwrf wrth ochr ei wraig a gyferbyn â'i hwran. Ie, meddyliodd Leri, dyna oedd hi, dim gwell na hen hwran fudr ffiaidd gas. Ni fedrai ddioddef eistedd yno 'run eiliad yn hwy. Gwnaeth esgusodion dros adael. Chlywodd hi mohonynt yn ffarwelio â hi wrth iddi frasgamu'n gawdel o nerfau o'r caffi. Croesodd y stryd, a rhedeg i lawr y grisiau at ei char, ac yna chwydodd ei chinio o dan bont y cloc. Clywodd ddyn yn dweud wrth ei gymar yr ochr arall i'r lôn: ''Di'r Wetherspoons 'na ddim 'di gneud dim ond gneud problam yfad Dre 'ma'n waeth. I fanna ma'r caridýms a'r alcs i gyd yn mynd. Sbia ar honna.' Sychodd Leri y chwd o'i cheg a'i dagrau o'i gruddiau a cherdded yn benisel at ei char. Ni fu erioed yn berchen ar lawer o hunanhyder, ond y foment honno teimlai nad oedd ganddi ronyn o hunanhyder na hunan-barch ar ôl. Dim yw dim. Yr unig deimladau oedd ganddi wrth yrru'n ôl i'r tŷ capel ar gwr y dref oedd hunanffieidd-dod ac unigrwydd, a'r unigrwydd hwnnw'n cnoi, cnoi, cnoi.

8

Roedd Leri'n gobeithio, yn gweddïo, y câi hi sleifio i mewn i'r tŷ heb i'w chymydog ei gweld. Nid bod ganddi ddim byd yn erbyn Mr Pearce; i'r gwrthwyneb, ar ôl eu sesh gwin a dôp y noson o'r blaen, roedd hi wedi closio ato'n arw. Ond y prynhawn hwnnw, ar ôl gweld Isobel a Dei yn y caffi, y cyfan yr oedd hi eisiau ei wneud oedd cau ei hun yn y tŷ, a chau ei hun oddi wrth y byd mawr dyrys y tu allan. Fe atebwyd ei gweddïau. Er iddi weld plyciad y llenni ym Mod Alaw, cafodd fynd i'r tŷ yn gwbl ddidramgwydd.

Aeth yn syth i'w chegin a chynnau sigarét. Disgynnodd yn un swp diymadferth ar y setl. Beth oedd yn bod arni? Pam ei bod yn gwneud hyn? Pam ei bod yn cael perthynas â dyn priod? Ar wahân i rai munudau o bleser nwydus y tu hwnt i unrhyw beth a gawsai erioed o'r blaen, faint, mewn gwirionedd, o hapusrwydd a roddai'r berthynas hon iddi? Onid oedd y boen yn llawer iawn mwy na'r pleser? Yr uchafbwyntiau'n llawer iawn llai na'r dyfnderoedd mawr du a brofai mor aml?

Oni allai weld mai hi oedd achos poen meddwl Isobel Robinson? Mai hi a ychwanegai rychau annhymig i'w hwyneb tlws? Beth wnaeth Isobel erioed i haeddu'r fath driniaeth? Beth wnaeth hi erioed i Leri, ar wahân i fod yn fymryn o dân ar ei chroen wrth frolio'n ddiddiwedd orchestion diweddaraf ei hannwyl blentyn? Hynny, a chael y fraint o rannu gwely bob nos (wel, bron bob nos) â'r dyn yr oedd Leri wedi syrthio dros ei phen a'i chlustiau mewn cariad ag o. A dyna oedd y cwestiwn mawr a flinai Leri. Oedd hi mewn cariad ag o? Cariad go iawn? Byddai'n falch pe gallai rhywun ddiffinio cariad iddi.

Tynnodd ei ffôn bach o'i bag. Gwelodd bod neges arno. Agorodd amlen y negeseuon. Dei a'i hanfonodd:

Ti teimlo ok? . . .

Arglwydd mawr! Sut y gallai hi fod mewn cariad â rhywun a anfonai negeseuon mor naff â hynna?! Fe swniai fel dyn o Siapan oedd wedi treulio penwythnos ar gwrs carlam yn Nant Gwrtheyrn! Sut oedd hi am ateb neges mor ddi-lun? Agorodd ei ffôn bach a theipio

Ecstatic

Nid ar ddamwain y gwnaeth hi hepgor yr atalnodau llawn y tro hwn. Pwysodd y botwm, a gweld y neges yn hedeg ar hyd y gwifrau cyfathrebu oedd yn enigma pur iddi. Taflodd ei ffôn bach yn ôl i anialwch ei bag.

Roedd Leri ar fin tanio ei hail sigarét pan glywodd sŵn a barodd iddi fferru yn y fan a'r lle. Doedd dim dwywaith beth oedd y gerddoriaeth a glywai. Ffiwg Bach yn C leiaf, Llyfr Un, a dreiddiai drwy barwydydd y tŷ capel. Ond nid fel yna roedd pobl wedi arfer clywed y darn, oherwydd roedd y sawl oedd yn canu'r piano yn chwarae un o'i driciau. Ni allai Leri wadu nad oedd hwn yn dric clyfar ar y naw, ond roedd yn dric a wnâi iddi wylltio'n gacwn. Roedd yn chwarae'r darn am yn ôl. Tipyn o gamp! Ar ei ganol, fe stopiodd y gerddoriaeth. Clywodd Leri draed maint naw y pianydd yn llusgo ar hyd lloriau'r cyntedd a gweld ei gysgod yn llithro o'i flaen i mewn i'r gegin. Ni chododd Leri ei phen, dim ond ailadrodd yn ddistaw un o hen sylwadau diraddiol ei thad: 'Dwi 'di dy g'lwad di'n chwara fo'n well.' Syrthiodd Sam yn swp i'r gadair gyferbyn â Leri gan ddweud: 'Nid bai fi 'di o bod athrawes biano fi'n crap.' Roedd Sam a hithau wedi hen arfer â chellwair o'r fath, ond y prynhawn hwnnw doedd gan Leri ddim stumog iddo fo. Fedrai Sam ddim credu pan welodd ddagrau ei fodryb, ei fentor, ei ffrind. Wyddai o ddim chwaith beth i'w wneud pan glywodd o hi'n dechrau igian crio. Cododd a gwneud yr hyn a wnâi'r rhan fwyaf o bobl mewn argyfwng, sef gwneud paned i'r ddau ohonyn nhw. Cymerodd un o Marlboroughs Leri ac eistedd yno'n smocio'n dawel wrth i'r wylo, yn raddol bach, ddistewi.

'Pam bo ti'm isio dysgu fi ddim mwy, Leri?' Edrychodd hithau arno'n syn. 'Be ddudis di?' sibrydodd. Ailadroddodd Sam ei gwestiwn. 'W't ti wir yn meddwl mod i ddim isio dy ddysgu di?' gofynnodd Leri iddo. Cododd Sam ei ysgwyddau, cyn gofyn 'Pam ffwc ti 'di anfon fi at y drong 'na yn Manchester ta?' Diffoddodd Sam ei sigarét â'r fath ffyrnigrwydd nes bod ar Leri ofn iddo niweidio'i fysedd. Gwelodd nad oedd dagrau'n bell o'i lygaid yntau chwaith. 'Sam!' meddai Leri'n dawel ac mor hunanfeddiannol ag y medrai, er ei bod yn berwi o gynddaredd. 'Wnaeth dy dad ddeu'tha chdi mai fi wnaeth dy ddanfon di at Dr Christopher Moffet?' 'Do. Deud bo chdi'm yn meddwl bod 'na fwy 'sa ti'n gallu dysgu i fi. Bod hi'n amser cael gwaed newydd,' atebodd Sam gan ddynwared llais ac ystum rodresgar Dafydd.

Wyddai Leri ddim beth i'w ddweud. Edrychodd Sam arni â syndod yn ei lygaid a'i lais 'Be? Dim syniad chdi oedd o?' gofynnodd wedyn. 'Naci,' meddai Leri'n chwyrn, 'ond ella bod gan dy dad bwynt. Dwn i'm be arall fedra i neud i chdi, Sam. Faint o wersi w't ti di cael efo'r drong ma?' 'Un. Ac un yn ormod. Mae o'n barod i helpu fi neud yr *Young Musician* flwyddyn yma. Mae'r rhaglen oeddat ti a fi wedi'i dewis yn iawn, ar wahân i'r Consierto.' 'Be sy'n bod ar y Schumann?' gofynnodd Leri'n amddiffynnol. Cododd Sam ei ysgwyddau. 'Be mae o isio i chdi chwara 'ta – tasa ti'n cyrradd y Ffeinals?'

Diffoddodd Sam ei sigarét, rhedeg ei ddwylo drwy ei wallt ac yngan yr un enw a godai'r fath arswyd arni. 'Y Tchaik.' Agorodd llygaid Leri'n fawr fel dwy soser. Wyddai Sam ddim pa mor ddirdynnol oedd y dewis yma iddi hi. Roedd Leri'n ei chael hi'n anodd cuddio'i syndod. Roedd consierto Tchaikovsky yn enwog a hynny'n anad dim am ei fod mor ddiawledig o anodd, yn enwedig i un mor ifanc â Sam. Roedd y darn yn gofyn llawer yn gorfforol yn ogystal ag yn dechnegol.

Doedd Leri chwaith ddim yn siŵr ai syniad gwallgof Dr Moffet oedd hwn, ynte ai Dafydd oedd wedi mynnu bod yr athro newydd yn ei hyfforddi ar gyfer y gystadleuaeth. 'Dwi'm yn meddwl bo fi'n mynd i allu neud o,' ebychodd Sam i'w baned. Doedd Leri erioed wedi ei glywed yn lleisio ansicrwydd fel hyn o'r blaen. Os rhywbeth, fe boenai weithiau ei fod yn ymylu ar fod yn rhy hyderus. Roedd popeth wedi dod mor hawdd iddo. Gobeithiai Leri nad oedd yn dechrau ar niwrosis tebyg i'r hyn a ddioddefodd hi ohono pan roedd hithau o dan bwysau i berfformio, i gyrraedd disgwyliadau hurt o uchel a gwneud ei marc. 'Ma rhaid i ti neud be w't ti isio neud, Sam. O'n i wastad yn meddwl bo ti isio neud yr

Young Musician!' Cododd Sam ar ei draed a phwyso yn erbyn y sinc Belfast. 'Ydw, dwi isio'i neud o, ond dwi isio i chdi helpu fi. Dwi isio chdi fynd drw'r Tchaik efo fi rhwng pob gwers efo'r drong.' Edrychodd Leri arno. Cyn iddi fedru meddwl sut i egluro iddo na fyddai hynny'n syniad da am lawer o wahanol resymau, fe ganodd ffôn y tŷ.

Mr Pearce oedd ar ben arall y ffôn, yn holi sut aeth pethau yn yr archifdy. Rhoddodd Leri rywfaint o'r hanes yn frysiog iddo gan esbonio yr un pryd nad oedd hi wedi llwyddo i gael enwau plant Nain Jôs i gyd. 'Beibl!' meddai'r llais ar y ffôn. 'Be dach chi'n feddwl?' gofynnodd Leri. 'Beibl teulu. S'gen ti un?' Roedd gan Leri Feibl mawr y teulu ar fwrdd bach Penfro ei mam yn y parlwr ffrynt. Roedd y parlwr ffrynt yn lle dieithr iddi. Roedd hi'n byw a bod naill ai yn yr ystafell biano yr ochr arall i'r cyntedd neu yma yn y gegin, gyda'i bwrdd mawr, ei chadair freichiau a'i theledu. Roedd hi wedi addurno'r parlwr â phapur wal William Morris rai blynyddoedd yn ôl ac roedd y dodrefn, hen ddodrefn ei rhieni, yn cyd-fynd â'r grât Fictoraidd a'i deils gwyrdd a gwyn. Er nad edrychodd erioed yn iawn yn y Beibl teuluol, gwyddai bod Mr Pearce yn llygad ei le ac y byddai enwau'r plant yn debygol o fod yn hwnnw. Addurn oedd y Beibl, addurn oedd yn gweddu i gyfnod yr ystafell ac yn addas, meddyliodd Leri pan osododd hi o ar y bwrdd Penfro ar ôl symud, i dŷ capel! Wrth siarad â Mr Pearce dros y ffôn cerddodd i'r parlwr ac agor clawr y behemoth o lyfr. 'Dach chi'n iawn, Mr Pearce! Diolch! Ma' nhw i gyd yn fan hyn.' Ffarweliodd â'i chymydog ac edrych mewn rhyfeddod ar y llawysgrifen dwt o'i blaen. Yno ar dudalen oedd mor denau â sidan roedd enwau, ie, wyth o blant. Daeth Sam ati o'r gegin. 'Yli, Sam, dyma dy gyndeidiau di.' Darllenodd yr enwau.

Jane Jones	*1875 – 1968*
William Jones	*1869 – 1917*

Eu plant:

Richard Jones	*July 21 1895*
Ifor Jones	*February 11 1897*
Rebecca Jones	*January 6 1900*
Jennifer Jones	*July 20 1902*
Rebecca Jones a fu farw August 30 1902	
Winifred Jones	*April 10 1905*
Huw Jones	*January 14 1909*
Llinos Jones	*July 4 1911*
Idris Jones	*April 3 1917*

Ifor Jones a gwympodd yn y Rhyfel Mawr yn Ffrainc, July 5, 1917.

'Roedd o'n cael ei ben-blwydd yr un diwrnod â fi, Sam!' meddai Leri'n orfoleddus. O'r diwedd roedd hi wedi ffendio rhywun heblaw Sylvia Plath a rannai ei phen-blwydd â hi. Ar hynny fe glywodd y ddau sŵn traed yn dod o'r gegin. Gwelwodd Leri wrth weld pen Dei'n brathu drwy'r drws. Edrychodd y tri ohonynt ar ei gilydd. Ddywedodd neb yr un gair am gwpwl o eiliadau a deimlai fel oes, yna fe stompiodd Sam oddi yno'n bwdlyd heb air o gyfarch na ffarwél.

'Mae'n ddrwg gen i . . .' meddai Dei. 'Ydw i'n styrbio cwarfod gweddi ta be?' meddai a'i wên ddeniadol yn cyfeirio at y Beibl o'i blaen. Edrychodd Leri arno, heb wybod a ddylai ei gusanu neu ei ddyrnu. Roedd Sam yn gwbod rŵan pwy oedd y 'ffansi man', yn gwybod y gallai Leri ymostwng mor isel ag i garu gŵr ffrind gorau ei fam.

''Mi ddylse ti fod 'di ffonio,' meddai Leri'n swta. 'Mi wnes i, ond doedda ti'm yn atab,' meddai Dei â cherydd yn ei lais. Cofiodd Leri bod ei ffôn bach yn dal i fod ar y botwm distaw ers iddi fod yn yr archifdy. Aeth Dei ati gan dynnu ei ddwylo ar hyd ei gwddw ac i lawr at ei bronnau gan sibrwd yr un pryd: 'Dwi 'di dy golli di, does gen ti ddim syniad.' Rhoddodd iddi gusan wlyb, gynnes. Roedd Leri hefyd wedi ei golli yntau, ond doedd hi ddim am gyfaddef hynny rŵan ac roedd gweld Isobel dros ginio wedi tynnu'r gwynt o'i hwyliau'n lân. Roedd ei meddwl ar chwâl. 'Ma' gen i ddisgyblion yn dod am bedwar,' sibrydodd Leri'n chwithig. Ochneidiodd wrth i'w fysedd dynnu ar ei dillad isaf gan wneud ymgais bathetig yr un pryd i'w wrthod. 'Paid poeni,' meddai Dei, 'ma' gen i gymint o hiraeth 'di bod amdana ti, mi fydda i'n embarasing o sydyn.' Ar hynny fe osododd o – na, roedd o'n debycach i wthio – Leri yn erbyn y wal, cipio'i law i fyny ei sgert a rhwygo'r dillad isaf oddi amdani.

Fe hoffai Leri fod wedi ei wrthod, ond digwyddodd popeth mor sydyn ac roedd yna, fel pob tro arall y byseddai Dei hi, wayw hiraethus yn ei gwain. Llithrodd yn araf i'r llawr. Gorweddodd Dei, a gosod ei llaw ar falog ei drywsus. 'Helpa fi, Ler!' ysgyrnygodd rhwng ei ddannedd. Agorodd ei felt a'i falog a chafodd Leri ei hun yn tynnu ei drywsus.

Roedd Leri wastad yn ochelgar o'r weithred o ddiosg ei dillad wrth garu. Roedd yr holl broses yn flêr, yn drwsgwl. Byddai'n rhyddhad bendigedig pan ddeuai ei chnawd at gnawd. Byddai noethni'r ddau yn eu gwneud yn gwbl gyfartal. Ond ni cheisiodd Dei dynnu ei dillad hi y tro hwn, dim ond gwthio'i phen i lawr, lawr ac anelu ei bidyn chwyddedig i'w cheg. Gwyddai Leri o ochneidiau gyddfol Dei ei bod hi'n ei blesio. Clywodd o'n dweud wrthi am dynnu ei thop, ei fod eisiau gweld ei bronnau. Cododd Leri ei phen o'r cynhesrwydd gwlyb a dweud wrtho, 'Be ti'n feddwl ydw i, acrobat?!' Chwarddodd Dei a thynnu ei thop iddi. 'Ffwcia fi,' sibrydodd o yn ei chlust tra oedd yn tynnu'n ffyrnig ar ei theth. Gorweddodd yn ôl ar lawr, yn ymgnawdoliad o berffeithrwydd dynol a thynnu Leri'n awchus arw ar ei ben. Gosododd Leri ei hun yn ofalus ar ei ben a llithro'i bidyn i'w gwain. Trodd Dei hi drosodd. Teimlodd Leri yr estyll pren yn brathu i mewn i'w chefn. 'Dwi'n mynd i dy ffwcio di am byth, Ler. Ti'n dallt?'

Fe wyddai Leri ei fod o'n ffwcio'i brên hi, os nad oedd yn gwneud dim arall. Roedd pwniad rhythmig y dyn uwch ei phen yn anifeilaidd. Fyddai Leri ddim yn meindio cael ei thrin yn arw fel arfer, ond heddiw roedd ei chefn yn brifo wrth iddi gael ei hergydio, ei gwthio, ei phwnio, ei hyrddio'n ddidrugaredd, ddidostur yn erbyn y pren.

O fewn dim, teimlodd hylifau cynnes Dei yn ffrwydro a chymysgu'n goctel llithrig â'i rhai hi. Sibrydodd 'Penblwydd hapus!' yn ei chlust cyn codi a gwisgo'i drywsus. Roedd Leri ar fin gwneud yr un peth pan orchmynnodd iddi aros yn yr unfan. Gorweddodd hithau'n oer ac yn hanner noeth ar lawr pren, caled y parlwr. Edrychodd i fyny arno. Roedd fel cawr yn edrych i lawr arni. Roedd ganddo wên ar ei wyneb nad oedd Leri'n hollol gyfarwydd â hi. Plygodd i lawr gan lithro'i fys canol rhwng ei choesau ac i'w maneg wlyb. Gwenodd Leri'n ôl arno, ond rhewodd y wên pan glywodd o'n dweud: 'Hen ast w't ti, Leri! Cwarfod Isobel i ginio ac wedyn ffwcio'i gŵr hi fel tasa 'na ddim fory! Hen ast fudr w't ti, ond dyna dwi'n licio amdanat ti. Ti'n edrach mor angylaidd, fel rhyw hogan fach capal, ond dwi'n gwbod yn well!' Chwarddodd a thynnu ei fys allan o'i gweflau cudd, a'i sychu ar fraich y soffa cyn rhoi ei ddwylo yn ei bocedi a cherdded allan. Clywodd Leri'r drws cefn yn cau, yna sŵn y 4x4 coch yn tanio ac yn gyrru i ffwrdd.

9

Wyddai Leri ddim a geisiodd Dei ei ffonio neu ei thecstio yn ystod yr wythnosau ar ôl y bennod atgas honno ar lawr pren parlwr y tŷ capel. Fel arfer, hi fyddai'n cysylltu â Dei bob bore Llun pan fyddai yn ei waith, er mwyn gwneud trefniadau ar gyfer eu cyfarfyddiad nesaf. Chwarddodd Leri'n sardonig drist wrthi hi ei hun. 'Cyfarfyddiad!' Gair parchus oedd hwnnw am ffwc sydyn ar y slei. Gwnaeth benderfyniad ar ôl gwersi piano ei disgyblion y noson honno nad oedd am wneud dim ag o fyth eto. Â'i dwylo'n dal i grynu, oriau'n ddiweddarach, sgroliodd ar hyd yr enwau yn llyfr ffôn ei Nokia bach gan oedi am ennyd ar enw Dei. Sylwodd fod yno neges ganddo. Hon oedd y neges a anfonodd ati rhwng y cinio yng nghaffi Molly a'i hymweliad â hi'n ddiweddarach.

Agorodd y neges a honno'n cadarnhau ei hamheuon am eu perthynas wag:

Ffansi ffwc? . . .

Byddai'r neges yna wedi codi gwên ar ei hwyneb yn y gorffennol, ond dim rŵan. Roedd yr hyn ddigwyddodd ar lawr y parlwr wedi ei dychryn. Dileodd y neges – doedd hynny ddim yn anodd – ond roedd y cam nesaf yn dipyn anoddach. Gwyddai beth i'w wneud, ond roedd gweithredu mor anodd, er mai dim ond un bys bach i bwyso un botwm bach oedd ei angen. Edrychodd yn hir ar ei enw a'r rhif ffôn. Yr enw a'r rhif a fu fel llinyn bogel rhyngddi hi a fo am gymaint o amser. Am ormod o amser. Tynnodd anadl ddofn ac yna'n ddiymdroi pwysodd y botwm gan ddileu ei enw a'i rif o'r ffôn rhag ofn iddi, ar foment wan, gael ei themtio i'w ffonio, neu i ateb ei alwadau yntau. Dyna fo! Roedd o wedi mynd. Fe hoffai pe medrai ei ddileu'n gyfan gwbl, neu o leiaf ddileu'r atgofion. Ond gwyddai y byddai'r rheiny'n hir iawn yn pylu, ac ôl ei afael arni'n glais oedd yn gyndyn o fendio.

Gwyddai, ar ôl y prynhawn hwnnw ar lawr y parlwr, nad cariad oedd hyn. Sut nad oedd hi wedi gweld hynny erstalwm? Un gêm fawr oedd yr holl berthynas i Dei, o'r dechrau'n deg. Un gêm fawr fudr, beryg, a hi, Leri yn degan rhad yn ei ddwylo.

Bu Leri, drwy gydol yr wythnosau wedi hynny, fel hen farcud carpiog ar ddiwrnod llonydd, yn ceisio codi, ond yn disgyn yn ddi-ffrwt, ddi-fudd ar lawr. Gwyddai iddi wneud y penderfyniad iawn. Gwyddai fod hwnnw wedi gofyn am dipyn o blwc ar ei rhan hi, ond yr unig beth a deimlai yn unigedd ei thŷ oedd gwacter enbyd. Roedd

Leri wedi profi gwacter o'r blaen, ond nid fel hwn. Bu mewn cariad o'r blaen, ac fe brofodd wacter ar ôl colli cariadon o'r blaen, do. Ond roedd hwn yn wacter gwacach, yn bydew dudew, a hwnnw'n wacter bustlog, chwerw.

Aeth y dyddiau heibio heb i Leri fod yn ymwybodol o'u bodolaeth, bron iawn. Gohiriodd ei holl wersi piano am wythnos gyfan ac ni wnaeth ddim am yr wythnos honno ond gorweddian yn ei gwely, smocio ac yfed, ac un diwrnod – pan nad oedd ganddi sigaréts ar ôl – llusgodd ei hun, fel pry genwair cloff, draw i Spar. Prynodd dorth, cant o sigaréts a phedair potel o win. Fe yfai'r gwin i'w helpu i gysgu, i anghofio, i beidio gorfod meddwl ac efallai i anwybyddu'r ffaith ei bod yn fyw. Roedd rhaid bod mwy i fywyd na hyn.

Erbyn diwedd yr wythnos doedd Leri ddim yn teimlo dim gwell. Yn wir roedd hi'n teimlo'n waeth nag erioed. Doedd dim man cyffyrddus yn ei gwely a'i gynfasau oedd yn wlyb gan chwys. Oedd hi wedi dechrau'r *menopause*? Na, doedd dim posib ei bod. Roedd hi'n rhy ifanc. Roedd ei misglwyf yn parhau i fod yn gythruddol o gyson, yn atgof mor rheolaidd, beirianyddol â'r metronom ar ben y Bösendorfer. Symudodd Leri i'r llofft sbâr, y llofft ar gyfer y gwesteion na ddeuai fyth.

Edrychai Leri arni hi ei hun a gofyn yn dawel beth oedd ganddi, ar ôl deugain mlynedd, i brofi ei bod wedi byw? Doedd ganddi ddim plant, dim cymar, dim rhieni, dim perchnogaeth ar ei chartref, dim bywyd cymdeithasol, dim hyder. Dim. A hyd y gwyddai, doedd ganddi ddim ffrindiau bellach chwaith gan iddi eu hesgeuluso mor bechadurus dros gyfnod o bron i bum mlynedd. Am y tro cyntaf erioed, sylweddolodd Leri ei bod yn unig. Roedd hi'n mwynhau ei bywyd sengl, ond nid yr unigrwydd affwysol a deimlai'n awr. Doedd hyd yn oed ei gwaith ddim yn ei thynnu allan o'r tŷ i gymysgu â chyfeillion a chydnabod. Yr unig bobl a welai o un pen wythnos i'r llall oedd ei disgyblion anewyllysgar. Yr unig beth oedd ganddi oedd Sam. Diolch i Dduw am Sam!

Galwodd yntau draw wythnos yn ddiweddarach. Roedd o wedi bod yn trio ei ffonio, ond roedd Leri wedi diffodd ei ffôn bach, ac er i ffôn y tŷ ganu droeon doedd ganddi mo'r amynedd na'r awydd i'w ateb. Daeth Sam yn sigledig i'r tŷ yn hwyr ar y nos Sadwrn canlynol. Roedd hi'n amlwg ei fod yntau wedi bod ar y pop. Daeth i mewn drwy ddrws y cefn gan ddychryn Leri a eisteddai'n hunandosturiol yn yfed gwin ac yn smocio wrth fwrdd y gegin. Eisteddodd gyferbyn â hi heb ddweud gair, dim ond rhannu ei gwin a smocio'i sigaréts heb wahoddiad yn ôl ei arfer. Yn rhyfedd ddigon, doedd y distawrwydd rhyngddyn nhw ddim yn lletchwith. Gwerthfawrogai Leri'r ffaith na cheisiodd Sam wneud rhyw hen fân siarad dibwys. Roedd y tawelwch hwn yn un braf. Roedd yn llenwi rhywfaint ar y gwacter. Roedd fel diweddeb eglwysig i emyn yn atseinio'n dlws yn erbyn parwydydd oer y tŷ. Doedd dim angen esbonio dim. Gwyddai Sam bod yr hyn a fu rhwng Leri a Dei, beth bynnag oedd hwnnw, yn amen nad oedd angen esboniad iddo. Roedd mudandod ei ffôn bach yn gweiddi hynny.

'Lle ma' miwsig brawd y Dodo Wini 'ma 'ta?' meddai Sam wrth dollti gwydraid arall o win iddo fo'i hun. Edrychodd Leri arno drwy niwl ei llygaid pŵl. Doedd hi ddim wedi meddwl am Ifor ers iddi edrych ar Feibl y teulu cyn i Dei reibio'i chorff awyddus, trist. Ifor! Ceisiodd Leri godi ei hun o'i digalondid. O leiaf roedd hi'n fyw. Pa hawl oedd ganddi hi, yn ddeugain oed, i fod yn ddigalon ac Ifor druan a miloedd tebyg iddo wedi marw pan oedden nhw'n llai na hanner ei hoed hi? Chawson nhw mo'r fraint na'r boen o dyfu'n hen. Oedd hi'n rhy hwyr i gredu na allai dim byd da ddigwydd iddi hi byth eto?

Er ei diymadferthedd, gwyddai Leri bod rhan ohoni'n falch bod y cyfan drosodd rhyngddi hi a Dei. Teimlai weithiau ei bod wedi cael gwared â baich enfawr, y gallai ddechrau bod yn hi ei hun unwaith eto, pwy bynnag oedd honno. Oedd yna wirionedd yn y dywediad Saesneg, *life begins at forty*? Byddai hi rŵan, ar ei phen ei hun bach, yn gweld drosti hi ei hun wirionedd neu gelwydd yr ystrydeb honno.

Cododd i nôl hen faniwsgript *Elegie* o'r bocs a wthiwyd i ben draw'r setl. Bu'r ddau'n pori dros yr hen faniwsgript budr am hydoedd, yn ceisio gwneud synnwyr o nodau pensil ysgafn oedd fel weiren bigog ddu dros y papur. Tybiai Leri a Sam i'r maniwsgript faeddu i'r fath raddau am iddo, yn fwy na thebyg, gael ei gyfansoddi tra oedd Ifor yn y ffosydd yn Ffrainc. Ond ym mha ffosydd? Dyna fynnai Leri gael gwybod. Ymhle yn Ffrainc y buodd o? Roedd hi'n anodd cael gwybodaeth am Ifor yn y rhyfel. Y munud y gwirfoddolodd i ymladd 'dros ei wlad' fe gollodd bob hunaniaeth. Uned filwrol oedd o erbyn iddo enlistio. Un dyn, di-enw. Petai o wedi bod yn swyddog yn hytrach nag yn breifat cyffredin, byddai wedi bod yn haws cfallai i greu darlun llawnach ohono ef a'i symudiadau yn Ffrainc.

Diolchai Leri'n dawel bach am gwmni ei nai. Roedd astudio'r hen ddogfennau cerddorol yn tynnu ei meddwl oddi ar undonedd trist ei bywyd. Edrychodd ar Sam a'i ddwylo lluniaidd dawnus yn taro rhythm y darn ar y bwrdd. 'Ma' hwn yn swnio'n dda. O'dd y boi 'ma'n gallu cyfansoddi.' Oedd, roedd Leri hithau'n amau eu bod yn ceisio dehongli gwaith o wir safon, gwaith dirdynnol ei gynnwys a'i gysylltiadau. Roedd Sam wedi etifeddu'r doniau cerddorol hynny. Daeth awydd mawr dros Leri, er ei diflastod, i warchod yr hogyn yma a garai'n fwy na neb. Pe bai'n rhaid ateb y cwestiwn beth oedd cariad, dyma oedd y peth agosaf a brofasai. Cariad di-gwestiwn, di-amod. Yn yr eiliad feddw honno gwnaeth Leri benderfyniad a gosododd yr wltimatwm o flaen ei nai. Addawodd y byddai'n ei helpu gyda chonsierto Tchaikovsky, ar yr amod na ddeuai ei rieni fyth i wybod, a phwysleisiodd iddo hefyd na ddylai gystadlu yn yr *Young Musician of the Year* i blesio neb ond fo'i hun. Petai'n cael cathod bach, yna doedd dim cywilydd mewn tynnu'n ôl o'r gystadleuaeth. Roedd ganddo flynyddoedd o'i flaen i wneud ei farc fel pianydd neu gerddor, os mai dyna roedd o wirioneddol eisiau ei wneud.

Ychydig a wyddai Sam faint o gymorth fyddai hynny i dynnu ei meddwl oddi ar Dei a'i sefyllfa bathetig fel dynes ddeugain oed heb ddim momentwm, heb ddim dyhead, heb ddim gobeithion. Yr unig amod arall i'r trefniant cyfrinachol rhyngddynt oedd y byddai Sam, fel tâl am y gwersi, yn helpu Leri i geisio datrys a dehongli heirogliffics darn piano Ifor. Gwenodd Sam arni gan ei gwatwar drwy chwifio'i fys. Gwenodd Leri hithau am y tro cyntaf ers hydoedd. Trodd y ddau yn ôl at y gerddoriaeth o'u blaenau. Cerddoriaeth Ifor. Cerddoriaeth llanc ifanc. Roedd 'na rywbeth rhyfedd am ei hymlyniad wrth Ifor, meddyliodd Leri; yr hen berthynas yma iddi na wnaeth hi erioed mo'i gyfarfod ac a fu farw'n ugain oed. A hithau, Leri, wedi diflasu ar fyw, roedd ei hen ewythr Ifor yn gwrthod marw.

10

Ailddechreuodd Leri straffaglio byw. Ailgydiodd yn y gwersi piano roedd hi'n casáu eu dysgu. Roedd hi'n parhau i fod yn ddigalon, ond diolchai am y ddau beth fu'n ei chynnal drwy'r wythnosau diwethaf, sef Sam a'i hen ewythr Ifor.

Wrth dwrio yn y bocs a gafodd gan Rebecca daeth Leri ar draws llun bychan yn ei waelod. Llun sepia oedd o, o hogyn ifanc ar goll mewn lifrai milwr rhy fawr iddo. Ifor oedd o. Ifor mewn lifrai milwr a botymau'r got yn loyw lân. Roedd yn hogyn pryd golau a'i wallt yn grych. Talcen tal a llygaid llawen. Roedd hi'n anodd dweud o'r llun pa liw oedd ei lygaid, ond credai Leri eu bod yn las lliw'r môr ar ddiwrnod braf. Trwyn go hir a gwefusau nad oeddent yn rhai main nac yn rhai llawn. Doedd y gwefusau ddim wedi eu cau'n dynn, yn wir roeddent fel pe baent ar fin dweud rhywbeth, ynte ai cael ei synnu a wnaeth y llanc wrth i olau'r camera fflachio? Yn wir, doedd dim yn neilltuol am unrhyw ran o'i wyneb, ac eto roedd y cyfan gyda'i gilydd yn creu wyneb hardd a dwys.

Roedd ei ddwylo ymhleth ac roedd naill ai rhyw farc du ar waelod y llun neu roedd yn cydio mewn gwn.

Edrychodd Leri ar ei hen ewythr. Roedd hyd yn oed cyfeirio ato fel 'hen' ewythr yn greulon ac yntau heb weld ei drydydd degawd. Beth oedd yn mynd drwy ei feddwl ar yr eiliad yr hoeliwyd yr unig lun, yr unig gofnod gweledol ohono? Beth oedd gobeithion a dyheadau'r llanc ifanc? Roedd y llun mud yn sgrechian ei ddiniweidrwydd, y diniweidrwydd hwnnw a nodweddai'r cyfnod cyn y ddau ryfel byd, cyn Ffasgiaeth, cyn Hiroshima, cyn Thatcheriaeth, cyn Medi yr unfed ar ddeg.

Nid oedd tebygrwydd amlwg rhwng y llun o Ifor a theulu Leri, ac eto, roedd 'na rywbeth cyfarwydd yn y llygaid, a rhywbeth arall. Beth oedd o? Yna fe drawodd o Leri fel bollt. Y dwylo. Edrychodd Leri ar y dwylo a amgylchynnai faril y gwn. Dwylo Sam. Bysedd hirion Sam. Bysedd pianydd. Yna fe sylweddolodd Leri beth oedd yn gyfarwydd ynghylch y llygaid. Roedd gan Ifor a hithau yr un olwg yn eu llygaid, yr un edrychiad. Llygaid dwys a geisiai guddio un peth, un emosiwn. Ofn. Ni fedrai Ifor gelu hynny o'i lygaid, a dim ond wrth astudio'r llun hwn ohono y sylweddolodd Leri bod ei llygaid hithau'n datgelu'r un emosiwn pan fyddai'n edrych arni hi ei hun yn nrych ei llofft bob bore. Ond yn anad dim, yr hyn a drawodd Leri wrth edrych ar y llun o'i hen ewythr Ifor oedd mai llun ydoedd o hogyn bach yn trio'i orau i fod yn ddyn.

*　　　*　　　*

Roedd Leri wedi dechrau diflasu pobl â'i hobsesiwn â'r Rhyfel Byd Cyntaf. Fis ar ôl yr ymwahanu rhyngddi hi a Dei fe wnaeth fwy o ymdrech i gysylltu â rhai o'i ffrindiau. Roedd ganddi ddigon o ffrindiau da, a dim llawer o elynion hyd y gwyddai. Y gwir plaen oedd mai'r unig wir elyn oedd gan Leri oedd hi ei hun.

Gwyddai iddi esgeuluso'i ffrindiau agosaf yn ystod y blynyddoedd diwethaf. Roedd yn ormod o ymdrech i drefnu i'w cyfarfod, i sgwrsio am fanion betheuach, i guddio ei chyfrinach fawr ddrwg. Roedd ei pherthynas â Dei wedi cymylu pob dim, wedi drysu pob dim, wedi mynd yn bwysicach na dim. Gwyddai Leri y byddai'n rhaid iddi wneud ymdrech fawr i ddychwelyd i fywyd normal, i fod mewn cysylltiad â'r byd y tu allan i'r tŷ capel a Dei. Roedd ei dyddiau fel meudwy, fel llestr i waddodion corfforol Dei – neu unrhyw ddyn arall petai hi'n dod i hynny – ar ben. Doedd dynion ddim yn mynd i fod ar y fwydlen am sbel go hir.

Cafodd Leri gwmni un neu ddwy o'i ffrindiau yn achlysurol am bryd o fwyd neu dros beint yn yr Harp. Roedd eu gweld eto fel chwa o awel iach, ond dysgodd Leri'n raddol i gau ei cheg am ei hobsesiwn â'r Rhyfel Byd Cyntaf. Gwyddai ei bod yn eu diflasu, er na sylweddolent eu bod hwythau hefyd yn medru ei diflasu hithau wrth drafod ffaeleddau ciniawau ysgol, y clod neu'r cam a gawsai eu plant yn yr Urdd, y ffordd orau o ddisgyblu plant . . . O dipyn i beth daethai ei ffrindiau i'w hailadnabod hithau a sylweddoli nid yn unig bod Leri'n wahanol, ond ei bod hi'n ymylu ar fod yn wîyrdo! Doedden nhw ddim yn deall ei hawydd i fynd o amgylch meysydd brwydro a mynwentydd Ffrainc a Fflandrys. A hithau wedi'i bendithio â'r holl ryddid, pam na fyddai'n mynd ar wyliau i'r haul, ymlacio wrth bwll nofio, gwneud dim? Ond roedd Leri wedi syrffedu ar wneud dim. Roedd hi, am ryw reswm na ddeallai yn iawn, ar dân eisiau ymweld â'r fynwent lle claddwyd Ifor. Doedd Leri ddim yn synnu, nac ychwaith yn siomedig, bod ei ffrindiau'n 'rhy brysur' i ddod gyda hi. Ond a dweud y gwir, doedd arni hi ddim eisiau cwmni. Roedd hon yn daith y byddai'n rhaid iddi ei gwneud ei hun rhywdro.

Teimlai Leri gywilydd mawr am na chysylltodd ag un o'i ffrindiau yn arbennig. Alwen oedd honno. Roedd Leri ac Alwen yn ffrindiau bore oes. Leri oedd morwyn briodas Alwen, ond roedd Alwen bellach yn fam sengl i dri o blant. Roedd Meirion, ei gŵr, wedi ei gadael am ferch dipyn fengach dros chwe mis yn ôl, a hynny pan nad oedd yr ieuengaf o'i blant o ac Alwen ond yn gwta chwe mis oed. Byddai Leri wedi gadael y plant hefyd – hen bethau digon annymunol oedden nhw – ond roedd Alwen yn gariad i gyd. Dyna efallai oedd ei phroblem. Bu'n gariadus hyd at fygu Meirion, a doedd dweud 'na' wrth unrhyw un o geisiadau swnllyd ei phlant ddim yn opsiwn. Mor hawdd oedd gweld diffygion perthynas pobol eraill â'i gilydd! Pe bai hi ond yn gallu bod mor graff yn ei hymwneud hi ei hun â phobl, ac yn enwedig â dynion!

Dechreuodd Leri alw i weld Alwen, oedd yn byw mewn semi bach digymeriad ar stad fechan yn Dre. 'Hafan' oedd yr enw eironig ar y tŷ. Roedd y tŷ yn bopeth ond yn hafan, a llanast y tri phlentyn ymhobman. Roedd Sioned y ferch hynaf yn bump, ond fe daerai rhywun mai hi oedd biau'r tŷ a'i gynnwys i gyd. Ni châi neb ond hi eistedd yn y gadair orau yn y parlwr, a hi oedd yn cael dewis beth oedd ar y teledu. Byddai Leri wedi bod yn ddiolchgar pe bai Alwen wedi mynnu, weithiau, bod

Sioned yn diffodd y teledu, neu o leiaf yn gostwng y sain. Roedd yn rhaid i Alwen a hithau weiddi ar ei gilydd er mwyn clywed y pytiau o sgwrs a gaent rhwng y cacoffoni o sŵn. Roedd hi'n gamp dod oddi yno heb fod wedi baglu a throi ei throed ar dractor neu lorri a adawyd ar hyd lloriau blêr y tŷ. Byddai Tomos, y plentyn canol, oedd yn hen llabwst tew cwynfanllyd a'i geg yn llawn sothach byth a beunydd, yn llwyddo i dollti ei ddiodydd lliwiau afiach ar hyd dillad Leri. 'Dio'm ots, sti. Dio'm ots,' fyddai Leri'n ei ddweud yn gelwyddog wrth Alwen pan fyddai hi'n ffysian efo cadach i drio mopio'r llanast pinc oddi ar ei thrywsus lliw carreg. Yn sicr doedd dim ots gan Tomos a giledrychai'n foddhaus dros ei fochau bach tew teirblwydd oed. Byddai Tomos y Tanc wedi bod yn enw iawn arno.

Fedrai Leri ddim deall sut y gallai Alwen, oedd yn ddynes ddeallus a galluog, beidio â gweld ei bod yn difetha'r plant yn lân. Cwynai byth a beunydd bod ei thŷ yn debycach i gaffi. Doedd dim posib paratoi pryd o fwyd oedd yn plesio'r tri phlentyn, felly fe wnâi rywbeth gwahanol iddyn nhw i gyd bob pryd bwyd, a fydden nhw byth yn clirio'u platiau ar ôl iddi fynd i'r fath ymdrech. I Leri, roedd yr ateb yn ddigon syml. Bytwch be dach chi'n gael, y 'ffernols! Doedd ryfedd nad oedden nhw'n gorffen eu prydau a nhwtha'n sugno fferins neu gnoi bar siocled trioglyd a'i hanner o'n sownd yn eu gwalltiau bob gafael.

Doedd magu plant ddim yn hawdd, mae'n siŵr, yn enwedig ar ei phen ei hun, ond a oedd rhaid i Alwen wneud y gwaith mor anodd iddi hi ei hun? Beth oedd yn bod ar ddweud 'NA' weithiau? Doedd dim posib cael sgwrs gall pan fyddai'r tri mwnci o gwmpas chwaith, er, wedi dweud hynny, doedd gan Leri ddim sgwrs ddifyr, dim ond ei bod yn falch weithiau o gael gweld ei ffrind er gwaethaf yr ymyrraeth o du ei phlant afreolus.

Roedd yn well gan Leri pan fyddai Alwen yn galw draw i'r tŷ capel gan y gallai ysmygu yn ei thŷ ei hun. Gwell fyth fyddai'r ymweliadau pan alwai Alwen heb ei threib; ond anaml fyddai hynny gan na fyddai Meirion yn eu gwarchod mor aml ag y dylai. Ond un nos Wener, dri mis ar ôl y tro diwethaf iddi weld Dei, daeth Alwen draw i'r tŷ capel, fel roedd Leri'n gorffen ei gwers biano olaf y noson honno. 'Ty'd. Ma'r plant yn cysgu efo Romeo heno. 'Dan ni'n mynd allan!' Doedd gan Leri ddim pwt o awydd mynd allan i nunlle; byddai'n well ganddi fod wedi aros i mewn yn y tŷ capel efo Alwen a photel neu ddwy o win. Ond doedd dim troi 'nôl arni. Anaml y câi Alwen y penwythnos iddi hi ei hun heb yr angenfilod. Yn wahanol i Leri, doedd hi ddim wedi arfer â bod ar ei phen ei hun.

Roedd Alwen wedi ei gwisgo i'w rhyfeddu mewn trywsus lledr du a thop sidan du tryloyw a ddatguddiai fra du lês del oddi tano. Ers iddi hi a Meirion wahanu roedd Alwen wedi colli peth wmbreth o'r pwysau a fagodd wrth gario'r plant. Roedd y straen o chwalu priodas ddeng mlwydd oed wedi dweud arni; ond nid mewn ffordd negyddol. Yn wahanol i Leri, fe edrychai Alwen yn dda, fel merlen sioe. Fedrai Leri ddim gwrthod.

Agorodd botel win, tollti gwydraid yr un iddyn nhw, ac yna aeth y ddwy i'r llofft i ddewis dillad i Leri. 'Lle 'dan ni'n mynd?' gofynnodd Leri i Alwen. 'Wyt ti'n mynd am gawod, a ti'n golchi dy wallt. Ti'n edrach yn blydi mess!' Diolchodd Leri iddi am ei geiriau caredig ac ufuddhaodd i'w ffrind. Roedden nhw'n mynd i Verde's yn Dre am sesh. Roedd hi'n amlwg o'i gwên ddireidus bod Alwen eisiau mwy na dim ond sesh. 'Wel ma'n amlwg bo ti *out to pull* yn y gêr yna!' meddai Leri. Oedd, roedd Alwen yn fodlon cyfaddef, petai yna rywun o dan gan mlwydd oed fyddai'n barod i wneud cymwynas â hi, yna, na, fyddai hi ddim yn gwrthod! Doedd hi ddim wedi cael rhyw ers ymhell cyn i Mabon gael ei eni, ac roedd hynny dros ddeunaw mis yn ôl. Dywedodd Leri wrthi os mai dyna fyddai'n digwydd, yna pob lwc iddi, ond fe fyddai hi, Leri, mewn tacsi ar ei hunion yn ôl i'r tŷ capel, a hynny ar ei phen ei hun.

Awr yn ddiweddarach roedd y ddwy ynghanol berw ifanc Verde's. Teimlai Leri'n hen yno, yn enwedig gan iddi wisgo siwt *linen* amdani a wnâi iddi edrych gymaint yn hŷn na'r genod eraill oedd mewn hipsters a'r tlysau yn y bogel yn wincio'n awgrymog ar bob dyn yn y lle. Roedd yr hen siwt yn hongian yn llipa ar Leri, fel tasa hi ar lein ddillad. Roedd hithau, fel Alwen, wedi colli pwysau'n ddiweddar.

Teimlai Leri ei sandalau'n brathu cefn ei sawdl. Doedd hi heb eu gwisgo ers yr haf diwethaf. Doedd hi ddim wedi cofio, wrth eu taro am ei thraed yn gynharach, eu bod braidd yn fach iddi. Dechreuodd ystwyrio, gan geisio darganfod man llai poenus i ddal pwysau ei chorff. Pan edrychodd i lawr ar ei thraed, gwelodd lawr pren y dafarn a hynny'n atgof poenus o lawr pren parlwr y tŷ a'r cleisiau duon ar ei chefn. Wrth iddynt archebu eu diodydd tynnodd Alwen sylw Leri at ferch ifanc a eisteddai wrth y bwrdd ger y drws ynghanol criw o ferched swnllyd eraill. Doedd hi ddim yn arbennig o dlws ond roedd ganddi wallt euraid oedd yn ynfyd o hir; yn wir roedd ei gwallt, pan eisteddai, bron â chyffwrdd y llawr. Sut roedd hi'n cyflawni gorchwylion hanfodol bob dydd, wyddai Leri ddim.

'Ma' honna'n cael affêr efo Dei Robinson,' sibrydodd Alwen yn ei chlust. Bu'n rhaid i Leri afael yn y bar i sadio ei hun. 'Ers pryd?' mentrodd ofyn yn floesg. 'God, ma' hi efo fo ers blynyddoedd. Ma' hi'n un o'r chydig rai sy 'di para mwy na mis efo fo. Ma' pawb arall 'di gweld drwyddo fo'n syth. Mae o'n rêl ci.' Bu'n rhaid i Leri esgusodi ei hun ac aeth yn sigledig i'r tŷ bach. Eisteddodd ar sedd y toiled a'i gaead i lawr er mwyn myfyrio am eiliad ar yr hyn roedd Alwen wedi'i ddweud. Wyddai Alwen ddim am effaith ei geiriau arni wrth gwrs. Wyddai hi ddim byd am yr affêr. Doedd fiw i Leri ymddiried yn Alwen druan a hithau wedi gorfod dioddef bod yn dyst i affêr fach fudr ei gŵr. Ni fyddai gan Alwen ddim cydymdeimlad â Leri pe gwyddai'r hanes. Y cyfan yr oedd Leri wedi'i ddweud wrth ei ffrind gorau oedd ei bod wedi bod yn teimlo braidd yn isel ers peth amser, a doedd hi'n dweud 'run gair o gelwydd wrth gyfaddef hynny.

Sychodd Leri'r chwys oddi ar ei dwylo crynedig. Aeth i edrych ar ei hadlewyrchiad yn y drych a gweddïo am i'r noson gael hedfan heibio. Fyddai dim yn well ganddi na chael mynd yn ôl i glydwch y tŷ capel o olwg pawb. Byddai'n rhaid iddi ddyfalbarhau am sbelan. Dim ond gobeithio y byddai Alwen yn sgorio'n eithaf handi er mwyn iddi hi, Leri, gael gadael.

Erbyn iddi gyrraedd yn ôl at y bar roedd y ferch â'r tresi fel ffrydiau hyd ei chefn yn archebu diod. Aeth gwich ei ffôn bach wrth wneud. Cythrodd Rapunzel amdano. Tybiai Leri o'r wên fach gudd mai Dei oedd yn ei thecstio. Roedd Leri'n cofio iddi hithau wenu fel yna rai misoedd yn ôl. Cofiai fel y byddai ei thu mewn yn rhoi tro, yn rhoi rhyw sbonc a naid fach fel eog mewn afon wrth ddarllen ei eiriau blysig. Gwrthododd Leri adael iddi hi ei hun hiraethu amdano. Roedd Alwen yn llygad ei lle. Ci oedd o, a doedd ffyddlondeb ddim yn rhan o'i gyfansoddiad.

Roedd Leri'n parhau i astudio ysglyfaeth trist Dei Robinson pan ddaeth Alwen ati a'i hwsio tuag at gornel pella'r bar. Gadawodd Leri i'w ffrind ei hebrwng at ddyn pen moel a safai'n yfed peint. Roedd o ar ganol sgwrs â dyn arall ac roedd Leri'n adnabod hwnnw – Gerallt, brawd Alwen oedd o. Doedd Leri ddim wedi ei weld ers blynyddoedd, ddim ers priodas Alwen a Meirion. Fo oedd y gwas priodas y diwrnod hwnnw a hithau'n forwyn briodas.

Roedd Gerallt yn gweithio mewn banc yn Llundain. Roedd Leri'n hoff ohono: bu'n garedig wrthi pan fyddai'n mynd i Afallon i chwarae efo Alwen pan oedden nhw'n blant. Roedd Gerallt dipyn yn hŷn na hi ac Alwen ac roedd o'n ffigwr a barchai ers y dyddiau hynny. Roedd un darlun yn anad yr un arall a lynai'n dynn ar ddalen frau y cof, a hwnnw oedd yr un ohono'n beichio crio adeg marwolaeth ei fam, fu farw ar ôl cystudd hir a chreulon, pan roedd Alwen a Leri yn y chweched dosbarth. Roedd Gerallt yr adeg honno yn gweithio mewn banc yn y Rhyl. Brawychwyd Leri wrth weld Gerallt yn disgyn yn swp ar soffa werdd lolfa Afallon ac udo crio. Wnaeth o ddim ymdrech i guddio'i alar, dim ond eistedd yno'n wylo'n hidl. Roedd gweld brawd mawr ei ffrind gorau yn beichio crio wedi creu argraff ddofn ar Leri. Gerallt, oedd yn gymaint o gês, yn gymaint o dynnwr coes, yn dioddef hiraeth creulon ar ôl ei fam.

'Sut w't ti, Leri bwm?' gofynnodd Gerallt gan ei chofleidio'n gynnes. Aeth y goflaid fel sioc drydanol drwyddi. Doedd hi heb brofi unrhyw fath o gysylltiad corfforol â neb ers cyhyd. Gwenodd wrth gofio'r enw gwirion yr arferai ei galw pan oedd hi'n blentyn. Leri bwm, am ei bod hi gymaint o ofn cachgi bwms! Roedd Gerallt wedi rhedeg ar ei hôl un prynhawn â phot jam a dau gachgi bwm yn cwffio am eu heinioes ynddo. Roedd Leri hithau ofn am ei heinioes y byddai Gerallt yn eu rhyddhau a'u hanelu ati hi, er y gwyddai'n iawn na wnâi hynny. Roedd o'n llawer rhy glên.

'Dyma Kevin,' meddai Gerallt. Gwenodd Leri wên gwrtais ar y dyn pen wy. Gwenodd yntau gan ddatgelu rhes o ddannedd gwynion hyfryd. Teimlodd Leri ei thu mewn yn troi. Gobeithiai i Dduw nad oedd Alwen am geisio ei phario hi ffwrdd efo'r pen wy! O am gael dianc i'r tŷ capel a chau'r drws yn sownd!

'Ma' Kevin yn byw yn Ffrainc. Fi berswadiodd o i ddod i fyny i'r Gogledd am benwythnos bach,' meddai Gerallt. Safai Leri yno'n fud. Fedrai hi ddim meddwl am ddim byd call i'w ddweud neu ei ofyn i'r dyn yma a safai o'i blaen yn cnoi ei wefus isaf. Roedd hi wedi anghofio sut i ymddwyn yn gyhoeddus. Roedd hi wedi anghofio'r sgript. Roedd hi hefyd yn amau fod y Kevin yma a Gerallt yn eitem. Roedden nhw'n edrych fel cwpwl. Doedd Leri erioed o'r blaen wedi amau fod Gerallt yn hoyw, ac eto doedd hi erioed wedi clywed Alwen yn sôn bod ganddo gariad. Os felly, o leiaf doedd y Kevin yma ddim yn fygythiad iddi.

Aeth y sgwrs rhwng Alwen a Gerallt a Kevin yn ei blaen tra safai Leri yno fel hogan ifanc yn dioddef o letchwithdod arddegol eithafol. Doedd ganddi ddim byd i'w gyfrannu at y sgwrs; yn wir, cymaint oedd ei lletchwithdod na chlywodd yn iawn gynnwys y sgwrs gynhyrfus o'i chwmpas. Teimlodd Leri ei ffrind yn ei phwnio gan ddweud, 'Dyna pam o'n i'n meddwl y basa ti wrth dy fodd yn cael sgwrs efo Kevin yn fan'ma. Mi fasa fo'n gallu bod yn gymaint o help i ti.' Trodd Alwen yn ddisymwth i siarad â dyn ifanc gan adael Leri'n amddifad. Gan nad oedd Leri wedi gwrando ar y sgwrs flaenorol, doedd ganddi ddim syniad at beth roedd Alwen yn cyfeirio. Sut y gallai'r Kevin yma ei helpu, os nad oedd yn seiciatrydd go ddawnus? Rhoddodd iddo wên ci marw tra curai ei chalon fel gordd. Torodd Kevin ar annifyrdod y sefyllfa drwy gynnig diod iddi. Diolchodd Leri iddo.

Roedd clywed hanes Dei a'r ffaith iddo dwyllo Isobel efo rhesi o ferched awyddus yn ogystal â Leri 'i hun wedi ei llorio'n llwyr. Fedrai hi ddim canolbwyntio ar ddim. Roedd arni ofn gwirioneddol y byddai'n dioddef un o'r *panic attacks* bondigrybwyll yna eto. Roedd hi eisoes wedi dechrau chwysu ac yn teimlo fel petai hi'n mygu. Cyn i Kevin ddod yn ôl ati efo'i diod, trodd Leri at Alwen oedd erbyn hyn yn ceisio dal llygad dyn llawer iau na hi ei hun. Sibrydodd yn ei chlust y byddai'n rhaid iddi adael, nad oedd hi'n teimlo'n dda. Heb esbonio ymhellach, gwthiodd Leri ei hun drwy'r dorf ac allan i'r smwclaw a golau Verde's yn dawnsio ar lonydd gwlyb y dref. Brasgamodd Leri a'i hesgidiau'n brathu ei thraed â phob cam. Pasiodd yr eglwys a throi i lawr at y briffordd. O fewn dim gwelodd dacsi'n nesáu. Cododd ei llaw arno, a thrwy rhyw drugaredd fe arafodd ac aeth Leri i mewn iddo gan roi ei chyfeiriad i'r gyrrwr ifanc plorog a edrychai fel pe bai newydd ddod allan o'i glytiau.

Roedd hi'n daith hanner awr yn ôl i'r tŷ capel, ac wrth i'r car yrru drwy'r glaw diolchodd Leri am gael gadael trwst tafarndai'r dref ac ymgolli'n dawel yn rhythm y car. Roedd y gyrrwr yn un tawedog, diolch i Dduw. Doedd hi ddim mewn tymer i siarad am ddim byd. Wrth nesáu at y Dyffryn, gofynnodd Leri a fyddai ots ganddo droi am County Road, oedd i'r cyfeiriad cwbl groes i'r tŷ capel? Ddywedodd y gyrrwr ddim, dim ond nodio'i ben i gadarnhau y byddai hynny'n iawn. Erbyn cyrraedd County Road, gofynnodd Leri iddo aros am ennyd y tu allan i Brynengan, cartref ei thaid. Nid Brynengan oedd yr enw arno bellach – yn wir, nid oedd enw arno o gwbl. Ni bu Leri erioed i mewn yn y tŷ. Roedd Nain Jôs wedi hen symud i Dre erbyn iddi hi gael ei geni, ond roedd ei mam wedi dweud wrthi droeon wrth basio ceg y lôn mai dyna oedd y stryd lle ganwyd Taid ynghyd â'i holl frodyr a'i chwiorydd, gan gynnwys Ifor. Edrychodd Leri ar y tŷ drwy ffenest wlyb y tacsi, a'r weipars yn clirio'r llun bob hyn a hyn. Yma y ganwyd pob un o'r wyth plentyn, gan gynnwys Idris, y plentyn ieuengaf a thaid Leri. Roedd hi wedi clywed ei mam yn dweud yr hanes droeon, a llygaid Leri fel soseri wrth geisio dychmygu'r olygfa drist ar noson wlyb debyg i hon ym 1917.

*　　　　*　　　　*

Roedd dychymyg Leri fel trên a gwelai'r tŷ bychan tair llofft yn gwegian dan bwysau ei drigolion bach. Er ei bod yn wyliau Pasg, roedd y plantos yn anniddig a dan draed gan fod y tywydd wedi troi, a doedd dim modd iddynt ddianc allan i chwarae. Cuddiai Wini fach o dan y bwrdd. Roedd ofn tywydd mawr arni, ac fe lynai'r ofn hwnnw fel gelen ynddi am weddill ei hoes. Fe fyddai'n cofio storm y diwrnod arbennig yma am byth. Ar ôl blino ar bryfocio Wini, fe ddechreuodd y plant eraill swnian ar eu mam, oedd yn fawr a blinedig. Rhyw dair wythnos oedd ganddi cyn dod i ben ei thymor, ond gwyddai Jane Jôs o brofiad y byddai yna geg arall i'w bwydo cyn hynny. Roedd y gwayw yng ngwaelod ei chefn yn arwydd fod yr amser ar ddod, a cheisiai ei gorau i gysuro Wini, i ddiddanu'r lleill ac i grasu'r dillad a gymerai gan gymdogion er mwyn ennill ceiniog neu ddwy yn ychwaneg. Cyfrai'r oriau tan i'w gŵr, William, ddod adref o'r chwarel neu i Rich, ei phlentyn hynaf, ddod adref o'r llyfrgell yn Dre.

Aeth ati i baratoi'r tatws a'r nionod tra eisteddai'r plant yn y gegin fach o dan gysgod y cloc a'u cegau'n agored fel cywion mewn nyth. Er cymaint roedd hi'n eu caru, gwyddai y byddai'n rhaid i hwn fod y babi dwytha; roedd hi'n anodd dal dau ben llinyn ynghyd. Gobeithiai ar un llaw mai hogyn bach yr oedd hi'n ei gario er mwyn iddo yntau, fel ei frodyr maes o law, gael ennill ychydig o gyflog. Ond ar y llaw arall gobeithiai mai hogan fach oedd yn achosi'r poenau yn ei chroth – o leiaf ni fyddai'n rhaid iddi hi fynd i ryfel fel y gwnaeth Ifor. Ifor, a oedd llawer yn rhy ifanc i fynd yn sowldiwr. Roedd Rich yn ddigon hen i enlistio ond yn ddigon call i beidio. Ceisiodd Rich annwyl ei orau glas i ddwyn perswâd ar Ifor i beidio â mynd. Ond roedd Ifor yn styfnig fel mul. Doedd o ddim am adael i Robat fynd ac iddo yntau aros ar ôl yn y siop ar ei ben ei hun efo Mr Ifas, Cumberland Stores. Os oedd

Robart yn mynd, yna roedd yn rhaid i Ifor gael mynd hefyd. Byddai'n antur, yn gyfle i gael gweld ychydig ar y byd; cael mynd i Ffrainc, i wlad Debussy. Ble roedd o rŵan? meddyliodd ei fam. Gweddïai ei fod yn ddiogel ac yn ddianaf.

O dipyn i beth fe waethygai'r poenau a bu'n rhaid i Jennie orffen paratoi'r swper chwarel. Edrychai Jane ar Jennie, oedd mor ddeheuig o gwmpas y tŷ. Roedd Huw wrth gwrs eisiau bwyd rŵan hyn. Nid oedd pall ar chwant hwnnw, a phryfociai Jennie fo y byddai'n rhy dew i symud, heb sôn am gerdded i Ffair y Llan. Doedd honno ddim am chwe wythnos arall, ond roedd disgwyl mawr amdani. Dechreuodd Llinos chwerthin yn afieithus a Jennie'n ceisio ei thewi rhag tarfu ar ei mam. Wrth grybwyll y Ffair, fe befriai llygad chwareus wyth mlwydd oed Huw. Hwn fyddai'r tro cyntaf iddo gael mynd heb fod yng nghwmni ei rieni. Roedd yn cael mynd ar yr amod nad oedd i fynd o olwg Rich.

Canodd hwter y chwarel. Byddai William yn ei ôl cyn hir. Cliriodd Jennie'r llanast ac aeth i olchi'r plât i'r badell yn y cefn. Yna, ar gais ei mam, aeth ati i ferwi dŵr. Canai Huw gân a ddysgodd yn yr Ysgol Sul. Oedd, roedd Huw, fel Ifor, wedi etifeddu llais canu hyfryd eu tad. Tybed a fyddai yntau hefyd rhyw ddiwrnod yn swyno cynulleidfaoedd â'i ganu?

Edrychai Jane drwy'r ffenest ar y glaw yn llifo'n afonydd i lawr County Road. Roedd gwyn yr asgwrn i'w weld ar ei dwylo wrth iddi geisio diodde'r poenau'n ddistaw rhag dychryn y plant. Ysai am roi bloedd i leddfu'r storm a ruai yn ei hymysgaroedd. Codai'r gwynt y tu allan fel y cynyddai'r cywasgiadau yn ei bol.

O fewn yr awr clywodd wich y giât a William yn rhedeg i'r tŷ. Roedd o'n wlyb at ei groen. Cyn iddo gael ei wynt ato ac i sychu o'r glaw, roedd allan eto yn nôl y meddyg. Cawsai wybod gan un o'r cymdogion fod Dr Williams wedi mynd i ymweld â chlaf yn y Sarn. Doedd dim amdani ond wynebu'r ddrycin a cherdded y tair milltir yno i'w nôl. Gwyddai William y funud y gwelodd ei wraig nad oedd munud i'w golli. Roedd William yn socian yn dod adref o'i waith, ond wrth gerdded i'r Sarn roedd o'n wlyb diferol a'i got yn drwm dan bwysau'r glaw. Crynai gan oerfel a gofid am ei wraig, ac roedd ei ddannedd yn rhincian gymaint erbyn cyrraedd y Sarn fel nad oedd yn gallu dweud ei neges wrth y meddyg. 'Jane!' meddai'n floesg, a gwyddai Dr Williams yn syth fod ei wraig ar fin esgor. Aeth William a'r meddyg yn ôl i'r Dyffryn ar eu hunion yng ngherbyd modur y meddyg. Doedd William erioed wedi cael eistedd mewn car o'r blaen, ond roedd yn rhy wlyb ac anghyfforddus i fwynhau'r profiad. Lled-orweddai ar y *dickie seat* gan weld dim o'i flaen ond cefn llydan y meddyg a chefn main y gyrrwr a'r glaw yn diferu o'i gap pig gloyw. Erbyn cyrraedd Brynengan roedd Huw ar riniog y drws wedi cynhyrfu'n lân o weld cerbyd modur yn sefyll tu allan i'r tŷ. Doedd hyn erioed wedi digwydd o'r blaen.

Erbyn i William a Dr Williams gyrraedd roedd Jane ar ei heistedd yn y gwely, a babi bychan rhychiog yn sugno'n awchus ar ei bron. 'Hogyn bach, William,' meddai hithau. Gwenodd William arni'n dyner cyn syrthio'n un swp gwlyb, llipa ar lawr.

Am y tridiau nesaf bu Dr Williams yn tendio ar William, oedd mewn twymyn mawr. Deuai Jennie â chwpanaid o wy wedi'i guro mewn llefrith yr un i'w mam a'i thad er mwyn iddyn nhw adennill eu nerth. Daeth Wini allan o'i chragen a mynnu 'helpu' ei mam efo'r babi bach newydd tra aeth y plant eraill allan i chwarae. Roedd Idris yn fabi bodlon ond ei fod, fel Huw, yn hoff o'i laeth. Roedd ei fam yn gaeth iddo, a mawr oedd ei gofid am ei gŵr oedd yn gwanychu yn y llofft. Cyn cyrraedd ei saith niwrnod oed, roedd Idris yn ddi-dad, a Jane Jôs wedi cael ei gadael yn weddw ddeugain oed i ofalu am ei holl blant ac i boeni ddydd a nos am Ifor oedd mor bell i ffwrdd.

Ar ddiwrnod y cynhebrwng, symudwyd y chest-o-drôrs yn y gegin a gosod yr arch ar ddau drestl. Daeth pobl yn eu niferoedd, a'u hetiau yn eu dwylo, i gynnig offrwm drwy daflu arian i'r hances wen â'i hymyl du a daenwyd gerllaw'r arch. Canwyd emyn wrth y tŷ cyn cerdded yn fintai gref a thrist i'r fynwent. Claddwyd William Jôs, ac ni welwyd na chynt na chwedyn gynhebrwng mor fawr yn y pentref.

Drannoeth daeth Ifor adref o Ffrainc yn hen ddyn. Y bore hwnnw, ar dudalen flaen y papur newydd, roedd hanes y cynhebrwng a'r pennawd 'Tawodd y Gan'. Atgof yn unig oedd llais swynol William Jôs i'w blant, ac Idris heb erioed ei glywed.

Fe ddywedodd Nain Jôs flynyddoedd yn ddiweddarach i Idris gael ei folchi yn ei dagrau am wythnosau wedyn. Pan holwyd hi gan fam Leri sut ar y ddaear y daeth hi i ben â magu'r holl blant ei hun bach, ei hateb oedd: 'Doeddwn i ddim ar fy mhen fy hun.' Doedd dim lle i hunandosturi, ac roedd ei chred ddiysgog yn Nuw yn gymorth mawr iddi.

'Dach chi'n byw yn fan'ma?' Clywodd Leri lais y gyrrwr wrth ei hochr yn ei deffro o'i myfyrdod. Trodd Leri i edrych arno. 'Na. Ond fan'ma roedd Yncl Ifor yn byw, brawd Taid. Mi aeth o i'r Rhyfel Byd Cyntaf a ddoth o ddim yn ôl. Faint ydy d'oed di?' Edrychodd y gyrrwr arni'n syn cyn mwmian 'Naintîn'. ''Run oed ag, Ifor yli.' Byddai Leri wedi bod yn fwy na pharod i ymhelaethu, i gael dweud y stori, ond roedd yr olwg ar wyneb y gyrrwr yn awgrymu'n gryf y credai fod y ddynes yma mewn siwt *linen* oedd yn rhy fawr iddi, a sandalau oedd yn rhy fach, wedi fflipio'n llwyr.

11

Llusgodd y trên i mewn i Euston am ugain munud wedi deg ar ei ben, gan ysgrytian a phoeri fel pe bai'n chwilio am gydymdeimlad cyn i rywun ei ddwrdio am fod rai munudau'n hwyr. Pum munud yn hwyr a bod yn bedantig. Fedrai neb gwyno am hynny. Mae'n debyg bod trên Caergybi i Lundain dros awr yn hwyr ddoe! Roedd pethau'n argoeli'n dda hyd nes i Leri, wrth iddi ddod oddi ar y trên, glywed cyhoeddiad fod yna streic ar y trenau tanddaearol tan ddeg o'r gloch y noson honno. Daria! A hithau wedi mynd i'r fath drafferth i drefnu gwesty oedd yn gyfleus i'r *Northern Line* fyddai'n mynd â hi drannoeth yn syth i Waterloo. Doedd dim amdani felly ond dilyn pawb arall i lawr i grombil yr orsaf i ymuno â'r ciw hir am dacsi.

Roedd cerddor pen stryd yno'n canu'r ffidil yn dlws iawn. Myfyriwr cerdd ifanc, mae'n rhaid. Canai'r

Meditation o'r opera *Thaïs* gan Massenet. Darn bendigedig. Roedd Leri wedi cyfeilio i'r darn sawl tro pan chwaraeid ef gan un o'i chyn-gariadon byrhoedlog yn y coleg. Andrew oedd ei enw, hogyn heglog o Gaerffili. Wyddai Leri ddim o'i hanes erbyn hyn. Y tro diwethaf iddi glywed unrhyw sôn amdano roedd yn gwneud *circuit* y sioeau cerdd yn Llundain. Tybed oedd o'n briod? Oedd ganddo blant? Oedd o'n dal i ddioddef o *halitosis* enbyd ben bore? Oedd o'n dal i gario'r crib bach brown ym mhoced ôl ei drywsus? Oedd ganddo wallt? Fyddai hi'n ei adnabod pe gwelai hi o? Oedd o'n dal yn fyw?

Roedd Leri wedi colli cysylltiad â chynifer o'i chyd-fyfyrwyr. Beth oedd eu hanes nhw erbyn hyn? Tybed a fyddai hi, drwy ryw gyd-ddigwyddiad, yn taro ar un ohonyn nhw yn ystod ei harhosiad byr yn Llundain? Doedd hi ddim eisiau eu gweld nhw. Fe fydden nhw i gyd yn bownd o gofio ei rhemp-berfformiad yn y Barbican a'r modd y diflannodd oddi ar wyneb y ddaear o fewn dyddiau i'r achlysur hwnnw. Beth ddywedai wrthyn nhw pe gwelai nhw? Pa hanesion oedd ganddi i'w hadrodd wrthyn nhw? Dim. Dim oll. Ac er ei bod hi'n ddeugain oed, fel y rhan fwyaf ohonyn nhw bellach, doedd ganddi hi ddim syniad pwy oedd hi. Y hi go iawn. Oedd, roedd hi'n bianydd, yn athrawes, yn fodryb, yn chwaer, yn gymydog, yn garwr . . . ond pa bryd fyddai'r holl glytiau lliwgar yma'n hydreiddio'n un clytwaith cyflawn o un person na fyddai'n ymddatod?

Oedd y dyn gwargrwm yma o'i blaen, a'i drwyn yn ei bapur, yn gwybod pwy oedd o? Neu'r ferch ifanc siapus o'i flaen yntau â thoriad ei gwallt fel siâp powlen â'r Sony Walkman am ei chlustiau, yn gwybod pwy oedd hi? Onid oedd pawb yn cuddio y tu ôl i ryw fwgwd gan fod yn gant a mil o bobl i wahanol bobl? Oedden nhw, ar ôl cyrraedd diogelwch eu cartrefi, fel Leri, yn edrych yn y drych weithiau ac yn dweud – 'Reit, dyma fi! Does yna neb ond fi yma rŵan, felly does dim angen ffalsio, jyst bod yn fi fy hun – pwy bynnag ddiawl ydy honno!' Onid y gwir plaen oedd mai ofn pennaf pawb yn y bôn oedd wynebu nhw eu hunain?

A sôn am ofn, tybed sut oedd Sam druan y bore 'ma? Teimlai Leri'n euog nad oedd hi efo fo ar y diwrnod arbennig hwn. Ac eto, beth allai hi ei wneud i'w helpu erbyn hyn? Yn sicr fyddai hi ddim yn gallu bod yn fawr o help iddo o ran ei nerfau – nid bod Sam yn dioddef o hynny, ddim ar hyn o bryd. A beth bynnag, doedd neb yn cael mynd i mewn i wrando yn y rowndiau cyntaf hyn. Roedd Sam, yn ôl y disgwyl, wedi mynd drwodd o'r rowndiau lleol yng Nghaerdydd i'r ffeinals rhanbarthol ym Manceinion a rŵan i'r rowndiau go-gynderfynol. Byddai'r gystadleuaeth o hyn ymlaen yn galed iawn.

Ar ben hyn i gyd roedd Dafydd wedi cymryd diwrnod o'i waith yn y Cyngor Sir er mwyn mynd gyda'i fab. Doedd Leri a'i brawd ddim wedi siarad â'i gilydd ers cynhebrwng Dodo Wini. Doedd Linda ddim wedi mynd efo nhw, mae'n debyg – wedi mynd i aros at ffrind ym Mryste, meddai Sam. Na, fe fyddai diwrnod a noson gyfan yng nghwmni Dafydd yn Glasgow, tra'n disgwyl i Sam orffen ei wrandawiad, yn brofiad y gallai Leri ei hepgor. Roedd Sam wedi mynnu ei bod hi'n cadw at ei threfniadau hithau. Roedd gan Leri ei hantur ei hun.

Daeth tro Leri i fynd i'r tacsi, a rhoddodd enw'r gwesty i'r gyrrwr cyn eistedd yn ôl yng nghefn y modur mawr du. Roedd hi'n dechrau ymlacio ac yn bwriadu gwneud yn fawr o'r daith hon. Roedd hi, o'r diwedd, wedi magu plwc i fynd i Ffrainc ac roedd ganddi'r noson hon yn Llundain cyn dal yr Eurostar i Lille yfory. Yna byddai'n rhaid iddi ddal trên y TGV i Haute Picardie, lle byddai Kevin yn ei chyfarfod er mwyn mynd â hi i'w gartref o yn Hardecourt de Bois, pentref bychan ar y Somme.

Pe byddai Leri wedi gwrando y noson honno yn Verde's, neu o leiaf wneud ymdrech i daro sgwrs, fe fyddai wedi deall bod Kevin, y dyn pen wy, nid yn unig yn byw yn Ffrainc ond hefyd yn dywysydd ar deithiau gwyliau i fynwentydd a meysydd brwydro y Rhyfel Byd Cyntaf. Cafodd Leri wybod hyn gan Alwen rai dyddiau'n ddiweddarach. Teimlai'n flin am beidio â gwneud mwy o ymdrech ar y noson, ond chwarae teg i'w ffrind, fe drefnodd Alwen y câi Leri fynd i aros yn nhŷ Kevin, ac y byddai, am gost bychan, yn rhoi llety a brecwast iddi, ynghyd â'i thywys yn bersonol i'r mannau priodol yr oedd hi am ymweld â nhw.

Doedd Leri a Kevin heb siarad o gwbl i drafod y trefniadau, dim ond e-bostio'i gilydd. Teimlai Leri embaras mawr am na thalodd lawer o sylw iddo y tro cyntaf iddi ei gyfarfod. Roedd Leri ar y pryd yn dal i alaru am Dei, neu yn hytrach i alaru am yr amser a wastraffodd o'i blegid. O hyn ymlaen roedd hi am wneud yn fawr o'i hamser. Gobeithiai na fyddai ei nerfau'n ei gorchfygu pan fyddai'n cyfarfod â Kevin yfory.

Ymhen hir a hwyr cyrhaeddodd Leri y gwesty yn Tottenham Court Road, gwesty braf ag iddo adlais o gyfnod dau ddegau'r ganrif ddiwethaf, a'r staff yn hynod o ofalus o'u gwesteion. Yn rhyfedd iawn, er gwaetha'i nerfusrwydd, doedd hi'n poeni dim am aros mewn gwesty ar ei phen ei hun. Roedd Alwen wedi bod yn poeni amdani a gofynnodd iddi a fyddai hi'n iawn ar ei phen ei hun bach? Chwarddodd Leri gan ddweud wrth ei ffrind ei bod 'ar ei phen ei hun bach' rownd y rîl ac, yn rhyfedd iawn, roedd hi'n eitha licio'i chwmni ei hun diolch yn fawr! Fedrai Alwen ddim deall sut roedd ganddi'r dewrder i deithio ar ei phen ei hun. Ateb Leri oedd na wyddai hi ddim chwaith sut ar y ddaear roedd Alwen yn dygymod â magu tri o blant bach ar ei phen ei hun. Doedd dim terfynau ar allu neb pan ddeuai'n fater o raid.

Ar ôl dadbacio, ymolchi a thwtio rhyw fymryn arni hi ei hun yn yr ystafell ymolchi farmor fendigedig oedd yn rhan o'i llofft, aeth Leri i lawr i'r bar a suddo fel plwm i un o'r pedair soffa ledr ag ôl traul bwriadol arnyn nhw. Hwnt ac yma yn bar, roedd cawgiau gwydr yn llawn lilïau gwynion hyfryd a'u harogl yn llesmeiriol. Y lili. Blodyn cynhebrwng. Roedd tipyn gwell graen ar y lilïau hyn o'u cymharu â'r lilïau a archebodd o Belles Fleurs ar gyfer cynhebrwng ei mam. Roedd y dorch honno'n un siomedig o lipa, a phob un lili fel deigryn digalon mewn galar, yn gwrthod agor yn gloch fawr orfoleddus i seinio'n ddathliad o fywyd yr ymadawedig. Chollodd Leri ddim dagrau rai misoedd yn ddiweddarach pan welodd, wrth basio Belles Fleurs, fod y siop ar fin cau; y cwmni wedi mynd i'r wal.

Daeth gweinydd diodydd ati ac archebodd hithau gin a thonic. 'I'm sorry, I can't serve you, madame,' sibrydodd y gweinydd cyhyrog mewn acen Ladinaidd ddeniadol. Edrychodd Leri arno mewn penbleth garw. Beth oedd hi wedi ei wneud? Oedd hi wedi tramgwyddo? Roedd ar fin cecio gofyn pam, pan blygodd y gweinydd yn ôl ati gan lenwi ffroenau Leri ag arogl *patchouli* hyfryd gan ddweud, 'We're not allowed to serve under-age persons, Madame.' Gwenodd Leri arno'n ffug-swil, gan daro golwg ar ei ben-ôl bach pert wrth iddo droi am y bar. Tybiai fod y gweinydd wedi hen arfer â ffalsio â merched fel hi oedd ar eu pennau eu hunain, ac mae'n siŵr ei fod hefyd yn eithaf cyfarwydd â rhai o'r llofftydd erbyn hyn. Ond doedd o ddim am gael rhannu ei gwely hi heno. O nagoedd. Ynte . . .? Chwarddodd Leri wrthi hi ei hun wrth iddi sipian ei diod. Doedd hi ddim wedi bod yn y gwesty am fwy na hanner awr, a dyma hi'n barod yn dechrau meddwl am ildio i swyn gweinydd ifanc gor-chwantus. Fyddai neb ddim callach. Ond beth pe bai'n trosglwyddo rhyw glefyd gwenerol iddi? Roedd hi'n eithaf amlwg ei fod yn hoff o'i damaid, ac o'i osgo a'i swagar a'i wên hunanfoddhaus, tybiai Leri ei fod yn cael ei fodloni'n go gyson.

I Leri, doedd dim byd fel caru â dyn dieithr am y tro cyntaf, pa mor lletchwith bynnag. Yr uniad, y ceisio dod i adnabod corff arall yn erbyn ei chorff awyddus hi – y modd roedd popeth yn ffitio i'w gilydd fel llaw i faneg . . . doedd dim byd tebyg iddo. Gwyddai Leri, hyd yn oed pe cysgai â chant o ddynion eto, na fyddai byth yn blino ar orfoledd a syndod caru am y tro cyntaf. Ond ar ôl popeth oedd wedi digwydd rhyngddi hi a Dei, ni fedrai Leri rag-weld y byddai'n rhannu ei chorff â neb arall am amser maith eto. Daliodd lygad y gweinydd. Rhoddodd Leri wên iddo ac edrychodd yntau'n henffel arni hithau. Drachtiodd Leri ei diod a cherdded yn bwrpasol hyderus drwy ddrysau tro y gwesty ac allan i awyr Llundain.

Yn sgil y streic trenau tanddaearol, roedd lonydd Llundain yn brysurach hyd yn oed nag arfer. Symudai tacsi Leri fesul modfedd fel malwen ar *zimmer* tra cliciai cloc y pres fel trên ar wib. Bu'n rhaid iddi dalu pymtheg punt am y daith tair milltir o Tottenham Court Road i'r *Imperial War Museum* yn Lambeth. Wyddai Leri ddim beth yn union roedd hi am ei weld yno, ond doedd hi ddim am gyrraedd Ffrainc a gorfod dangos i Kevin pa mor ddiffygiol oedd ei gwybodaeth hi am hanes y Rhyfel Byd Cyntaf. Roedd yn rhaid iddi ddysgu rhywfaint cyn mynd. Yn anad dim, roedd hi eisiau dilyn taith Ifor, pe byddai hynny'n bosibl.

Cerddodd Leri drwy'r ardd fechan gron o flaen adeilad urddasol yr amgueddfa. Roedd gynnau anferthol y llynges brenhinol yn gawraidd o'u cymharu â'r rhosod a'r lafant eiddil tlws a'u hamgylchynai. Y peth cyntaf a welodd Leri wrth fynd i mewn i'r amgueddfa oedd blwch gwydr ac ynddo ffidil. Ffidil ydoedd a wnaed ym 1983 o bren pin a sycamorwydden a fu'n tyfu ar hen safleoedd brwydro'r Rhyfel Byd Cyntaf ar Ffrynt y Gorllewin. Rhyfeddai Leri y gellid bod wedi gwneud offeryn mor dlws a'i sain mor bêr allan o alanastra rhyfel. Harddwch ac erchylltra. Sut oedd modd cymhathu'r ddau beth?

Yn yr ystafell fawr gyntaf, cerddodd Leri heibio i glwstwr o arfau a thanciau o ryfeloedd dirifedi a dilyn yr arwyddion am arddangosfa o ffosydd Ffrainc. Cyn mynd i mewn i'r arddangosfa honno roedd cyfle i edrych ar wisg milwr o'r cyfnod a'r holl drugareddau y byddai preifat cyffredin fel Ifor yn gorfod eu cario. Roedd gwahoddiad i roi'r pac ar eich cefn er mwyn profi maint y pwysau. Arhosodd Leri i'r fflyd plant swnllyd o'i chwmpas adael yr ystafell cyn codi'r pac yn ochelgar ofalus. Oedd, roedd y pac yn drwm, yn anghyfforddus o drwm, hyd yn oed am yr ychydig eiliadau y bu'n ei gario. Sut yn y byd y gallai'r bechgyn ifainc a'r dynion hŷn oddef y pwysau hyn am yr holl filltiroedd mewn gwynt a glaw, haul a gwres?

Roedd yr arddangosfa ffosydd yn drawiadol a dweud y lleiaf, gan roi blas o amodau cyntefig y ffosydd. Dangoswyd y gwahanol nwyon gwenwynig a ddefnyddiwyd yn ystod y rhyfel, a chlywyd synau byddarol y bomiau Mills a'r siels a'r perianddrylliau Lewis yn cyfarth Ta – tt-ta – tt-ta! Yna o ffosydd y gelyn deuai'r nodau olaf herfeiddiol, Ta-ta!

Chwiliai Leri'n benodol am wybodaeth am filwyr o Gymry a fu'n ymladd yn y Rhyfel Mawr, ond er gwyched yr arddangosfeydd, y duedd oedd canolbwyntio ar ymdrechion y Saeson. Doedd dim sôn am Gymru. Roedd Leri wedi sylwi ar hynny wrth ddarllen rhai o'r llyfrau perthnasol y bu'n eu darllen dros y misoedd diwethaf. Prynu llyfrau wnâi hi, nid eu benthyg, ers iddi golli un o lyfrau Llyfrgell Dre dros ddwy flynedd yn ôl. *The Piano Tuner* gan Daniel Mason oedd y llyfr. Roedd Leri wedi cael blas ar y nofel anghyffredin honno er na wnaeth hi erioed ei gorffen. Cafodd lythyrau'n ei hatgoffa gan y llyfrgell ei bod yn hwyr glas arni'n ei dychwelyd, ond wnaeth hi ddim oll am y peth. Wyddai hi ddim ble roedd y llyfr – ac eto fe wyddai hi'n iawn; ond roedd ganddi ormod o gywilydd cyfaddef i neb ymhle a pham y gadawodd o ar ôl.

Daeth *The Piano Tuner* i ben ei daith mewn gwesty rhad yn Leeds pan fu yno am benwythnos efo Dei. Penwythnos oedd hi i fod, ond methodd Dei â dod ati ar y nos Wener oherwydd 'rhesymau teuluol'. Doedd Leri ddim wedi morol am lety gan mai fo fyddai fel arfer yn gyfrifol am wneud y trefniadau hynny a thalu amdanynt. Bu'n rhaid i Leri fwcio llofft fechan ddinod mewn gwesty digon llwm heb fod ymhell o'r orsaf drenau ar y nos Wener. Daeth Dei ati mewn sachliain a lludw ar y prynhawn Sadwrn gan fynnu talu am y llofft orau yn un o westai mwya moethus Leeds, ac erbyn iddo wthio'r gin arni a gwisgo'i chorff noeth â'i gusanau awchus roedd Leri wedi maddau iddo ac wedi hen anghofio am y llyfr fu'n gymar iddi y noson cynt yn y Station Hotel. Byth ers hynny fe fyddai Leri'n pasio Llyfrgell Dre yn gyflym rhag i un o'r llyfrgellwyr redeg ar ei hôl i hawlio'r llyfr. Oherwydd hynny bu'n rhaid iddi dalu'n ddrud am ei gwaith ymchwil ar y Rhyfel Byd Cyntaf.

Ychydig iawn o sôn am y Cymry oedd yn y llyfrau a brynodd. Roeddent i gyd yn llawn gorchestion yr 'English soldiers'. Gellid yn hawdd fod wedi tybio mai'r Saeson oedd yr unig rai a aberthodd eu bywydau yn y rhyfel. Beth am gyfraniad y Cymry? Roedd digonedd o hanesion am Sassoon, Graves, Owen – beirdd a chanddynt gysylltiadau â Chymru – ond dim sôn am Gymry penodol, ar wahân i Lloyd George wrth gwrs. Doedd dim sôn yn unlle am Hedd Wyn yno. Oni ellid bod wedi arddangos un o'i gerddi i'r rhyfel? Beth oedd o'i le ar ddyfynnu:

> Gwae fi fy myw mewn oes mor ddreng,
> A Duw ar drai ar orwel pell;
> O'i ôl mae dyn, yn deyrn a gwreng,
> Yn codi ei awdurdod hell.

Pan deimlodd fyned ymaith Dduw
Cyfododd gledd i ladd ei frawd;
Mae sŵn yr ymladd ar ein clyw,
A'i gysgod ar fythynnod tlawd.

Mae'r hen delynau genid gynt
Ynghrog ar gangau'r helyg draw,
A gwaedd y bechgyn lond y gwynt,
A'u gwaed yn gymysg efo'r glaw.

Roedd hanes Hedd Wyn fel bardd y Gadair Ddu yn stori mor emosiynol, ond doedd dim lle iddo yn Llundain. Fedrai Leri ddim credu nad oedd ei hanes yn hawlio lle mewn cornel fechan o'r amgueddfa.

Wrth adael yr arddangosfa gwelodd Leri bennawd ar y wal wen o'i blaen: 'Register of the War Dead. 1914 – 1918'. Llamodd ei chalon. Tybed a fyddai enw Ifor yno? Mae'n rhaid y byddai; wedi'r cyfan roedd yn un o feirwon y Rhyfel. Teipiodd ei enw'n ofalus gan weld y sgrin o'i blaen yn chwilio drwy'r rhestr Jones dirifedi. Gwyddai Leri, o'r e-bost a gafodd gan Kevin ddeuddydd ynghynt, bod pum mil, saith gant, wyth deg a phump o filwyr â'u cyfenwau yn Jones wedi eu lladd yn y Rhyfel Mawr, deunaw ohonynt yn Ifor Jones, ond er teipio ei enw dair gwaith er mwyn gwneud yn siŵr nad oedd wedi gwneud camgymeriad, nid oedd yna Ifor Jones o County Road, y Dyffryn, yno. Oedd Leri wedi dychymygu ei fodolaeth a'i farwolaeth? Ac eto, na, roedd Comisiwn Beddau Rhyfel y Gymanwlad wedi cadarnhau iddi ychydig wythynosau ynghynt i Ifor gael ei ladd ddydd Iau, y pumed o Orffennaf 1917, yn ugain oed, ac iddo gael ei gladdu ym mynwent Ecoust yn Ffrainc.

Teimlai Leri'n ddigalon. Ni wyddai'n iawn beth roedd hi'n gobeithio ei ddarganfod, ac eto fe hoffai wybod mwy. Yn anad dim fe hoffai gael ateb i'r cwestiwn amhosibl. Sut y cafodd Ifor ei ladd? A wnaeth o ddioddef, ynte oedd o, fel llawer i filwr cyffredin arall a laddwyd yn ystod y Rhyfel Mawr, wedi 'marw'n ddewr ac eto'n ddi-boen' fel y byddai pob caplan yn ei ysgrifennu ym mhob llythyr at bob mam alarus? Roedd bron yn chwerthinllyd nad oedd marwolaeth ar faes y gad ar y Ffrynt Orllewinol, fel yr ymddangosai o gofnodion Prydeinig y Wasg y cyfnod hwnnw, yn brofiad rhy amhleserus. Wedi'r cyfan, roedd yr aberth yn werth chweil. On'd oedden nhw'n marw dros eu 'gwlad a'u brenin'?

Wrth iddi adael yr amgueddfa, gwelodd Leri ddyfyniad wedi ei gerfio yn Saesneg gan Plato o'r bumed ganrif Cyn Crist: 'Only the dead have seen the end of war'. Mor broffwydol ei eiriau. Mor dwp oedd dyn nad oedd yn dysgu dim o'i amryfal gamgymeriadau. Heddiw, roedd hi'n rhyfel byd unwaith eto. Yn hytrach na mwd Ffrainc a Fflandrys, roedd llwch a lludw'r *twin towers*. Terfysgaeth fodern yn drydydd Rhyfel Byd tragwyddol.

Cymerodd Leri dacsi'n ôl i'w gwesty. Doedd y traffig ddim mor drwm erbyn hyn. Roedd hi am gael pryd bach o fwyd, gwydraid neu ddau o win da a darllen un o nofelau Pat Barker cyn mynd i glwydo. Byddai ei mam wedi bod yn ei helfen yn cael y fath foethusrwydd: bwyd da, gwin da, llyfr da. Roedd Leri'n benderfynol o beidio â gadael i'w hathronyddu bach pitw ar gyflwr truenus dynoliaeth ei llethu. Roedd hi ar ei gwyliau. Ac efallai y byddai'r gweinydd bach del o gwmpas i lonni ychydig arni ac i dynnu ei meddwl oddi ar bynciau mawr y byd.

Roedd y bar yn eithaf gwag ar wahân i gwpwl ifanc yn y gornel oedd wrthi'n ddiwyd yn bwyta'i gilydd. Roedd y ddau'n gwisgo modrwyon priodas, ac eto, roedd Leri'n amau oedden nhw'n bâr priod dilys. O brofiad Leri o'i ffrindiau priod hi, ychydig iawn ohonyn nhw fyddai'n dangos chwantau blysig fel hyn mor agored.

Credai Leri ei bod hi'n hawdd adnabod gwŷr a gwragedd priod mewn bar. Yn sicr fydden nhw ddim yn lapswchan mor frwd. Fel arfer fe fydden nhw'n eistedd o boptu'r bwrdd yn syllu i'r pellter, neu efallai y byddai'r wraig yn adrodd hanes ei siopa wrth ei gŵr, ac yntau'n ymdrechu i ffugio diddordeb tra'n dychmygu sut fronnau oedd gan y weinyddes ifanc y tu ôl i'r bar.

Yr unig rai eraill yno oedd dau ddyn busnes wrth y bar ac un hen wraig fawr dew yn eistedd wrth y drws; edrychai'n debyg iawn i'r actores Hattie Jaques. Byddai Leri wrth ei bodd erstalwm gyda rhaglenni Eric Sykes. Byddai Dafydd a hithau'n morio chwerthin o flaen y teledu tra byddai ei mam yn gorwedd ar ei gwely wedi ymgolli mewn rhyw nofel a'i thad, pe byddai gartref, yn gweithio yn y stydi. Mor debyg oedd yr hen wraig yma i Hattie Jaques fel y bu'n rhaid i Leri graffu arni ddwywaith er mwyn gwneud yn siŵr. Daliodd yr hen wraig hi'n rhythu. Gwenodd Leri arni'n euog gan anelu at y soffas lledr unwaith eto. Edrychodd Leri o'i chwmpas i weld beth oedd hynt a helynt y gweinydd diodydd erbyn hyn. Cafodd socsan pan welodd y ferch ifanc fronnog yn dod ati i weini arni. Rhoddodd Leri ei harcheb iddi am win a Pasta Arrabiata yna cynheuodd sigarét. Hen dro, doedd dim sôn am y gweinydd bach del.

Aeth gwich ffôn bach Leri. Roedd negeseuon tecst wedi

mynd yn bethau prin ers yr ymddieithrio rhyngddi hi a Dei, ond pan fyddai'r ffôn yn gwichian deuai wyneb Dei yn awtomatig i lenwi sgrin ei chof a'i stumog yn gwagio, fel pe bai rhywun wedi tynnu plwg rhywle ym mhwll ei stumog. Twriodd Leri yn ei bag, agorodd ei ffôn a gweld enw Sam.

Y P/fiev ddim yn bril – bob dim arll ok.
Dad yn bod yn Pgnini a di dchra smcio sigrs!
Cofion at Yncl Ifor . . . .

Gwenodd Leri. Roedd Sam wedi dechrau cynnwys atalnodau llawn ar ddiwedd pob neges fel y byddai Dei yn ei wneud erstalwm. Dyna'i ffordd o ddangos na fyddai fyth yn ei bradychu. Roedd gan Sam ormod o feddwl ohoni i wneud hynny. Gallai Leri ddychmygu Dafydd yn strytian o gwmpas y *Royal Scottish Academy of Music and Drama* yn Glasgow a sigâr rhwng ei fysedd bach tewion yn gysgod chwithig ac yn codi cywilydd mawr ar ei fab. Prat! Sam druan! Ond o leiaf roedd popeth wedi mynd yn iawn. Mae'n siŵr bod y Prokofiev wedi mynd yn well nag roedd Sam yn feddwl. Pan wrandawodd Leri arno'n chwarae rhan Mercutio o'r *Romeo and Juliet* rai dyddiau'n ôl, roedd ganddi, ar ei gwaethaf, ddagrau yn ei llygaid. Roedd ei ddehongliad mor sensitif, mor aeddfed, mor emosiynol. Anfonodd neges syml yn ôl iddo.

.

Doedd dim angen geiriau. Roedd y ddau'n deall ei gilydd i'r dim. Y ddau o'r un anian; yn ffrindiau mynwesol, yn rhannu'r un cariad at gerddoriaeth yn ogystal â'r un sinigiaeth. Rhoddodd y ffôn yn ôl yn ei bag.

Bu'n rhaid i Leri wenu eto rai munudau'n diweddarach wrth sipian ei Sancerre pan glywodd lais Lladinaidd wrth y bwrdd y tu ôl iddi'n sibrwd yn gryglyd rywiol wrth Hattie Jaques, 'I'm not allowed to serve you, Madame'. Chwarddodd Hattie y tu ôl iddi, a Leri i'w chanlyn, wrth ei glywed yn dweud: 'We're not allowed to serve underage persons, Madame!'

12

Roedd gan Leri amser i'w ladd. Roedd hi'n dipyn o feistr ar wneud hynny. I ba reswm arall y byddai hi'n treulio ymron i awr yn ddeddfol bob bore yn gwneud croesair y papur – onid i ladd amser? Onid dyna oedd y gwersi piano – ar wahân i ddod ag incwm bychan iddi? Oni fyddai'n codi bob bore o'i gwely dim ond i ddyheu am gael dychwelyd iddo yn y nos? Pe byddai Leri'n onest efo hi ei hun, fe welai ei bod mewn gwirionedd, ers i'w mam farw, ac ers ei hymwneud â Dei, wedi treulio'r rhan fwyaf o'i hamser yn ei afradu, yn troedio yn ei hunfan. Ond daeth tro ar fyd; bellach, roedd Leri am wneud yn fawr o bob munud oedd ganddi. Dyna'n rhannol y rheswm dros ei phenderfyniad i fynd i Ffrainc. Gwyddai nad oedd dim diben eistedd yn y tŷ yn ymdrybaeddu yn ei digalondid. Siawns bod mwy i fywyd na hynny? A hyd yn oed pe byddai'r daith hon i Ffrainc yn drychineb llwyr, ni fyddai hynny'n ddiwedd y byd. Fe fyddai wedi bod yn brofiad, a thrwy brofiadau roedd rhywun yn dysgu, yn cyfoethogi bywyd. Hyder, dyna roedd hi ei angen.

Anghofio am ei hofnau, ei ffaeleddau. Anghofio Dei; anghofio Tchaikovsky. Anghofio unrhyw beth neu unrhyw un a wnâi iddi deimlo'n ddihyder.

Meddyliodd am Nain Jôs. Chafodd hi erioed y cyfle i laesu dwylo. Mae'n siŵr iddi frwydro yn erbyn amser er mwyn llwyddo i gael dau pen ynghyd; bwydo wyth o blant a hithau'n weddw; golchi dillad i bobol fawr; cymryd lojars; mynd i'r capel dair gwaith y Sul a phob noson arall, naill ai i gyfarfod gweddi, i'r noson lenyddol neu i'r Seiat. Roedd hi hefyd yn cyfrannu o'i cheiniogau prin at goffrau'r capel. I Leri, roedd Nain Jôs yn ymgorfforiad o bob dim yr hoffai hi fod – triw, egwyddorol, llawn cariad, llawn ffydd, anhunanol ac, yn anad dim, yn ddewr.

Cododd Leri ei phen yn uchel ac aeth i un o'r siopau yn yr orsaf. Doedd arni ddim angen unrhyw beth, a doedd ganddi neb yn wir i brynu anrheg iddyn nhw, felly penderfynodd brynu rhywbeth iddi hi ei hun. Wedi'r cyfan, roedd hi ar ei gwyliau – wel, rhyw fath o wyliau neu bererindod neu antur . . . Wyddai hi ddim yn iawn beth i alw'r daith. Penderfynodd ddifetha'i hun ac felly prynodd ddwy botel Molton Brown, un o'i hoff gynnyrch pethau ymolchi, cyn troi 'nôl at y sgriniau a roddai amserau cyrraedd a gadael y trenau.

Roedd ganddi amser am baned. Llusgodd ei chês tuag at y cownter coffi; doedd y cês yn fawr o beth a doedd ganddi ddim llawer o ddillad ynddo. Gwegian dan bwysau'r llyfrau a ddaeth gyda hi yr oedd o, ynghyd â'r rhai a brynodd yn siop yr amgueddfa brynhawn ddoe. Dyna sut y byddai ei mam bob tro yr aent ar wyliau; llond cist o lyfrau iddi gael dianc o realiti eu gwyliau blynyddol ym Mhenrhyn Gŵyr.

Roedd Penrhyn Gŵyr yn lle braf, pan fyddai'r tywydd yn garedig. Byddent yn aros wythnos olaf Awst, yn ddi-ffael, mewn tŷ ar y traeth o'r enw Beach House – enw llawn dychymyg! Roedd ei mam wrth ei bodd efo'r tŷ, er gwaetha'r enw a roddasai ei gŵr arno – Bitch House. Doedd o ddim y tŷ mwyaf moethus yn y byd: roedd o'n oer, yn damp ac yn ddigysur. Hen dŷ Mrs Lawrence, mam i ffrind i'w thad oedd yn ddarlithydd ym Mhrifysgol Abertawe, oedd o. Roedd y fam wedi marw ers rhai blynyddoedd, a'r mab heb werthu'r tŷ, nac ychwaith wedi cadw'r lle mewn trefn, ac roedd yn dechrau mynd â'i ben iddo.

Cysgai Leri a'i brawd mewn gwely dwbl yng nghefn y tŷ, tra cysgai ei rhieni yn y llofft ag iddi ddau wely sengl. Roedd Leri'n siŵr mai yn y gwely dwbwl hwnnw y bu farw Mrs Lawrence, ac oherwydd hynny fe glosiai at ei brawd pan fyddai hwnnw wedi syrthio i gysgu.

Roedd yna biano Chappell yn Beach House, piano na chawsai ei diwnio ers blynyddoedd, a dau o'r nodau uchaf yn fud – y morthwylion bychain a gofiai Leri fel hanner pegiau lein ddillad, ar goll. Câi Leri ymarfer ei phiano rhwng nofio a chodi cestyll tywod. Câi ei mam, oedd yn casáu tywod, lonydd i fyw fel meudwy yn y lolfa fach a wynebai'r môr, gan eistedd yno ar y gadair freichiau flodeuog oedd ag un sbring ar fin ymwthio drwy un o'r petalau lliw samwn ar y glustog gefn. Yno y byddai drwy gydol yr wythnos, yn darllen ddydd a nos, gan gael seibiant digroeso i baratoi rhyw lun o ginio a swper. Y munud y byddai'r llestri wedi eu clirio, byddai 'nôl â'i thrwyn yn ei llyfr, yn hollol anymwybodol o'i theulu o'i chwmpas.

Cofiai Leri iddi ddod i'r tŷ un prynhawn chwilboeth, wedi brifo'i throed ar ddarn o botel Vimto ar y traeth. Roedd wedi disgwyl gweld ei mam yn ei chadair yn darllen, ond doedd hi ddim yno. Roedd y llyfr, un o nofelau Thomas Hardy os cofiai Leri'n iawn, yn gorwedd ar agor ar fraich y gadair. Aeth Leri drwy'r tŷ i chwilio am ei mam ac fe'i clywodd hi cyn ei gweld. Roedd ei mam, wrth dynnu'r tyweli traeth a'r trywsus byr a'r crysau-T oddi ar y lein ddillad, wedi'i lapio'i hun yn un o'r tyweli; un â streipiau amryliw arno fel siaced Joseff. Roedd hi'n canu, fel pe bai gweddill y dillad ar y lein yn gynulleidfa iddi. Canai gân Purcell, allan o *Dido and Aeneas*, 'When I am laid in earth'. Safai Leri wedi'i syfrdanu a'i thraed gwaedlyd fel pe baen nhw wedi dechrau magu gwreiddiau yn y tir tywodlyd. Nid wedi ei syfrdanu gan yr olygfa roedd hi, yn gymaint â'i bod wedi ei gwefreiddio gan lais ei mam a ganai'r gân â'r fath angerdd a dwyster fel y gallai unrhyw un fod wedi credu yn yr eiliad honno mai Joanna Davies oedd Dido. A phwy oedd ei Aeneas hi, tybed? Nid ei thad, yn sicr. Doedd dim angerdd yng nghwestiynau sarcastig ei thad a mudandod styfnig arferol ei mam.

A ble roedd ei thad yn ystod y gwyliau hyn? Fe ddeuai gyda nhw bob blwyddyn, ond doedd gan Leri fawr o gof ohono yn y Beach House. Yn wir, doedd hi'n cofio fawr ddim am y gwyliau blynyddol hynny ar wahân i salads, piano allan o diwn, tywod, a chysgu mewn gwely lle roedd hen wraig wedi marw.

Beth wnaeth iddi gofio ei mam yn canu? Ai am mai pur anaml y byddai'n ei chlywed yn canu? Cofiai fel y bu i'w mam ddychryn o'i gweld yn sefyll y tu ôl iddi yn gwrando ar ei datganiad i'r lein ddillad. Roedd Leri wedi codi cywilydd arni. Doedd ei mam ddim eisiau cynulleidfa; roedd hi'n hapus yn ei byd bach ei hun. Roedd hi fel pe bai wedi cael ei dal; wedi cael ei phrofi i fod ychydig bach yn od! Fe ysgubodd ei mam ei chywilydd o'r neilltu drwy wylltio'n gacwn gyda Leri am fod mor esgeulus â sathru ar ddarn o wydr, a feiddiai Leri ddim ateb yn ôl er y teimlai bod ei mam yn gwneud cam mawr â hi. Onid ei mam oedd yn mynnu ei bod hi a Dafydd yn cerdded yn droednoeth ar y traeth er mwyn peidio â llenwi eu hesgidiau â'r hen dywod felltith 'na?

Daeth cyhoeddiad bod trên Lille yn barod am ei deithwyr. Gadawodd Leri y coffi chwerw ar ei hanner a dilyn y dyrfa tuag at y trên anferth. Edrychodd ar ei thocyn a gweld mai yn yr ail gerbyd ar bymtheg yr oedd ei sedd. Cafodd gartref i'w chês y tu ôl i'w sedd, a setlodd yn braf yn ei chadair esmwyth. Dim sbrings yn gwthio drwy'r seddi yma, meddyliodd. O fewn dim dechreuodd y trên ar ei daith yn betrus, hamddenol. Curai calon Leri i rythm tawel yr olwynion. Pam oedd hi'n gwneud y fath daith? Beth oedd hi'n obeithio'i gyflawni? A oedd yna rywun arall, fel hi, ar y trên hwn yn ceisio olrhain taith milwr ifanc dros bedwar ugain o flynyddoedd yn ôl?

Edrychodd Leri drwy'r ffenest. Roedd hi wrth ei bodd yn sbecian mewn i lofftydd blêr y tai dadfeiliedig a lusgai heibio. Gwelodd enw Brixton. Bu'n rhyfel yn fan'no tra oedd Leri'n fyfyrwraig yn Llundain, a'i thad yn ei rhybuddio'n chwyrn i gadw draw oddi wrth ddynion du! Pe bai'n gwybod iddi fod yn caru'n selog â Paul, myfyriwr drama croenddu yng ngholeg y Guildhall am flwyddyn, byddai'n sicr o fod wedi ei diarddel. Nid y byddai hynny wedi gwneud fawr o wahaniaeth; doedd o erioed wedi ei harddel go iawn beth bynnag. A phe bai o ond yn gwybod, yn gallu diosg ei ragfarnau, Paul oedd y cariad mwyaf selog, mwyaf dibynadwy a gafodd hi erioed. Fo yn anad neb a'i carodd hi, ond fo yn anad neb hefyd a'i brifodd hi.

Roedd y ddau'n ffrindiau clòs, yn gariadon, yn anwahanadwy – neu felly roedd Leri wedi tybio, hyd nes i Paul gael cynnig swydd gyda *Pebble Mill* cyn gorffen ei dymor coleg. Bu mewn cyfyng-gyngor beth i'w wneud, ond mynd wnaeth o i Birmingham gan adael Leri'n hiraethu amdano yn Llundain. Fe gyfarfu'r ddau unwaith wedi hynny, ond profodd Leri mai dihareb dwyllodrus yw 'Hawdd cynnau tân ar hen aelwyd'. Roedd eu cyfarfyddiad yn un chwithig, yn boenus. Edrychodd Leri arno'n eistedd ar stôl y bar yn y dafarn fach fyglyd ger Sgwâr Trafalgar. Roedd hi'n adnabod pob modfedd ohono, ac eto, wrth edrych yn ei lygaid y prynhawn hwnnw, bu'n rhaid iddi gydnabod y dieithrwch rhyfedd rhyngddynt. Roedd Paul wedi setlo ac yn mwynhau ei yrfa newydd a Leri'n dal i edliw iddo fynd a'i gadael. Er addo cadw mewn cysylltiad, welodd hi mohono fo wedyn tan noson dynghedus y Barbican. Tybed ai ei weld o'n dod i'r cyngerdd y noson honno wnaeth ei lluchio hi? Twt lol! Dyna ysbryd Tchaikovsky yn dod i'w llethu eto.

Erbyn hyn roedd y trên wedi dechrau codi sbîd. Dyna Herne Hill. Roedd yr ardaloedd roedden nhw'n eu pasio'n rhai tipyn mwy llewyrchus erbyn hyn. Gwelodd Leri hen ddynion yn eu cotiau gwynion fel cerrig beddau yn edrych i lawr ar y llain bowls gwyrdd o'u blaenau. Tybed oedd tadau rhai o'r rhain yn gorwedd ym mynwentydd Ffrainc?

Bromley South oedd y lle nesaf iddi ei weld. Onid yn fan hyn rhywle roedd hen etholaeth Edward Heath? Cofiai Leri iddo ddod i'r coleg i arwain y gerddorfa pan oedd hi yn ei blwyddyn gyntaf. Er gwaethaf ei wleidyddiaeth, roedd yn ddyn digon dymunol, a byddai'r myfyrwyr yn edrych ymlaen at ei ymweliadau bob tro.

Cyn hir fe gyflymodd y trên fel na allai Leri ddarllen enwau'r gorsafoedd y gwibiai drwyddynt. Roedd yr olygfa drwy'r ffenest yn mynd yn wyrddach fel yr âi'r trên yn ei flaen ac roedd Llundain i weld yn bell yn barod. Roedden nhw yng 'ngardd Lloegr' yng nghanol Caint. Fel yr âi'r trên drwy dwnnel fe dybiai Leri eu bod yn dechrau mynd o dan y sianel, ond deuai'r trên allan y pen arall i wyrddni caeau a choed bob tro.

Daeth y trên at orsaf Ashford International a gwelodd Leri drenau mewn seiding. Roedd enw ar bob cerbyd: Thomas Hardy, Debussy, Voltaire, Jane Austen. Fe fyddai ei mam wedi hoffi'r rheiny. Pam bod ei mam ar ei meddwl gymaint heddiw? Ai am ei bod yn mynd i weld bedd brawd ei thad hi?

Daeth cyhoeddiad maes o law i hysbysu'r teithwyr eu bod ar fin mynd '*sous La Manche*'. Aeth hi'n dywyll y tu allan ac yn dawel y tu mewn. Beth oedd i gyfrif am y distawrwydd? Oedd pawb yn myfyrio ar ddistadledd bywyd yma yn nhir neb y sianel? Oedd pawb, er mor gysurus y trên, yn teimlo fel Leri, ychydig bach yn bryderus; yn meddwl am bosibiliadau goroesi damwain mewn man mor anghysbell? Caeodd Leri ei llygaid a gadael i gwsg ei meddiannu.

Er i Leri hepian cysgu, fe wyddai cyn agor ei llygaid ei bod yn Ffrainc. Fe newidiodd y sŵn, neu'r diffyg sŵn yn y trên. Teimlai belydrau'r haul yn golchi ei hwyneb yn gynnes braf. Agorodd ei llygaid a gweld tir calchog gwastad o'i chwmpas. Ai dyma'r math o dir a drodd yn felltith o fwd i fechgyn gwrol y Rhyfel Mawr? Mor wahanol oedd pensaernïaeth tai sgwâr Ffrainc a'u toeau teils coch fel gwaed o'u cymharu â llwydni llechog tai a fflatiau uchel Llundain. Gwelodd Leri garw ifanc wedi'i barlysu wrth i'r trên beri i'r tir grynu dan ei draed. Gwelodd rywbeth arall hefyd: ofn yn ei lygaid. Roedd edrych ar y carw stond fel edrych ar y llun sepia o Ifor yn ei lifrai milwr.

Cyn pen dim, roedd Leri yn Lille. Doedd dim amser i weld y ddinas ddiwydiannol hon, dim ond gwneud ei ffordd i lawr at blatfform y TGV. Ni bu fawr o dro yn dod o hyd i'w thrên i Haute Picardie.

O fewn hanner awr roedd Leri yn Haute Picardie, gorsaf drenau newydd yr olwg ynghanol nunlle. Edrychodd o'i chwmpas am Kevin. Arhosodd i'r teithwyr eraill wneud eu ffordd at y maes parcio y tu allan neu at dacsi ac edrychodd o'i chwmpas eto. Hanner awr ar ôl cyrraedd, doedd ddim sôn am Kevin o hyd. Doedd dim hawl i ysmygu yn yr orsaf, felly aeth Leri i sefyll y tu allan er mwyn cael ei sigarét. Estynnodd ei ffôn bach. Deialodd rif Kevin. Daria! Doedd hi heb drefnu i addasu ei ffôn bach ar gyfer ei ddefnyddio dramor, felly doedd ganddi ddim modd i gysylltu ag o. Ble roedd o? Dechreuodd amau ei hunan.

Erbyn hyn roedd trên arall o Lille wedi aros yn yr orsaf a chriw arall o deithwyr yn aduno â'u ffrindiau a'u teuluoedd. Diflannodd y rheiny gan adael Leri unwaith eto ar ei phen ei hun. Ceisiodd anwybyddu'r arswyd a gynyddai ei afael arni. Mae'n rhaid fod Kevin wedi cael ei ddal mewn traffig, meddyliodd, wrth edrych ar y tirlun tawel o'i chwmpas. Na, doedd dim traffig yn y rhan yma o'r byd. Efallai fod ei gar wedi torri i lawr. Efallai ei fod, fel Leri, yn gorfod treulio hanner awr cyn mynd allan o'r tŷ, yn chwilio am oriadau ei gar. Beth yn y byd mawr oedd hi'n mynd i wneud pe na ddeuai? Roedd y chwistrelliad o hyder a gawsai yn Waterloo yn dechrau llifo ymaith fel tap yn dripian. Edrychodd eto ar y cloc. Roedd hi wedi bod yn sefyll yno am ymron i awr. Bu'n rhaid iddi gyfaddef yn ddistaw bach iddi hi ei hun fod arni dipyn bach o ofn.

Aeth allan o'r orsaf i danio'i thrydydd sigarét, ac wrth iddi wneud gwelodd, er mawr ryddhad iddi, ffigwr tal, pen wy, yn rhedeg at yr orsaf. Wyddai Leri ddim ai taflu ei hun tuag ato mewn rhyddhad ynteu ei waldio am achosi'r fath boen meddwl iddi hi oedd orau. Wnaeth hi yr un o'r ddau beth wrth weld, wedi i Kevin nesáu, fod ei wyneb yn waed i gyd.

13

Wrth hebrwng Leri at y Renault bach glas, roedd Kevin wedi ymddiheuro'n llaes sawl gwaith am fod mor hwyr. Doedd o ddim wedi esbonio'r gwaed. Edrychodd Leri ar ei dalcen; talcen a oedd, oherwydd ei foelni, yn edrych fel pe bai'n para am byth. Roedd dafnau coch o waed wedi sychu, un bob ochr i'w dalcen, a ymdebygai i gyrn coch y diafol. Rhedodd ias ar hyd ei chefn a wyddai hi ddim ai gofyn am esboniad ai peidio. Doedd Kevin heb egluro pam ei fod yn hwyr, nac ychwaith beth oedd wedi achosi'r briw hyll ar ei dalcen. Efallai ei fod wedi bod yn cwffio â chymydog, neu bod rhywun wedi ymosod arno am barcio mewn lle gwirion, neu iddo achub merch o grafangau dyn gwallgof, neu . . . fferrodd Leri yn y fan a'r lle. Efallai mai Kevin ei hun oedd y dyn gwallgof! Fe'i trawodd fel bollt na wyddai hi ddim oll amdano ar wahân i'r ffaith ei fod yn ffrindiau efo Gerallt, a'i fod yn dipyn o arbenigwr ar y Rhyfel Byd Cyntaf. Efallai bod y diddordeb yma yn y rhyfel yn adlewyrchu ei gymeriad treisgar, sadistaidd, yn llawn dialedd ac awch am dywallt gwaed. Roedd yna rai dynion felly. Roedd Leri wedi gweld rhaglen yn ddiweddar am ffans tîm pêl-droed Caerdydd. Roedd y rhan fwyaf ohonynt yn hollol ddiniwed, yn fechgyn oedd wedi gwirioni ar bêl-droed ac ar eu clwb. Ond roedd canran fechan yn eu mysg yn mynd i'r gêmau gydag un bwriad yn unig, sef i godi twrw a thywallt gwaed.

'Oes rhwbeth yn bod?' gofynnodd Kevin wrth weld Leri'n sefyll ar ganol y lôn yn myfyrio. 'Na, dim . . . jyst, wel . . . Ydach chi, hynny ydy, wyt ti'n cefnogi tîm pêl-droed Caerdydd?' Edrychodd Kevin arni'n syn cyn dweud, 'Na. Pam, wyt ti moyn i fi neud?' Ysgydwodd Leri ei phen a rhoi gwên nerfus yn ôl iddo. O leiaf doedd o ddim yn ffan treisgar.

Haliodd Kevin ei chês i gist y car ac aeth Leri heb feddwl at ddrws y teithiwr, ond dim ond wrth ei agor y gwelodd yr olwyn lywio. Gwenodd Kevin arni: 'Ma' croeso i ti ddreifo os ti moyn, ond fe gei di weld mwy o'r wlad os ddreifa i!' Roedd Leri wedi ffwndro gormod i feddwl am yrru mewn gwlad dramor a heglodd yn flêr i ochor arall y car; mor flêr hyd nes iddi droi ei throed a disgyn yn glewt ar darmac oer y maes parcio. Rhuthrodd Kevin tuag ati yn llawn consýrn. Helpodd i'w chodi ond fe saethodd gwayw ar hyd ei ffêr. '*Shit!*' Roedd hi mewn poen. Fedrai hi ddim yn ei byw â rhoi unrhyw bwysau ar ei throed dde.

'A' i â ti at y meddyg bore fory os nad yw e ddim gwell' meddai Kevin wrth ei gosod yn ofalus yn y car. 'Ella sa'n well i ti fynd hefyd,' meddai Leri'n betrus. Crychodd Kevin ei dalcen a dywedodd Leri wrtho: 'Ma' gen ti waed ar dy dalcen.' 'O oes. Hwnna,' atebodd Kevin gan godi'i ysgwyddau fel pe bai'n diystyru'r holl beth. 'Wel . . .?' gofynnodd Leri'n ddigywilydd. Edrychodd Kevin arni am ychydig eiliadau a deimlai fel oes cyn dweud yn ddiniwed ac yn llawn embaras: 'Fe gwympais i oddi ar ben wal. Dyna pam bo fi'n hwyr.' 'Be o'dda ti'n da ar ben wal?' gofynnodd Leri'n anghrediniol. 'O'n i'n treial codi lein ddillad i ti.' 'I mi?' meddai Leri'n hurt. 'Rhag ofn bod ti moyn golchi dy ddillad tra wyt ti yma. Ma'r peiriant sychu dillad wedi penderfynu marw.' Gwenodd Leri, a rhyddhad yn llifo drwy ei gwythiennau. 'Dwi'm yn meddwl y bydda i isio golchi na sychu 'nillad, ond diolch yn fawr 'run fath, a ph'run bynnag, ma' hi 'di dechra bwrw glaw.'

Gwenodd y ddau a chwerthin yn braf tra llifai nentydd bychain o law ar hyd ffenest flaen y car. Chwarddodd Leri i fyny ei llawes, yn rhannol yn sgil y rhyddhad nad oedd hi yn nwylo nytar, ond hefyd wrth ddychmygu'r dyn pen wy yma wrth ei hochr yn syrthio oddi ar wal. Oedd, roedd hi'n falch yn barod iddi ddod i Ffrainc. Mi fyddai hi'n iawn efo Hympti Dympti!

14

Roedd Leri, er gwaethaf y boen yn ei ffêr, wedi dechrau ymlacio o fewn dim i gyrraedd *Les Alouettes,* llety gwely a brecwast Kevin. Ar y ffordd o'r orsaf i'r tŷ fe groeson nhw afon ddiog, ddofn, ddisymud yr olwg. 'Dyna'r Somme,' meddai Kevin. Edrychodd Leri i lawr ar afon Somme, yr enw hwnnw oedd yn gyfystyr ag erchyllderau y tu hwnt i'r dychymyg. Tybed oedd Ifor wedi bod yma, wedi gweld ei ffrindiau'n trengi yn y dŵr? Roedd Kevin fel pe bai'n darllen ei meddwl. 'Mae enw'r Somme yn dipyn o *misnomer*, a gweud y gwir,' meddai Kevin. 'Mae'r Somme yn enw ar ardal yn ogystal ag ar afon. Roedd ffrynt y Somme tua phum milltir ar hugain o hyd, ond fuodd 'na ddim llawer o ymladd ar lan afon Somme. Mae afon Ancre yn agosach at lle roedd y brwydro mawr.'

Edrychodd Leri ar y tai a'r ffermydd wrth basio. A fyddai Ifor wedi martsio heibio i rai o'r rhain, wedi cael lloches yn un ohonynt? Ond na; yn ôl Kevin doedd dim un o adeiladau'r ardal hon a fyddai wedi bod yma yn ystod y Rhyfel Byd Cyntaf yn dal i sefyll. Doedd gan ryfel ddim parch at ddyn na choeden na chartref na dim. Dymchwelwyd popeth. Fe drodd y rhyfel dir Picardie yn ddiffeithwch llwyr. Roedd llawer o drigolion yr ardal a ffodd i'r de ac i'r gorllewin yn ystod y rhyfel wedi cadw draw ar ôl y cadoediad. Pwy allai eu beio? Doedd eu cartrefi na'u pentrefi ddim yn bod bellach. Byddai wedi bod bron yn amhosib iddyn nhw fod wedi dod o hyd i'w hanneddleoedd. Hyd yn oed heddiw fe fyddai ffermwyr, wrth aredig y tir, yn cael cynhaeaf dur.

Er mai llety gwely a brecwast oedd *Les Alouettes*, fe

wnaeth Kevin swper sydyn i'r ddau ohonyn nhw, plataid enfawr o *Spaghetti Bolognaise*. 'Bwyd Eidalaidd i Gymraes yn Ffrainc!' meddai Kevin. Tra oedd yn paratoi'r bwyd gofynnodd Leri iddo sut dechreuodd y diddordeb mawr yn y Rhyfel Byd Cyntaf. Tynnodd yntau anadl ddofn, a sugno'i fochau – ystum a ddeuai'n gyfarwydd iawn i Leri dros y dyddiau nesaf – a dechreuodd ddweud ei hanes:

'Ro'n i'n newyddiadurwr yn Nottingham ar ôl gadel y coleg. Roedd y papur moyn gwneud erthygl ar Sul y Cofio ac fe ges i'n hala i weld un o'r hen filwyr. Do'n i ddim mymryn o isie mynd, ro'n i newydd syrthio mewn cariad am y tro cynta a doedd dim byd ar fy meddwl i ond y cariad a phryd bydden ni'n gweld ein gilydd nesaf, a do'n i erioed, mewn gwirionedd, cyn hynny, wedi bod â diddordeb mawr mewn unrhyw ryfel. Ond mynd o'dd rhaid, ac fe newidiodd yr un ymweliad hwnnw fy mywyd i. Vic oedd ei enw fe. Hen ddyn, wrth gwrs. Roedd e'n tynnu am ei naw dege pan 'nes i gwrdd ag e gynta. Hen ddyn gwantan yr olwg, ond pan ysgydwodd e law â fi, roedd posib gweld ei gadernid e, yr hyn oedd e pan oedd e'n fachan ifanc.

'Fe ddath e 'nôl o'r rhyfel. Roedd e'n un o'r rhai lwcus – er, dwi ddim yn gwbod os lwcus yw'r gair iawn chwaith, achos fe fuodd e mewn a mas o ysbytai meddwl am ddeng mlynedd ar hugain wedi i'r rhyfel gwpla. Pan ofynnes i iddo fo be nath e ar ôl y rhyfel ei ateb e oedd, '*The fighting might be over, lad, but the war isn't. That's still going strong up in here,*' gan bwyntio at ei ben. Roedd hynny ddegawde ar ôl diwedd y Rhyfel Byd Cyntaf, ond do'dd e jyst ddim yn gallu côpo 'da bywyd 'nôl gartre. Fe wedodd e wrtha i bod yna, erbyn 1929, dros chwe deg mil o ddynion, cyn-filwyr yn benna, mewn ysbytai meddwl ym Mhrydain. "*You see, Kev, you can't see mental wounds, if you see what I mean!*" medde fe wrtha i, gan rhyw hanner chwerthin wrth weud. Ro'dd e'n dipyn o foi, yr hen Vic. Un ar hugen oed oedd e yn 1918, ac fe wedodd e wrtha i fod e wedi dod adre yn hen, hen ddyn, yn ddigrefydd, yn chwerw ac wedi'i ddadrithio'n llwyr. Dwi'n cofio fe'n gweud, "*All I've done since coming back is to try my best to grow young again. Bit late now p'rhaps.*"

'Fe ymladdodd e yn y Somme ac fe welodd 'i ffrindie fe i gyd yn marw, a brawd na ddaeth byth yn ôl. Un o'r *Inconnus.* Mae enw'i frawd e ar gofeb y byddwn ni'n mynd i'w gwely hi fory.'

Pasiodd Kevin y caws Parmesan iddi, a setlodd y ddau o gwmpas y bwrdd yn yr ystafell fwyta fechan oedd hefyd yn gyntedd i'r tŷ. Roedd dau arwydd wrth y drws, un yn gwahardd ysmygu a'r llall yn gofyn i bobl dynnu eu hesgidiau cyn dod i mewn. Cawsai Leri gryn drafferth i wneud oherwydd y boen yn ei ffêr, ond helpodd Kevin hi. Esboniodd nad oedd yn ofnadwy o *house-proud*, ond bod tir calchog y Somme yn glynu yr un mor ddidrugaredd at esgidiau heddiw ag a wnâi ym mlynyddoedd y rhyfel. Aeth Kevin yn ei flaen, rhwng rhofio llwyeidiau o basta i'w geg, i adrodd ei hanes.

'Fe ddoth Vic a fi'n dipyn o ffrindie, a thrwy hynny mi gynyddodd fy niddordeb i yn y Rhyfel Byd Cyntaf. Ro'n i'n gwbod bod Tad-cu wedi marw yn Ffrainc, ond tan hynny do'n i ddim wedi holi fawr amdano fe. Fe ddes i draw i Ffrainc i weld ei fedd e ac fe ddes i â Vic draw gyda fi, saith deg pum mlynedd ar ôl y rhyfel, iddo fe gael gweld enw ei frawd, David, ar y gofeb. Fe lefodd e'n shwps pan welodd e enw ei frawd, y tro cyntaf iddo fe lefen yn iawn ers y rhyfel, medde fe. Ugen oed oedd David yn marw. Roedd Vic yn credu iddo fe farw yn Delville, ond nathon nhw byth ffindo'i gorff e. Fe af i â ti i fanna hefyd fory. Mae'n ddigon posib mai Delville oedd brwydr fawr gyntaf Ifor, yn ôl ei rif milwr e, achos fe gafodd 'na ddrafft newydd o'r *Royal Welch Fusiliers* gyda'r un *prefix* â fe ei ddanfon i Ffrainc jyst cyn Delville. Mae'n ddigon posib y bydde Ifor a brawd Vic wedi cyfarfod. Awn ni draw at fynwent Ifor ddydd Gwener os yw hynny'n iawn 'da ti.'

* * *

Bore trannoeth doedd troed Leri fawr gwell, ond mynnodd nad oedd rhaid gweld meddyg. Strapiodd Kevin ei ffêr â rhwymyn o'i focs cymorth cyntaf, gan ddweud wrthi ei bod yn lwcus nad oedd hi wedi dod ar un o'i deithiau cerdded. Roedd ganddo, yn rhan o'i amserlen flynyddol, deithiau cerdded y Somme, yn ogystal â theithiau barddoniaeth, pan fyddai'n mynd â chriw i'r mannau hynny y bu'r beirdd yn ymladd ac yn marw, ac i'r man y claddwyd hwy. Byddent hefyd yn darllen rhai o'r cerddi ar eu hynt. Gofynnodd Leri iddo a oedd Hedd Wyn yn un o'r beirdd y bydden nhw'n eu trafod. Fe fyddai'n cael ei grybwyll, eglurodd Kevin, ond laddwyd mo Hedd Wyn ar y Somme. Roedd man ei farwolaeth o yn Pilkem Ridge. Byddai Kevin yn mynd i'r fynwent lle'i claddwyd o pan fyddai'r bws yn teithio yn yr ardal honno.

Gorffennodd Kevin rwymo ei ffêr a chododd i fynd i'r gegin i lenwi fflasg er mwyn iddyn nhw gael paned yn ystod eu crwydro. Edrychodd Leri arno. Doedd ganddi ddim syniad faint oedd ei oed o. Tybiai ei fod yn tynnu am ei hanner cant. Doedd o ddim yn ddyn nodedig o olygus, dim ar yr edrychiad cyntaf beth bynnag, ond roedd rhyw dawelwch cysurlon yn perthyn iddo. Roedd ei groen fel alabastr, ei ddannedd yn rhes berffaith, ac roedd ganddo y llygaid mwyaf trawiadol a welsai Leri erioed. Pa liw oedden nhw, wyddai Leri ddim. Doedd hi erioed wedi gweld llygaid y lliw yna o'r blaen. Doedden nhw ddim yn frown nac yn wyrdd, ond yn debycach i liw tywod.

Roedd o'n hawdd iawn dod ymlaen efo fo. Roedd y sgwrs rhyngddynt y noson gynt wedi llifo, ond felly, o brofiad Leri, y byddai dynion hoyw rhan amlaf. Roedden nhw'n hawdd fel dŵr, ac yn gwmni difyr ar y naw. Pam nad oedd dynion heterorywiol yr un fath?

Wrth hercio draw at gar bach glas Kevin, edrychodd Leri ar y tirlun a'i hamgylchynai. Roedd hi wedi dechrau tywyllu pan gyrhaeddodd hi'r noson gynt, ond rŵan roedd modd gweld mwy yn haul gwan y bore. Doedd dim enaid byw i'w weld o gwmpas. Roedd Hardecourt de Bois yn bentreflan bychan, cysglyd. Doedd dim siop yno, dim tafarn, ac roedd yr ysgol fechan wedi cau ers blynyddoedd. Roedd gan y pentref bedwar ugain a saith o drigolion a llawer o'r rheiny, yn ôl Kevin, yn byw ym Mharis, ond yn cadw'r tŷ yn Picardie, ac yn dod draw am benwythnos yn achlysurol iawn. Hyd yn oed ar ôl yr holl flynyddoedd, doedd bywyd ddim wedi ailgydio'n iawn yn yr ardal wedi'r rhyfel. Wrth geisio mynd i mewn i'r car heb roi gormod o bwysau ar ei throed dde, damia'r blydi ffêr, fe safodd Leri'n stond. Roedd y gwcw i'w chlywed yn un o'r coed uwch ei phen.

*   *   *

Y lle cyntaf i Kevin fynd â hi y bore hwnnw oedd draw at gofeb Thiepval – *To the Missing of the Somme.* Roedd hi'n gofeb enfawr, amlfwaog, ac yn nhŷb Leri yn aruthrol o hyll. Roedd rhywbeth yn goegwych amdani. Yn sicr doedd dim gwyleidd-dra'n perthyn i gynllun y gofeb. Edrychai, o bell, fel anghenfil o gastell tywod grotésg â'i dwy faner, Jac yr Undeb a'r Tricolore, yn chwyrlïo'n fuddugoliaethus ar ei phen.

'Oedd rhaid adeiladu cofeb mor fawr?' gofynnodd Leri wrth geisio dod allan o'r car. 'Gei di weld pam nawr,' meddai Kevin gan frasgamu o'i blaen. Roedd un bws o ddisgyblion ysgol ar fin mynd gan adael Leri a Kevin yno ar eu pennau eu hunain. Doedd yna neb arall yno, neb ond y nhw, trydar yr adar uwchben ac ysbrydion y gorffennol.

Erbyn i Leri gyrraedd y gofeb doedd dim sôn am Kevin. Roedd o wedi diflannu y tu ôl i un o'r colofnau. Edrychodd Leri i fyny. Roedd hi'n hollol gegagored pan welodd fod rhesi ar resi o enwau ar bob colofn; nid yn unig ar bob colofn, ond ar bob ochr i bob colofn. Straffagliodd Leri i fyny grisiau'r gofeb a gweld Kevin yn sefyll yn ddistaw o flaen un o'r colofnau hynny. Cododd ei ben i edrych arni. 'Dyna fe, enw David, brawd Vic.' Ymestynnodd Leri ei gwddf i edrych i fyny ar yr enw hyd nes iddi ddechrau teimlo'n benysgafn.

Edrychodd Leri ar golofn o enwau yn dechrau â'r

lythyren B. Yno, ymhlith yr enwau, roedd George Butterworth, y cerddor. Tan hynny, wyddai Leri ddim iddo gael ei ladd yn y rhyfel heb sôn am fod ar gofeb i'r milwyr na ddaethpwyd erioed o hyd i'w cyrff. 'Oedd rhain i gyd yn *missing*?' sibrydodd Leri yn methu credu. 'Oedden. Saith deg tri o filoedd o ddynion heb eu ffindo.' Edrychodd Leri arno'n gegrwth. 'Be! Roedd 'na saith deg tri o filoedd o gyrff milwyr y Rhyfel Byd Cyntaf heb eu ffendio?' 'Na, nid saith deg tri o filoedd o filwyr y Rhyfel Byd Cyntaf, dim ond milwyr y caeau yma, ardal y Somme ydy'r rhain.'

Ailadroddodd Leri y ffigwr yn ei phen. Roedd y peth yn anhygoel. Saith deg tri o filoedd o enwau; enwau a fu'n wynebau, yn bobl go iawn efo'u gobeithion a'u teuluoedd a'u cymunedau. Os oedd yna saith deg tri o filoedd o ddynion ar goll, yna roedd yna saith deg tri o filoedd o straeon i'w hadrodd, saith deg tri o filoedd o famau galarus. Gellid dychymygu'n hawdd y gallai Ewrop fod wedi boddi yn nagrau'r mamau hynny rhwng 1914 a 1918. Mae'n debyg, meddai Kevin, y byddai mamau llawer o'r bechgyn hyn – a bechgyn oedd llawer ohonynt, nid dynion – yn rhoi hysbysebion yn y papurau am flynyddoedd wedyn yn holi am hynt a helynt eu meibion. Roedden nhw'n methu amgyffred y ffaith bod eu meibion wedi trengi, nad oedden nhw byth am ddod adref. Y mamau trallodus hyn oedd neiniau rhieni cenhedlaeth heddiw. Doedd ryfedd bod cynifer o bobol heddiw, fel Leri, mor ddryslyd, mor ddigyfeiriad. Onid oedd cenhedlaeth Leri'n rhan o etifeddiaeth y Rhyfel Byd Cyntaf a phob rhyfel arall a ddaeth ar ei ôl? Diolchodd Leri'n ddistaw bach bod gan Ifor fedd, er na chafodd

Nain Jôs erioed groesi draw i Ffrainc i dalu'r gymwynas olaf i'w mab. Fe wnâi Leri, ei gor-wyres, hynny iddi hi.

*   *   *

'Lle 'dan ni rŵan?' gofynnodd Leri, wrth i Kevin barcio'r car. 'Ry'n ni nawr yn *No Man's Land* brwydr y Somme. Dere i weld.' Bu'n rhaid i Leri roi ei phwysau ar ysgwydd Kevin wrth iddi neidio ar un droed i gyfeiriad y *Newfoundland Beaumont Hamel Memorial.* Wrth i Kevin ei thywys fe welodd Leri sut roedd y rhyfel fel pe bai wedi ei gafnu i'r tirlun. Yn Beaumont Hamel fe welodd sut roedd hanes wedi cael ei gerfio yn y pantiau a grewyd gan y siels; roedd y cae fel un gogor mawr a rhywfaint o'r weiren bigog wreiddiol fel drain ar y tir. Dangosodd Kevin iddi'r ffosydd, ffosydd y rhoddwyd iddynt enwau Llundeinig fel Charing Cross, Long Acre, Shaftesbury Avenue, Regent Street, Bond Street, Park Lane ac yn y blaen adeg y rhyfel.

Eglurodd Kevin sut y bu saethu ffyrnig gan y Prydeinwyr at yr Almaenwyr yno am saith niwrnod cyn y diwrnod anfad hwnnw: Gorffennaf y cyntaf, 1916. Cymaint fu'r pledio gynnau a siels, fel na chredai'r Prydeinwyr y gallai yna fod unrhyw Almaenwr yn dal yn fyw ar ôl y fath danio. Dyna pam y gorchmynnwyd i'r milwyr o Brydain gerdded, nid rhedeg, yn un ton ar ôl y llall dros y top, fel petaent ar barêd. Yr hyn na wyddai'r Prydeinwyr oedd fod dyg-owts yr Almaenwyr ddeg troedfedd ar hugain o dan y ddaear. Roedd eu dyg-owts nhw'n dipyn mwy safonol na rhai'r Cynghreiriaid. Roedd gan lawer ohonynt olau trydan hyd yn oed. Bu'r

Almaenwyr yn llochesu yn eu dyg-owts am y saith niwrnod o saethu, yn ceisio goddef y cacoffoni o sŵn uwch eu pennau, gan ddyheu iddo ddod i ben.

Ar ôl saith diwrnod o fombardiad aneffeithlon gan y Cynghreiriaid, fe rybuddiwyd yr Almaenwyr fod yna ymosodiad ar fin digwydd pan daniwyd ffrwydrad anferthol ar fore'r cyntaf o Orffennaf, rai munudau cyn dechrau'r frwydr. Ffrwydrad *Hawthorn Ridge* oedd hwn. Gwyddai'r Almaenwyr, y munud y tewai'r sŵn, y byddai'r gelynion yn cael eu hanfon dros y top. Gwaith hawdd i'r Almaenwyr wedyn oedd lladd y milwyr wrth iddyn nhw gerdded yn ymddangosiadol ddidaro tuag atynt. Dyna'r prif reswm dros y colledion anferthol ar ddiwrnod cyntaf brwydr y Somme, brwydr a barodd am gant pedwar deg o ddyddiau.

Fyddai Ifor wedi bod yn rhan o'r frwydr honno? Doedd Kevin ddim yn credu y byddai wedi bod yno ar ddechrau'r frwydr. Diolch byth, meddyliodd Leri. Ond thawelodd Kevin ddim ar ei meddwl pan ddywedodd fod Ifor wedi bod yn rhan o frwydr lawer llai enwog, ond un yr un mor ffyrnig os nad ffyrnicach. Un o frwydrau Arras, sef Brwydr Bullecourt, neu i roi iddo'i enw arall, 'y twba gwaed'. Hon mae'n debyg oedd brwydr fwyaf gwaedlyd ac angheuol y Rhyfel Mawr. 'Gwaeth na'r Somme?' gofynnodd Leri. Syllai Kevin yn ei flaen; atebodd o ddim mohoni, dim ond dweud y byddai hi'n cael ymweld ag ardal y brwydro hwnnw ddydd Gwener.

* * *

Wrth yrru drwy bentref bychan Beaumont Hamel, fe arhosodd Kevin am ennyd wrth eglwys. Edrychodd Leri arni drwy ffenest y car. Doedd hi ddim yr eglwys harddaf yn y byd – eglwys brics coch, tebyg i rai o'r capeli Cymraeg a adeiladwyd tua thri degau'r ganrif ddiwethaf oedd hi. Eglurodd Kevin fod yr eglwys wedi cael ei dymchwel yn llwyr yn ystod y brwydro a'i hailadeiladu ym 1922. Roedd milwr o'r Almaen wedi mynd â darn bychan bach o ffenestr liw o adfeilion a rwbel yr eglwys adref efo fo ar ddiwedd y rhyfel. Llun o wyneb y forwyn Fair oedd ar y darn gwydr. Pan glywodd yr Almaenwr, flynyddoedd yn ddiweddarach, fod eglwys Beaumont Hamel yn cael ei hailadeiladu, anfonwyd y darn gwydr yn ôl at aelodau'r eglwys honno. Gofynnodd Kevin i Leri geisio dod o hyd i'r darn gwydr gwreiddiol. Craffodd Leri, ond fedrai hi mo'i weld. Cwareli hirsgwar gwyrdd a phiws a melyn oedd i'r ffenestri newydd. Doedd dim sôn am lun nac unrhyw fath o gelfyddyd yn perthyn i batrwm undonog y ffenestri.

Daeth Leri allan o'r car, gan ddefnyddio'r bonet i dynnu rhywfaint o'r pwysau oddi ar ei ffêr. 'Pa ffenest?' gwaeddodd yn ôl at Kevin, oedd bellach â'i drwyn mewn llyfr. 'Y ffenest i'r chwith o'r drws fel ti'n edrych arno fe!' atebodd, heb godi'i ben. Ac wrth droi 'nôl at yr eglwys y gwelodd Leri'r llun. Doedd o fawr mwy na maint cledr llaw. Llun wyneb, llun wyneb dolefus mam, a wyddai o brofiad beth oedd gweld dioddefaint mab. Er nad oedd Leri'n grefyddol, hawdd y gellid deall sut y byddai'r llun bychan hwn o'r Forwyn Fair wedi bod yn gysur i filwr ifanc ofnus ar faes y gad.

Erbyn i Leri eistedd yn ôl yn sedd y car, roedd Kevin wedi tynnu llyfr arall o'i fag. Doedd dim brys arno i adael Beaumont Hamel. Roedd arno eisiau crybwyll milwr ifanc arall yr oedd pentref a'i ddinistr wedi gadael argraff ddofn arno. Darllenodd Kevin y llythyr a anfonodd y milwr at ei fam o Beaumont Hamel. Roedd yn lythyr telynegol oedd yn cyfeirio at y pentref yn 1917 drwy ddweud '*they are paving Beaumont Hamel with skulls again*'. Wilfred Owen oedd awdur y llythyr, dyn y gallai Ifor yn hawdd iawn fod wedi dod ar ei draws, meddai Kevin. Yn yr un llythyr at ei fam, disgrifiodd Owen sut y bu iddo fo gymryd hanner awr i symud can llath a hanner o achos y mwd. Nid mwd cyffredin oedd hwn, ond mwd creulon a chwbl ddidostur, mwd fyddai weithiau'n bedair i bum troedfedd o ddyfnder.

Heb ragymadroddi, dim ond, yn ôl ei arfer, dynnu anadl ddofn a sugno'i fochau, darllenodd Kevin ddwy gerdd tra oedd yn eistedd yn y car wrth eglwys Beaumont Hamel. Roedd y ddwy gan Owen. 'The Sentry' oedd un a 'Siegfried's Journey' oedd y llall. Fe wyddai Leri fod yr Owen ifanc yn eilunaddoli Siegfried Sassoon. Trodd Kevin ati a dweud, 'Heb wybod gyda pha gwmni'n union roedd Ifor yn y RWF mae'n anodd gweud pwy fydde swyddog ei gwmni. Ond dyw e ddim yn amhosib mai Sassoon oedd e.' Caeodd Kevin y llyfr yn glep. Tybed a fu Ifor yng nghwmni un o'r beirdd hyn, neu efallai fardd o Gymro? Tybed a welodd Owen neu Sassoon y Cymro ifanc o'r Dyffryn yn ysgrifennu ei farddoniaeth yntau ar ffurf nodau cerdd? Bu distawrwydd am ennyd cyn i Kevin gychwyn y car a chyhoeddi 'Cinio!'

O fewn dim, roedden nhw yn Le Tommy Bar yn Pozieres yn bwyta *frites* ac yfed Budweiser. Roedd y caffi gwag yn orlawn o baraffernalia'r rhyfel – yn lluniau, gynnau, bwledi, siels, posteri Kitchener – ac i fyny ar silff uwchben y bar roedd pêl-droed ledr. Hon, mae'n debyg, meddai Kevin, oedd y bêl a chwaraewyd yn ystod y cadoediad byr rhwng yr Almaenwyr a'r Cynghreiriaid ar ddiwrnod Dolig, 1914. Roedd llygaid Kevin yn pefrio wrth ddweud yr hanes. 'Be? Ti'm yn coelio'r stori?' holodd Leri o. 'O odw, wi'n credu mai pêl o gyfnod y rhyfel yw hi. Ond mae'n ddowt 'da fi os dyna'r union bêl a giciwyd yn ystod y Cadoediad!' meddai.

Daeth gwraig y lle â'u bwyd iddyn nhw. Roedd Leri'n teimlo'n ddigon hyf ar Kevin erbyn hyn i fentro tynnu ei goes. 'Dwi 'di dod yr holl ffordd i Ffrainc – y wlad sydd yn enwog am ei phrydau *gourmet* – a dyma fi'n byta chips ac yfed lager!' Gwenodd Kevin arni. 'Aros di tan heno. Gweddillion nithwr, ma' arna i ofn – *sbag bol* eto!'

15

Deffrodd Leri'n gynnar ar ei thrydydd bore yn Ffrainc. Gallai glywed sŵn Kevin yn symud lawr grisiau, yn gosod llestri brecwast. Clywai arogl coffi a *croissants*. Roedd ei gwely bach a'i gwilt patrwm pabi coch yn gynnes braf, ond byddai'n well iddi godi. Heddiw roedd Kevin yn mynd â hi draw i Ecoust, pentref lle bu ymladd ffyrnig ym mrwydr Bullecourt, a'r pentref lle claddwyd Ifor. Doedd hi heb gysgu'n arbennig o dda yn ystod y nos, ei meddwl ar chwâl, ac ymweliadau'r tridiau diwethaf wedi bod yn rhy gynhyrfus i wahodd cwsg fin nos. Roedd pob diwrnod efo Kevin yn addo rhywbeth newydd a hithau'n dysgu cymaint yn ei sgil. Roedd ganddo stôr rhyfeddol o wybodaeth.

Ers cyrraedd Ffrainc, roedd Leri wedi gweld degau o gaeau wedi eu britho â'r mynwentydd taclusaf a welsai erioed. Ar ôl galanastra'r rhyfel, ei fwd a'i waed, bellach roedd trylwyredd cymesurol y mynwentydd a'u cerrig beddau gwynion glân. Roedd sigl tawel mesmerig y gwenith o'u cwmpas yn gwneud i'r mynwentydd ymddangos fel catrawdau mud yn gorymdeithio'n dawel drwy'r caeau. Roedd ambell i babi coch cynnar yn glynu'n dynn i'r llethrau bychain bob ochr i'r ffyrdd. Roedd yn flodyn mor dlws, ac roedd coch y petalau, gwyrdd y cnydau a gwyn y cerrig beddi yn codi ychydig o hiraeth ar Leri, ond nid am yn hir.

Mae'n debyg mai'r ymweliad â Mametz, o'r holl ymweliadau hyd yma, a greodd yr argraff fwyaf arni, a hynny oherwydd ei gysylltiadau â Chymru. Wyddai Leri ddim beth i'w ddisgwyl yno. Yr unig beth a wyddai cyn mynd yno oedd bod 'na filwyr o Gymry wedi ymladd mewn brwydr erchyll yno.

Ar y ffordd i Mametz y diwrnod cynt, fe aeth Kevin â hi i weld mynwent Devonshire. Roedd coedwig Mametz i'w gweld yn y pellter. Cerddodd Leri'n gloff gan ddarllen yn ddistaw y cerrig beddi twt. Gwelodd yno fedd milwr o Gymro, un o'r miloedd a fu farw ar Orffennaf y cyntaf, 1916. Yn ychwanegol i'r arysgrifen swyddogol arferol, roedd rhywun – ei fam mae'n debyg – wedi talu am eiriau mwy personol i'w gosod ar waelod y garreg. Darllenodd Leri y geiriau gan gwffio yn erbyn y dagrau yn ei llygaid:

Huna huna Daniel bach
Ti gei eto godi'n iach.

Wrth yrru ar hyd ffordd dyllog drwy'r coed newydd i fyny at Mametz, fe arafodd Kevin wrth fynwent Flat Iron Copse. Roedd dwy siel fawr y tu allan i giât y fynwent.

'Mae 'na dri set o frodyr o Gymru wedi eu claddu yn fan'na.' Llyncodd Leri ei phoer; roedd yr holl hanesion trist, yr ystadegau anhygoel am golli bywydau, yr aberth, y tor-calon, yn dechrau troi arni. Roedd oferedd yr holl beth yn ormod. Dechreuodd gwestiynu ei chymhelliad dros ddod yma. Fel roedd pethau'n mynd byddai hi'n dychwelyd i Gymru yn teimlo'n hollol ddigalon!

Parciodd Kevin y car. 'Dwi'n gwbod bod dy droed di'n dal yn dost, ond all croten o Gymru ddim dod i'r rhan yma o Ffrainc heb weld y gofgolofn yma.' Gwenodd Leri arno. Roedd blynyddoedd ers i neb gyfeirio ati fel croten! Er bod y gwayw yn ei ffêr yn well, roedd ei throed yn dal i frifo, er iddi lyncu digon o baracetamols. Ond doedd hi ddim am gwyno gormod; ar ôl clywed hanesion arwrol milwyr y Rhyfel Byd Cyntaf, teimlai mai rhyfyg ar ei rhan fyddai gwneud môr a mynydd o droed oedd ychydig yn glwyfus.

Wrth ddringo'r llethr i fyny uwchben coedwig Mametz, fe syfrdanwyd Leri gan y gofgolofn a guddiai mewn llannerch fechan. Cofgolofn ar ffurf draig fetal goch oedd hi, a weiren bigog yn ei chrafangau. Draig oedd hon na fynnai neb godi dadl â hi. Edrychai'n herfeiddiol i lawr ar goed Mametz o'i blaen. Ar y garreg oedd yn sylfaen i'r ddraig roedd y geiriau

MAMETZ WOOD 1916

Roedd Leri ar fin tantro nad oedd y Gymraeg i'w gweld ar y gofeb, pan welodd y cwpled

PARCHWN EU HYMDRECHION
PARHAED EIN HATGOFION

Roedd yno hefyd, yn ddwyieithog, hanes ymosodiad milwyr y corfflu Cymreig a feddiannodd goed Mametz. Eglurodd Kevin sut y bu i'r milwyr Cymreig, dros gyfnod o bedwar diwrnod, ymladd yn y coed gan golli yn yr amser byr hwnnw bedair mil o ddynion. Erbyn i'r goedwig gael ei dymchwel roedd daear Mametz yn garped o gyrff.

Agorodd Kevin ei fflasg a thywallt paned yr un iddyn nhw. Wrth i Leri yfed ei phaned hi, a cheisio cuddio rhag Kevin y dagrau oedd yn mynnu codi yn ei llygaid, darllenodd Kevin gerddi am Mametz. Harry Fellows, 'Reflections on Two Visits to Mametz', 'A dead Boche' gan Graves a'r un a greodd yr argraff fwyaf arni sef 'Aftermath' gan Sassoon.

Roedd Leri wedi blino'n lân a'i throed yn brifo. Roedd hi wedi dechrau syrffedu ar farwolaeth, mynwentydd a chofgolofnau. Er yn gwerthfawrogi darlleniadau Kevin o'r cerddi, roedd rhan ohoni'n edliw na fu iddo ddarllen neu ddyfynnu cerdd gan fardd o Gymro. Mentrodd ddweud hynny wrtho'n garedig. Gwenodd Kevin arni. Mentrodd hefyd ofyn iddo oedd o'n teimlo'n flin weithiau am yr holl fywyd a wastraffwyd? Onid oedd o'n mawrygu rhyfel drwy ymdrybaeddu ynddo? 'Mae'n rhaid na wrandawes di ar y gerdd yn iawn, Leri. Dim mawrygu ond cofio y'n ni. Mae'r gwastraff yn fy nghynddeiriogi i. Ddaw cofgolofnau fel hyn byth â nhw 'nôl, ond mae'n bwysig i ni gofio amdanyn nhw. Mae 'da Alan Llwyd englyn, mae'n siŵr bo ti'n gyfarwydd ag e.' Cywilyddiodd Leri wrth orfod cyfaddef na wyddai hi ddim un o gerddi Alan Llwyd. Adroddodd Kevin yr englyn yn ddistaw o dan gysgod y ddraig:

Er mawrhau'r meirw o hyd – ofer oedd
Eu llofruddio'n waedlyd;
Dan anfri daw, yn unfryd,
Eu rhegfeydd drwy'r garreg fud.

Bu'r ddau ohonynt yn eistedd yno am rai eiliadau heb yngan gair. Fedrai Leri ddim peidio ag edmygu Kevin, ei wybodaeth a'i sensitifrwydd. Roedd hi'n hoff iawn ohono.

Torodd ei lais ar draws ei meddyliau. 'Un fynwent arall,' meddai'n bryfoclyd. 'O na! Plîs!' atebodd Leri heb wybod a fyddai'n chwerthin ynte grio. 'Mae'n rhaid i ti weld hon, yr un olaf am heddi.' Pan stopiodd y car ym maes parcio bychan y fynwent, dywedodd Kevin wrthi am edrych dros borth y fynwent. 'Gyda llaw, mynwent i'r Almaenwyr yw hon,' meddai. Herciodd Leri o'r car gan duchan ac aeth drwy'r porth. Roedd yr olygfa'n un iasol. O'i blaen, am y gwelai hi, roedd miloedd ar filoedd o groesau duon yn sefyll mewn rhesi perffaith fel gwarchodwyr diysgog ar ddyletswydd yn disgwyl yr awr i daro. Aeth Leri yn ôl i'r car gan fwmian 'Ma' honna'n fynwent fawr'. Edrychodd Kevin arni a dweud, 'Mae 'na bedwar deg pedwar o filoedd ac wyth cant tri deg a thri o feddau Almaenwyr yn y fynwent yna.' Roedd yr ystadegau'n frawychus i'r Almaenwyr yn ogystal â'r Cynghreiriaid. Roedd yna doreth o famau galarus yn yr Almaen hefyd ar ddiwedd y rhyfel.

'Reit! Ti sy'n talu am y daith 'ma. Dim ond gwas bach ydw i. Gwed ble ti moyn mynd nesa, Leri.' Heb betruso dim, ateb parod Leri oedd: 'Pyb!'

Bu'r ddau'n eistedd am bron i ddwy awr yn sgwrsio

mewn bar ar sgwâr pentref bychan, rhyw ddwy filltir o Hardecourt de Bois. Roedd tri dyn canol oed yn pwyso yn erbyn y bar. Bu cyfarchion rhwng y tri dyn a Kevin, yn ogystal â dyn y lle a edrychai, yn ôl ei bryd a'i wedd gwritgoch, fel petai'n yfed ei siâr yn ddyddiol o'r poteli ar y silff uwch ei ben. Edrychai'r criw brith yn syn ar Leri, fel pe bai ganddi gyrn yn tyfu o'i phen. 'Be sy? Ydyn nhw ddim 'di gweld dynes o'r blaen?' sibrydodd wrth Kevin wrth iddo ddod â'r diodydd draw at eu bwrdd. 'Na, dim hynny, dydyn nhw ddim fel y Cymry, yn wasaidd groesawus i unrhyw ymwelydd. Ma' nhw'n cymryd eu hamser i gynhesu at bobl ddierth. Ma' nhw isie mesur dy hyd a dy led di. Ond y munud g'nan nhw hynny, a gweld bod ti'n ocê, fe weli di eu bod nhw'n halen y ddaear. Iechyd da i ti, Leri!'

Drachtiodd Leri ei photel o fewn munudau. Chwarddodd Kevin. 'Sen i'm yn lico mynd ar sesh 'da ti! Er, digon diniwed yr olwg o'ti y noson honno weles i ti'n Verde's.' Cochodd Leri hyd at fôn ei chlustiau. 'Ro'n i'n mynd drwy adeg anodd bryd hynny. *Man trouble!* Mae hynny i gyd y tu cefn i mi rŵan.' Gwenodd Kevin arni a dweud 'Fel mae'n digwydd, ro'n i yn yr un sefyllfa.' 'Be? *Man trouble*?' gofynnodd Leri'n gydymdeimladol, er mwyn profi pa mor rhyddfrydig oedd hi. Edrychodd Kevin yn syn arni. Aeth Leri yn ei blaen gan balu twll hyd yn oed yn ddyfnach iddi hi ei hun: 'Chdi a Gerallt?' Roedd Kevin yn parhau i edrych arni'n gegrwth, yna trodd y syndod ar ei wep yn wên a dechreuodd chwerthin. 'Na, *woman trouble,* Leri. Ffrindie yw Gerallt a fi, nid cariadon!' 'O sori, sori!' mwmiodd Leri. Os oedd hi wedi cochi cynt, roedd ei hwyneb yn fflamgoch erbyn hyn.

Cododd Kevin i nôl diod arall iddi hi gan ofyn wrth setlo yn ôl wrth y bwrdd, 'Beth yn y byd mawr nath i ti feddwl bo fi'n hoyw?' *O shit, o shit, o shit!* Pryd y dysgai hi i gau ei hen geg fawr? Ceisiodd esbonio i Kevin sut yr oedd hi wedi amau ers tro fod Gerallt yn hoyw. Cadarnhaodd Kevin bod hynny'n wir. Ond doedd e ddim yn bartner iddo fe! Dechreuodd Kevin chwerthin go iawn wrth i Leri fynd yn ei blaen i ddweud pethau gwirionach a gwirionach. 'A . . . wel . . . dim bob dyn sy'n darllen barddoniaeth, sy'n sensitif . . . sy'n deimladwy . . . O God, Sori! *Shit!* Sori, sori!' Edrychodd Kevin arni â'i lygaid lliw tywod a dweud: 'Mae'n iawn. Dim problem. Ond Leri, ma' 'na lot o ddynion yn lico barddoniaeth, sy'n sensitif, sy'n deimladwy.' 'Oes 'na?' 'Oes a dyw 'na ddim yn gweud bod nhw i gyd yn bwfftars!' Ceisiodd Leri wenu arno ond roedd ei bochau ar dân. Rhoddodd Kevin wên fach gydymdeimladol iddi a dweud 'Falle bo ti 'di bod yn anlwcus mewn dynion.' Drachtiodd Leri ei hail botel a dweud 'Do's na'm "falle" amdani.'

16

Ar ôl brecwast a chwpanaid anferthol o goffi, cychwynnodd Kevin a Leri ar eu taith unwaith eto. Ei diwrnod olaf llawn hi yn Ffrainc. Roedd ei throed yn teimlo dipyn gwell erbyn hyn, a beth bynnag, roedd hi a Kevin wedi yfed digon o win ar ôl cyrraedd adref neithiwr i bylu unrhyw boen ac, fel dogn rỳm y rhyfel, fe leddfodd fymryn ar ei hofnau a'i hansicrwydd. Bu'r ddau'n sgwrsio tan oriau mân y bore, gan rannu eu profiadau, y rhai tywyll yn ogystal â'r rhai ysgafnach. Soniodd Leri rywfaint wrtho am Sam, am ei rhieni, a rhyw fymryn bach am Dei, a'r mymryn lleiaf un am ei chyfnod byr fel unawdydd piano.

Soniodd Kevin ychydig am ei berthynas teirblwydd oed â Marie oedd wedi chwalu y flwyddyn gynt. Holodd Leri beth oedd y rheswm dros y chwalfa. Doedd y ffaith iddo ddod adref o un o'i dripiau tywys i ddarganfod Marie yn noeth ym mreichiau Marc, un o drigolion y pentref, ddim wedi helpu'r achos, ond roedd o hefyd yn teimlo ei fod wedi sylweddoli nad oedd o'n ei charu hi beth bynnag. Efallai bod rhywun weithiau'n meddwl ei fod o mewn cariad, yn hytrach nag yn gwybod hynny. Roedd o bellach yn credu na fu Marie a fo mewn cariad go iawn â'i gilydd er cymaint roedd o wedi mopio arni hi ar un adeg.

Gofynnodd Leri iddo sut roedd rhywun i fod i wybod a oedden nhw mewn cariad ai peidio? Wyddai Kevin ddim, dim ond efallai na allai rhywun fyw heb y person roedden nhw'n eu caru. Roedd o wedi dysgu byw heb Marie yn eithaf sydyn. Nid dadrithiad ynglŷn â'i charu hi ai peidio oedd wedi ei frifo, ond y ffaith iddo fo gael ei frifo. Roedd hynny'n profi nad oedd o'n galaru am gariad, ond am y tolc i'w ego fo.

Eglurodd Kevin bod angen dipyn o sant i fyw efo rhywun fel fo oedd ag obsesiwn am beth mor ddigalon â'r Rhyfel Byd Cyntaf! Fe fyddai'n treulio dyddiau bwygilydd yn mynd ar y teithiau bws ac yn arwain ymwelwyr o amgylch mynwentydd a meysydd brwydro Ffrainc gan adael Marie yng ngofal y llety gwely a brecwast. Roedden nhw'n gweld llai a llai ar ei gilydd.

Roedd Kevin yn cyfaddef iddo ei hesgeuluso. Doedd Marie ddim ychwaith yn rhannu ei ddiléit o yn y Rhyfel Byd Cyntaf, a doedd Kevin ddim yn gweld unrhyw fai arni. Dim ond *saddos* oedd yn treulio eu holl amser yn ymweld â mynwentydd ac yn byw a bod yn coffáu meirwon y rhyfel. Chwarddodd Leri gan ddweud 'Ma'n rhaid mod inna'n *saddo* felly!' 'Na!' meddai Kevin wedyn, gan roi gwên fendigedig iddi a fyddai wedi toddi'r galon oeraf, 'Fi yw'r *saddo* a ti yw'r *saddes*!'

Awgrymodd Leri ei fod o efallai, fel hithau felly, wedi bod yn anlwcus efo'i berthynas â'r rhyw arall. Treuliodd Kevin ychydig eiliadau'n meddwl am hynny cyn dweud nad oedd yn meddwl mai anlwc oedd o. Doedd o ddim yn edifar am unrhyw berthynas a gafodd ag unrhyw ddynes, hyd yn oed y rhai nad oedd wedi golygu llawer iddo. Roedd pob profiad yn werthfawr, ac roedd rhywun yn ceisio dysgu gwneud dewisiadau doethach wrth fynd yn hŷn, ac i beidio credu mai cariad angerddol oedd pob emosiwn braf neu wefr cnawdol rhwng dyn a dynes. Doedd o'n sicr ddim yn bwriadu neidio mewn i unrhyw berthynas â neb am amser maith, ac efallai o gofio ei thrac record hi, y dylai Leri gyfri i ddeg, neu fwy, cyn neidio i'r casgliad ei bod hithau mewn cariad â rhywun.

Roedd Kevin yn hawdd iawn siarad ag o. Roedd Leri wedi mwynhau'r sgwrs, wedi gwerthfawrogi'r cyfle i drafod teimladau a pherthynas pobl â'i gilydd, peth na wnaeth ers cyn cof. Chafodd hi erioed sgwrs go iawn efo Dei, dim ond gwenieithu a rwdlan cyn ac ar ôl caru. Byddai'n chwith ganddi ffarwelio â Kevin yfory.

Ychydig ar ôl pasio drwy bentref Mailly Maillet, a chyn cyrraedd Puisieux, roedd Kevin yn arafu wrth fynwent arall. 'Dyma ail fynwent Serre. Mae yna saith mil a phum cant o feddau yn fan'na.' Aeth yn ei flaen, ac am y tro cyntaf yn ystod y teithiau roedd yna dawelwch hirfaith rhyngddynt. Doedd dim geiriau bellach i ymateb i'r mynwentydd ac i hanesion trist eu trigolion mud. A heddiw, ei diwrnod olaf yn Ffrainc, roedd Leri'n cael ymweld â mynwent oedd ag iddi arwyddocâd go iawn; mynwent lle gorweddai ei hen ewythr Ifor. Wrth deithio ar hyd y D919 i fyny o Albert, ceisiodd Leri ddychmygu Ifor yn cerdded, yn martsio'n lluddedig ar hyd y lonydd syth hyn. Gyrrai Kevin yn hamddenol gan basio drwy bentrefi a gweld arwyddion i bentrefi a anfarwolwyd gan y rhyfel. Enwau fel Serre, Bucquoy, Gommecourt ac Albainzevelle. Gadael y ffordd honno, gweld arwydd am Arras, cyn troi i gyfeiriad St Leger a Croisilles a gweld am y tro cyntaf arwydd am Ecoust – St Mein. Tynnodd Leri anadl ddofn. Dyma fo, meddai'n ddistaw bach wrthi hi ei hun, dyma'r pentref lle claddwyd hogyn ifanc o'r Dyffryn, ei hen ewythr hi, a hynny mor bell oddi wrth ei gartref a'i deulu.

Pentref bychan twt oedd Ecoust, ddeng milltir i'r deddwyrain o Arras a chwe milltir i'r gogledd-ddwyrain o Bapaume. Bu yno unwaith orsaf ar reilffordd fechan a âi o Boisleux i Cambrai. Trodd Kevin oddi ar y ffordd a pharcio y tu ôl i ardd un o'r tai a gefnai ar yr hen reilffordd.

'Dyma ni. Af i â ti draw i'r fynwent, ac wedyn fe awn ni draw i Bullecourt, y pentref nesaf, achos yn fanno dwi'n meddwl y bydde Ifor fwyaf tebygol o fod wedi cael ei ladd.' Cerddodd Leri a Kevin yn hamddenol ar hyd llethr yr hen reilffordd, ar lwybr oedd yn ei hatgoffa o Lôn Goed Eifionydd. Roedd mynwent Ecoust, yr ail fynwent yn y pentref, yn llechu o dan y rheilffordd. Esboniodd

Kevin, wrth iddyn nhw gerdded draw at y fynwent, bod brwydr Bullecourt yn frwydr o fewn brwydr fawr arall, sef brwydr Arras, a'i bod hi'n cael ei chyfrif fel brwydr fwya marwol y rhyfel. Aeth ias ar hyd cefn Leri. Pam, o pam y bu'n rhaid i Ifor druan fod yn rhan o hon? 'Mae'r frwydr yn cael ei chofio'n bennaf gan i filoedd o filwyr o Awstralia gael eu lladd yma. Doedd maes y brwydro ddim mwy na maint Hyde Park, ond roedd yna golledion o fil o ddynion bob dydd. Fe ddangosa i y cae i ti wedyn. Does dim cofnod o frwydro ar y diwrnod y cafodd Ifor ei ladd. Mae'r cyfnod hwnnw'n cael ei gofnodi fel *A quiet period. One fatality.*' Ifor oedd hwnnw.

Cerddodd Kevin a Leri i lawr i'r fynwent yn sŵn plant yn chwarae tennis ar gwrt cyfagos. Oedodd Kevin am eiliad gan regi rhwng ei ddannedd. Trodd Leri ato i weld beth oedd yn bod. Roedd Kevin wedi dal godrau ei drowsus mewn hen weiren bigog rydlyd. Eglurodd iddi bod darnau o weiren bigog y rhyfel yn dal i'w cael mewn mannau. Roedd y brwydro ar hyd yr Hindenburg Line yn enwog am ei feltiau trwchus o weiren. Doedd hyd yn oed y tanciau a ddefnyddiwyd ym Mrwydr Bullecourt ddim yn gallu eu difa. Pa obaith felly oedd i ddyn wneud? Cododd Leri y weiren yn ofalus yn ei dwylo. Tybed a anfonwyd Ifor i geisio torri'r weiren hon un noson? A fu ei ddwylo cerddorol yn gafael yn hon? Gosododd Leri'r weiren yn ôl ym min y clawdd a gweld wrth wneud bod cledrau ei dwylo yn goch fel gwaed gan rwd yr hen weiren. Dilynodd hi ar ôl Kevin tuag at y fynwent.

Roedd hon yn fynwent fechan o'i chymharu â'r rhai anferthol y bu Leri'n ymweld â nhw. Yn ôl y llyfr yn y twll bach yn y wal, roedd hi'n fynwent ag iddi gant pedwar deg o feddau i filwyr o Brydain, naw o Awstralia a saith deg un o'r Almaen. O'r beddau hyn i gyd roedd eu hanner nhw'n rhai anhysbys ac roedd un gofeb arbennig i un milwr o Brydain y gwyddid iddo gael ei gladdu yn eu plith. Roedd yn rhywfaint o gysur i Leri fod Ifor wedi ei gladdu mewn mynwent gymysg, nad oedd yna wahaniad rhwng y Cynghreiriaid a'r Almaenwyr. Fe dybiai Leri y byddai Nain Jôs hithau wedi gwerthfawrogi hynny hefyd. Cofiai Leri ei mam yn dweud iddi ofyn i Nain Jôs, oedd yr adeg hynny'n tynnu at ei naw deg, a oedd hi'n dal dig yn erbyn yr Almaenwyr ar ddiwedd y rhyfel. Ateb Nain Jôs mae'n debyg oedd, 'Na. Roedd yna famau yn yr Almaen fel finna, yn galaru ar ôl eu hogia bach.'

Roedd hi'n fynwent hardd, ac er bod y cerrig beddau unffurf yn ymddangos yn amhersonol, roedd planhigion a blodau gwahanol wrth droed pob bedd, y gerddinen yn un amlwg, ynghyd â llwyni blodeuol eraill. Edrychodd Kevin drwy lyfr cofrestr y fynwent. Nid oedd llawer o ôl traul ar y llyfr. Yn wahanol i lawer o'r mynwentydd enwocach, doedd hon ddim yn gyrchfan i fyseidiau o ymwelwyr. Rhedodd ei fys ar hyd enwau'r bechgyn a dorwyd i lawr cyn cyrraedd blodau eu dyddiau. Ni bu'n hir cyn dod ar draws enw Ifor. Cyfeirnod ei fedd oedd 11.A.8.

Gwasgodd Kevin ei wefusau at ei gilydd gan wenu'n llawn cydymdeimlad ar Leri. 'Fe ddylet ti baratoi dy hun, falle, Leri, mae'n gallu bod yn brofiad emosiynol iawn.'

'Go brin. 'Nes i erioed adnabod Ifor,' meddai Leri wrth gamu'n betrus draw at ei garreg fedd. Chlywodd hi mo Kevin yn dweud yn ddistaw y tu ôl iddi hi: 'Ond falle y byddi di cyn i ti fynd gytre.'

RHAN DAU

1917

17

Mae'r lleuad uwch fy mhen. Hen leuad wen, fel olwyn fawr lonydd yn gorwedd yng ngwlith y sêr. Mae'n edrych fel pe bai am ddisgyn am fy mhen unrhyw funud. Hon ydy'r un lleuad y mae Marged yn ei gweld uwchben y Dyffryn. Ydy hi'n ei gweld hi rŵan tybed? Ydy hi'n meddwl amdanaf? Faint o'r gloch ydy hi? Does gen i ddim syniad pa ddiwrnod ydy hi hyd yn oed. Yr unig beth y gwn i ydy ei bod hi'n ddechrau mis Gorffennaf, a hyd yn oed ym mis Gorffennaf yn Ffrainc, mae oriau'r nos a dechrau'r dydd yn rhai oer.

Mis Gorffennaf, mis Ffair y Llan. Tybed a gaiff Huw bach fynd i'r ffair y tro hwn? Fe lyncodd ful anferth y llynedd, ychydig ddyddiau cyn i mi fynd i Ffrainc, am na châi ddod efo fi a Rich i'r Ffair. Ond addawodd Mam y câi ddod efo ni y flwyddyn nesaf. Bydd yn rhaid i Rich druan gadw llygad barcud arno. Mae Huw bach fel llysywen yn llithro rhwng pobl ac yn diflannu ar amrantiad. Bydd Mam weithiau'n ei golli wrth adael y Capel ar fore Sul, ac yna bydd pryd go iawn o dafod yn ei ddisgwyl pan ddaw i'r tŷ rhyw awr yn ddiweddarach a'i ddillad dydd Sul yn fwd i gyd!

Mae gen i gur yn fy mhen. Mae hi'n braf cael gorwedd o'r diwedd. Cael gorffwys. Cael meddwl. Cael llonydd. Ydy, mae hi'n ddigon braf yma, ac er gwaethaf fy nghur a'r oerfel rydw i'n teimlo rhyw gynhesrwydd yn ymledu drwy fy nghorff am y tro cyntaf ers misoedd. Mae hi'n dawel yma; gallwn yn hawdd fod yn gorwedd ar lan Llyn y Ffridd uwchben y Dyffryn, heblaw am yr holl gyrff o'm cwmpas.

Ceisiaf godi, ond nid yw fy nghoesau'n ufuddhau. Mae llais yn griddfan gerllaw. Llais un o'r milwyr ifanc ddaeth allan bythefnos yn ôl efo drafft newydd ydy o, rydw i'n siŵr. Pan gyrhaeddodd yr hogyn yma sydd yn cwyno wrth fy ymyl, fe ofynnodd Robat iddo'n gellweirus oedd yna ddynion ar ôl ym Mhrydain? Atebodd yr hogyn yn gwbwl ddifrifol bod yna ddigon o ddynion, dynion hŷn, gwleidyddion ac yn y blaen. Un digon tawel ydy Robat, a hynny efallai oherwydd ei atal dweud, ond fe'i bendithiwyd â siâr helaeth iawn o hiwmor. Gwenodd yn ddwl ar yr hogyn a throi ata i gan ddweud o dan ei wynt, 'Wel o leia dydy P-p-p-rydain ddim 'di colli athrylith wrth anfon hwn i'r t-t-twll lle 'ma!'

Does gen i ddim syniad beth ydy enw'r hogyn, ond P-p-popi fyddai Robat yn ei alw. Doedd dim posibl i Popi yngan brawddeg heb sôn am ei wraig, Rose. Roedd bob dim yn troi o'i chwmpas. Fe gwynai pan ddefnyddiem ni'r dŵr i wneud te – byddai'n well ganddo fo arbed rhywfaint o'r dŵr er mwyn cael eillio. Byddai Rose yn gwaredu pe gwyddai nad oedd yn cael eillio bob dydd. Byddai Rose yn methu cysgu'r nos pe gwyddai bod yn rhaid iddo gysgu mewn ffos llawn llygod. A hyd yn oed pan rannodd Robat y gacen a gawsai drwy'r post y bore canlynol o Cumberland Stores, y cyfan fedrai'r hogyn ddweud oedd '*Rose bakes a mean cake*'. Ymateb Robat oedd '*Well, Rose is not here. P-p-plenty of p-p-poppies. Eat mean cake* a cau dy geg y llwdwn d-d-d-iawl!'

Dywedodd Popi wrthyf rai dyddiau'n ôl fod Rose yn disgwyl eu plentyn cyntaf ddiwedd yr haf. Druan ohono, ond byddai'n dda gen i pe bai'n peidio griddfan am funud bach. Fe hoffwn fynd ato, ceisio ei gysuro, rhoi cymorth iddo, cau ei geg o, ond fedra i ddim. Fedra i ddim symud cam, dim ond syllu ar yr hen leuad uwch fy mhen. Am y tro cyntaf ers dod i Ffrainc, mae'n beth rhyfedd, ond rydw i'n ysu am gael cerdded.

Mae'n rhaid mod i wedi cerdded milltiroedd ers dod yma. Mae cyflwr truenus fy nhraed yn brawf o hynny. Roeddwn i'n arfer mwynhau cerdded pan oeddwn i adref, cyn i'r rhyfel yma dorri allan. Rhodio'r mynyddoedd uwchben y Dyffryn, anelu bob tro am Lyn y Ffridd, a cherdded, na, llamu'n llon i Lan Gors i weld f'annwyl Farged. Cerdded a theimlo'r gwynt yn cosi fy mochau, a theimlo'r rhedyn yn siffrwd dan draed. Ond aeth cerdded bellach yn fwrn. Pan ddeuai'r gri i gerdded, byddai fy stumog yn troi a'm calon yn suddo i'm hesgidiau trymion gan wybod y byddai'n rhaid cerdded milltiroedd lawer a phwysau fy iwnifform a'm heiddo milwrol a'r byd i gyd yn drwm arnaf. Tramp. Tramp. Tramp. Clywed sŵn y *Lewis-gun* fel gwallgofddyn ag atal dweud arno yn cyfarth yn y pellter. Gair yn cael ei basio fod twll yn y ffordd cyn hir. Pawb yn cerdded o'i gwmpas gan geisio anwybyddu'r sgerbwd yn ei waelod. Y chwys yn tasgu o'm talcen gan losgi fy llygaid. Y llygaid oedd yn crefu am gael cau, cael gorffwys, cael cwsg. Ceisio cadw'n effro. Taro ambell i gân er mwyn peidio huno, peidio dihoeni, cadw'r ysbryd ar i fyny. Ond ni fyddai hynny'n parhau'n hir. Y meddwl yn crwydro i rythm bŵts yr hogia. Tramp, tramp, tramp.

Rhaid oedd dygnu mynd yn ein blaenau heb wybod i ble. Weithiau fe fyddai'n amlwg nad oedd y swyddogion yn gwybod yn iawn i ble roeddem ni'n mynd ychwaith. Un tro, ddiwedd Awst diwethaf, ynghanol cyflafan

Delville, fe gafodd ein bataliwn ni 'orffwys'. Â phawb ar eu gliniau, fe benderfynwyd bod ein bataliwn ni'n gorfod symud o'r gwersyll ger amddiffynfa Bonté gan ein bod mewn peryg mawr gan un o ynnau pellgyrhaeddol y Bosche. Fe glywem y ddaear yn crynu odditanom ac yna'n ymrwygo o'n cwmpas. Torrodd y magnelau allan i arllwys eu tân gan daflu llwch a malurion i fyny'n gawodydd uwch ein pennau.

Dechreuasom am ddeg o'r gloch y nos i symud at wersyll cyfagos, ychydig pellach oddi wrth y lein. Roedd hi'n noson dywyll, yn ddu fel y fagddu, dim lleuad yn llusern fel sydd heno. Aeth ein tywysydd ar goll yn y tywyllwch. Roedd hi'n hanner nos arnom yn cyrraedd pen ein taith, oedd ond rhyw fil a hanner o droedfeddi i ffwrdd. Er rhegi'r swyddog yn dawel bach, roedd gen i gydymdeimlad ag o. Roedd yntau yr un mor lluddedig a gwangalon â ninnau. Roedden nhw, y swyddogion, fel ninnau yn gorfod ufuddhau i orchmynion cibddall, dwl.

Roeddem ni wrthi'n ceisio codi ein pebyll yn y tywyllwch dudew a'r glaw didostur pan ddaeth gorchymyn i ni symud yn ôl. Roedd adroddiadau'n dod i law bod posibilrwydd bod y gelyn wedi cipio Coed Delville. Fedrwn i ddim coelio bod yn rhaid i ni gerdded eto fyth. Tynnwyd y pebyll i lawr a phawb yn rhegi ac yn diawlio. Fedrai neb ohonom gofio na gweld yn y tywyllwch ym mha le y rhoddasom ein gynnau a'n bagiau wrth gyrraedd. Mynnai Robat fy mod i wedi codi ei wn ef. Roeddwn innau yr un mor bendant mai fy ngwn i oedd yn fy llaw. Aeth pethau'n ffradach a bu ymron i Robat a minnau ddechrau cwffio; y tro cyntaf erioed i ni ffraeo, heb sôn am godi dyrnau.

Mae yna adegau wedi bod pan rydw i wedi bod bron â chrio, a hynny cyn profi llawer gwaeth na cherdded blin a thraed blinach fyth. Mae Robat yn ddewrach na fi. Er cymaint ei ludded yntau, fe geisiai godi fy nghalon pan welai bod fy ysbryd ar dorri. Robat a dorrodd yr iâ y noson honno. Wrth fy nghlywed yn tuchan wrth drampio drwy'r tywyllwch fe ddywedodd yn ei ffordd sych, ddihafal ei hun: 'T-t-ty'd laen, Ifor. Cwyd dy g-g-g-alon. Ma p-p-p-awb yn d-d-d-eud ma'r pum mlynadd cynta 'di'r g-g-g-waetha!'

Erbyn cerdded yr wyth milltir yn ôl y noson honno, roeddem wedi dechrau siarad eto, a bu'n rhaid i'r ddau ohonom chwerthin, er gwaethaf ein blinder affwysol. Ni pharhaodd y chwerthin yn hir, gan i mi ddechrau teimlo'n rhyfedd. Roedd gen i awydd cyfogi, er na chefais i ddim byd i'w fwyta ers y diwrnod cynt. '*Gas!*' gwaeddodd y dynion o'n blaenau. Brysiodd pawb i osod eu helmedau ar eu hwynebau. Roedd arnom ni i gyd ofn yr arf newydd dychrynllyd hwn. Mae'n siŵr bod golwg macâbr ac ymron yn gomig arnom yn cerdded â'r helmedau yma a wnâi i ni edrych fel ceffylau a chanddynt lygaid rhy fawr i'w hwynebau. Ond comig neu beidio, doedd dim awydd chwerthin ar neb bellach. Cerddem yn un ffrwd o gaci lluddedig. Cyraeddasom ben ein siwrnai yn Montabauban toc wedi pedwar y bore.

Do, fe wnaethom ein siâr o gerdded.

Fe gerddom ni un tro am dros wythnos heb dynnu ein bŵts, ac mae lonydd Ffrainc yn galed ar y traed – hen lonydd cerrig a'r rheiny fel clapiau glo Tomos Arthur y Sarn. Faint o weithiau y bûm yn ysu am gael tynnu'r bŵts felltith, ond doedd fiw i mi wneud, neu gwyddwn na fyddwn yn gallu eu rhoi yn ôl am fy nhraed gwaedlyd, chwyddedig.

Byddai Hubert, horwth o hogyn o Aberdâr a dwylo fel rhawiau ganddo, yn cyd-gerdded â ni. Fe daflodd ei fŵts i gae cyfagos un prynhawn poeth a chlymu'r croesrwymau am ei draed yn eu lle. Gyda phob cam roedd y croesrwymau hynny'n newid o'u lliw brown golau i liw coch tywyll tra diferai'r gwaed o'i wadnau.

Nid tan ein bod yn cydgerdded y gwelem faint ohonom oedd yno. Roedd yna fil o ddynion mewn bataliwn (pan fyddai'r bataliwn i'w llawn nerth), ac o fewn y bataliwn hwnnw roedd pedwar cwmni. Byddai pob cwmni wedyn yn cael ei rannu'n bedwar platŵn. Byddai pob platŵn yn cael ei rannu'n unedau o dan ofal sarjant neu ringyll. Roedd Hubert, Robat, Wmffra, Lloyd a minnau yn yr un uned. Ac roeddem, er gwaethaf ein gwahaniaethau, fel teulu bach. Robat oedd ein mam ni oll ac Wmffra, er mai fi oedd yr ieuengaf, oedd yn cael ei gyfrif yn 'bach y nyth' oherwydd ei natur ddireidus. 'Mozart' fyddai Robat yn fy ngalw i weithiau, a hynny am fod fy nhrwyn mewn papur bob cyfle a gawn yn ceisio cyfansoddi. Drwy ddychmygu cerddoriaeth yn fy mhen y gallwn ar brydiau ddianc o hunllef fy sefyllfa.

Fe fyddem, fel pob teulu, yn cecru ac yn ffraeo am bethau bychain, ond yn warchodol iawn o'n gilydd pan fyddai'n rhaid. Wrth fartsio byddai ein cwmni ni'n gwau ei hun â'r tri chwmni arall i greu uned gyfan. Synnem wrth gerdded o weld cynifer o ddynion fel ni. Cannoedd ohonom. Cannoedd o ddynion ag un prif ddyhead: dymuno am derfyn ar y drin ofndawy a chael mynd adref o'r uffern hwn mewn un darn. Fy mhrif ddyhead a'm breuddwyd i oedd cael dychwelyd i freichiau cynnes Marged.

Wyddwn i ddim tan i mi ddod i Ffrainc ei bod hi'n bosibl, yn llythrennol, i gysgu ar eich traed. Cysgu tra'n cerdded hyd nes i'r sarjant-mejor ein taro'n effro â'i ffon. Roedd hi'n iawn iddo fo ar ei geffyl. Roedd gen i bechod dros y ceffyl a edrychai yr un mor druenus â ninnau. O leiaf roeddem ni wedi gwirfoddoli i ddod i ryfel.

Byddem yn cael deng munud ym mhob awr, pe byddem yn ffortunus, er mwyn gorffwys. Wrth dynnu'r pac oddi ar fy nghefn, teimlwn fel pe bawn yn hedfan yn yr awyr. Mor ysgafn. Mor braf. Syrthio'n swp i'r llawr pan ddeuai'r waedd i aros; bataliwn cyfan ohonom. Er ein bod yn fil o ddynion i ddechrau, buan y crebachodd ein bataliwn yn ysgerbwd o ychydig gannoedd o ddynion a welodd bethau na ddylai'r un bod dynol mewn unrhyw oes ei weld. Erbyn diwedd cyflafan Delville, roedd y bataliwn wedi ei dorri i lai na chwarter ei nifer arferol.

Fyddai neb yn dweud fawr ddim wrth gerdded, y cerdded diddiwedd, a Robat a minnau'n diolch yn ddistaw ar brynhawn poeth am gwmwl ysbeidiol a sleifiai'n bryfoclyd dros wyneb creulon yr haul. Mae hi'n gallu bod mor boeth yma, mor wlyb, neu fel heno, mor oer. Popeth mor eithafol, y tywydd yn ogystal â'r lladd.

* * *

Tydw i ddim yn gallu teimlo fy nhraed. Yr oerfel sydd i gyfrif am hynny, mae'n debyg. O leiaf mae gen i draed. Rydw i'n cofio i Bain, un o'r swyddogion, ddod ataf yn y ffosydd ddechrau'r flwyddyn. *'Jones '59. Stamp those damned feet!*' Gorchwyl anodd, gan na allwn hyd yn oed deimlo fy nhraed. Pe bai rhywun yn gwthio bidog iddyn nhw, theimlwn i ddim. Bu'r gaeaf yma'n ddidostur, yn greulon o oer ac yn annaturiol o faith. Bu'n bwrw eira ym mis Mai!

Roedd Bain, yntau, yn dioddef. Doedd hyd yn oed y swyddogion ddim yn gallu osgoi'r mwd na'r oerfel. Roedd Bain yn un o'r goreuon. Fo fyddai'n ein harwain gyntaf dros y bagiau bob tro. Fe gollodd ddau frawd ar ddiwrnod cyntaf Brwydr y Somme. Roeddwn i'n edmygu ei wroldeb. Roeddwn eisiau cydymdeimlo ag o, eisiau iddo fo wybod fy mod i'n gwybod am ei golled, mod i'n ei edmygu. Ddywedais i ddim. Dydy preifat cyffredin ddim i fod i gyfarch swyddog heb NCO yn bresennol. Ond gwelodd Bain fi'n edrych arno ac rydw i'n meddwl iddo ddeall.

Roedd rhannau o'r ffos lle roeddwn hyd at fy nghanol mewn dŵr bawlyd. Roedd y dŵr yn rhewllyd, ac ar ei fwyaf bas yn cyrraedd dros fy ffêr. Byddai cyfnodau hir fel hyn yn achosi i draed chwyddo gan wneud i mi ymbil am gael tynnu fy mŵts. Ond gwrthodai Bain i mi wneud hynny. Byddai gwneud hynny'n gwaethygu'r sefyllfa, ac yn achosi poen dirdynnol. Dyna wnaeth un o'r dynion oedd gyda mi. Lloyd oedd ei enw, hogyn pump ar hugain oed, o Gaerdydd, ac roedd yn dipyn o bêl-droediwr yn ôl ei ymffrost ei hun. Hogyn braidd yn uchel ei gloch oedd Lloyd, ond â'r gallu i wneud i Robat a minnau chwerthin, hynny ydy, pan ddeallem o'n siarad. Cymraeg chwithig iawn oedd gan hogia de Cymru.

Anufuddhau i orchmynion Bain wnaeth Lloyd y noson honno o Ragfyr yn y ffos gan eistedd ar y *fire-step* a thynnu ei fŵts. Fedrai o ddim cerdded na sefyll. Doedd ganddo ddim teimlad yn ei draed ac roedd o'n dioddef yn enbyd o draed oer. Yn wir, doedd ei draed ddim yn edrych fel traed, ond yn hytrach fel darnau o gig du. Roedd o'n igian crio fel baban, a welais i mohono fo ar ôl y noson honno. Yn wir, bu'n rhaid i bedwar ugain o'n milwyr fynd i'r ysbyty y diwrnod canlynol, y rhan fwyaf ohonynt yn dioddef o'r traed oer. Bu'n rhaid cario Lloyd yntau i'r orsaf trin clwyfau a'i anfon oddi yno i'r ysbyty yn Boulogne. Cafodd fynd adref yn fuan wedyn, ond mewn cadair olwyn. Yn ôl y sôn, bu'n rhaid i'r doctoriaid dorri ymaith nid yn unig fodiau ei draed, ond ei ddwy goes hefyd. Daeth gyrfa Lloyd fel pêl-droediwr i ben cyn iddo gyrraedd ei ddwy ar hugain oed.

Rydw i'n cofio'r tro cyntaf i mi gyfarfod â Lloyd. Roeddem newydd gyrraedd Ffrainc, heb wybod fawr ddim am y brwydrau erchyll a ymladdwyd eisoes, y colledion a'r clwyfedigion. Yno, wrth ddisgwyl y trên a'n cludai ni i fyny i'r pen-siwrnai annirnad hwnnw a elwid yn 'Ffrynt', fe welem resi ar resi o filwyr yn gorwedd ar lawr yn disgwyl cael eu cludo'n ôl i Brydain. Roedd llawer ohonynt mewn poen, ond yn falch o fod wedi cael *Blighty*. Roedd hi'n anodd dweud ai byw neu farw oedd rhai ohonynt.

Roedd un hogyn ifanc, tua'r un oed â mi, yn syllu i ryw affwys anobaith. Fedrwn i ddim tynnu fy llygaid oddi arno. Roedd ei fochau'n bantiau gwelw. Pa brofiadau bynnag a gawsai'r gŵr hwnnw, doeddwn i ddim yn genfigennus ohono. Roedd Lloyd wedi fy ngweld yn edrych arno. Trodd at Robat a finnau a gofyn beth wnaeth i ni ymuno. Atebodd Robat ei fod yn teimlo dyletswydd i wneud, yn arbennig felly gan nad oedd ganddo wraig a phlant. Ateb parod Lloyd oedd, 'Ro'n i wedi priodi, achan, a ma' 'da fi wraig a phlant. Fe ymunes i â'r fyddin er mwyn cael heddwch!'

Oedd, roedd Lloyd yn gallu codi gwên hyd yn oed pan oedd ofn yn cydio ynom fel gelen. Mae'n beth rhyfedd, ond fedra i ddim cofio ei wyneb rŵan. Agoraf fy llygaid. Edrychaf i fyny at wyneb y lleuad am ysbrydoliaeth, ond ddaw 'na ddim. Ond mae'r lleuad yno o hyd, diolch i Dduw. Rydw i'n gallu gweld y lleuad, ond dydw i ddim yn gallu gweld Lloyd. Mae cymaint o hogia y bûm i hefo nhw, yn byw yn eu pocedi nhw, yn rhannu'r un ofnau, yr un dyheadau, ac eto, fedra i ddim cofio'u hwynebau nhw. Roedden nhw'n hogia arbennig. Roedd y teimlad o frawdgarwch digyfaddawd, o geraint a theyrngarwch, mor gryf. Fe fyddwn i wedi gwneud unrhyw beth drostyn nhw, a gwyddwn eu bod hwythau'n teimlo'r un fath, er na ddywedwyd hynny erioed. Doedd dim angen dweud dim. Mae 'na rai eraill, rydw i'n cofio'u hwynebau nhw, ond nid eu henwau. Mae'r rhyfel yma'n erydu'r cof. Efallai fod hynny'n beth da. Pwy fyddai eisiau cofio'r uffern yma? Pwy fyddai eisiau wynebu'r fath arswyd?

Ar fy nhro cyntaf yn y ffosydd, rydw i'n cofio edrych ar fy nghyd-filwyr a gweld yr ofn yn eu llygaid. Yr unig dro arall y gwelais yr ofn hwnnw, cyn y rhyfel, oedd yn llygaid Humphrey Roberts, neu Wmffra Gweld Dau, fel y'i gelwid adref. Rydw i'n cofio wyneb Wmffra'n iawn. Wyneb main gwelw fel gwenci a llygaid duon a led-groesai ei gilydd fel nad oedd rhywun yn siŵr iawn bob tro gyda phwy y siaradai. Roedd yr awdurdodau'n poeni'n arw bod hogiau'r Dyffryn yn araf iawn yn ymrestru â'r fyddin i ddechrau, ac felly fe gafodd Wmffra ymuno'n ddigwestiwn, er gwaethaf ei lygaid croes.

Roedd Wmffra Gweld Dau yn byw drws nesaf i ni yn County Road. Er gwaethaf caledi fy nghartref, doeddem ni ddim mor dlawd â drws nesaf. Doedd ganddyn nhw ddim llestri, ar wahân i lwy bren. Fe fydden nhw'n yfed allan o hen botiau jam a defnyddio tun fel tecell. 'Hen lymbar diog' fyddai fy nhad yn galw Isaac Roberts, tad Wmffra, a Mam yn ei geryddu bob tro am siarad yn hyll. Byddai Mam weithiau'n anfon Wini draw drws nesa efo crempog i Beti, mam Wmffra, gan y gwyddai Mam nad oedd gan Beti y modd i brynu fawr ddim bwyd. Fe fyddai Mam yn siarsio Wini i fynnu cael y blât yn ôl gan Beti, gan bod pethau'n aml yn ffendio traed o'n tŷ ni i drws nesaf. Ddiolchodd Beti erioed i Mam am y crempogau.

Llifai'r ychydig arian a gâi Isaac yn y chwarel i goffrau'r Red Lion bob nos, ac roedd pob llechen ym mhob siop wedi ei chau. Byddai Isaac Roberts, wrth gyrraedd adref o'r dafarn, yn llusgo Wmffra druan o'r gwely gerfydd ei wallt bob nos, codi ei gerpyn nos, a'i guro'n ddidrugaredd â'r llwy bren ar ei ben-ôl. Doedd Wmffra ddim yn sant, ond doedd o ddim ychwaith yn haeddu'r fath driniaeth. Ni fyddai Beti'n yngan yr un gair i arbed ei mab, gan ei bod hithau'n byw dan gysgod ofn yn dragywydd. Byddai Wmffra druan yn hercian i'w wely gan ymladd i gadw'r dagrau rhag cronni a thasgu tan ei fod yn ôl yn ddiogel o dan y sach a wnâi fel cynfas gwely iddo.

Daeth Wmffra yntau i Ffrainc, gyda'r un drafft â mi, a gwelais yr ofn yn cilio o'i wedd fel niwl yn codi o lawr y Dyffryn ar fore llwyd o Dachwedd. Cwta fis y bu Wmffra yn Ffrainc. Er mor arswydus ydy *charge*, roedd Wmffra, wrth fy ochr, yn dringo dros y top â'r bwledi'n chwibanu o'n cwmpas, ac roedd o'n chwerthin yn braf. Chlywais i erioed mohono fo'n chwerthin adref, ond fe wnâi yn amal yn Ffrainc. Tydw i'n amau dim i Wmffra fwynhau ei dipyn amser yn ystod y rhyfel. Roedd ei chwerthiniad yn heintus ac fe ddechreuasom ninnau i gyd chwerthin wrth fynd i wynebu'r gelyn. Yn araf bach, distewodd y chwerthin wrth i sawl milwr, ar y maes agored y noson honno, gael ei fedi i'r llawr. Fe ddarniwyd Wmffra wrth fy ochr gan siel. Bu ffrwydrad ac roedd y ddaear fel pe bai'n chwydu ei pherfedd yn gawod o bridd a baw. Cefais innau fy nghladdu o dan y llanast am rai oriau. Roeddwn mewn twll yn y ddaear a gafnwyd, mae'n debyg, gan siel arall. Yno wrth fy ymyl roedd ysgerbwd milwr o'r Almaen. Dyna'r tro cyntaf i mi weld Almaenwr er i mi fod yno am rai wythnosau yn saethu tuag atynt. Chefais i ddim pleser, y noson honno yn nhwll y siel, o weld llygod mawr yn nythu yng nghawell ei asennau.

Roeddwn i wedi arfer â marwolaeth a dioddefaint cyn y noson honno yng nghafn y siel, ond dyna'r profiad, yn anad dim, a'm hysgydwodd i fwyaf. Er i mi fod ofn cyn hynny, rydw i'n credu mai dyna pryd y profais i beth oedd ofn go iawn. Gallwn deimlo'r ofn yn bwyta fy nhu mewn fel y llygoden fawr honno'n gloddesta ar ei hysglyfaeth. Dyna pryd y sylweddolais nad oedd gan ryfel ddim oll i wneud ag arwriaeth ond yn hytrach ag arswyd pur. Fe fûm yn crynu am awr wedyn.

Dyna oedd tro cyntaf ac olaf Wmffra i ddringo dros y top. Fel y dywedodd Robat y noson honno wrth geisio brwydro yn erbyn ei ddagrau ei hun, 'Fe aeth yr hen

Wmffra Gweld D-d-dau yn Wmffra Gweld D-d-dim.' Bu'n rhaid i mi, yn ddiweddarach, wneud trefniadau i'w gladdu. Cesglais weddillion ei gorff a'u rhoi mewn bag tywod, a'i gario i fyny drwy'r ffos at y fynwent. Wrth i mi wneud hynny, daeth corff arall i fyny; roedd hwn yn gorff cyflawn, corff Owen Meredith, hogyn o Borthmadog. Bu'n rhaid claddu'r ddau yr un pryd.

Roedd beddau wedi eu torri yno'n barod. Wrth i'r Caplan ddarllen o'r Ysgrythur uwch beddau'r ddau, dyma sŵn byddarol unwaith eto. Roedd y gelynion yn ein gweld. Rhan amlaf, byddai'r Bosche yn gadael llonydd i ni gladdu cyrff ein cymrodyr, a byddem ninnau'n gwneud yr un modd. Doedd neb eisiau lladd ar achlysur felly. Ond nid y tro hwn. Roedd ffyrnigrwydd ein tanio y bore hwnnw wedi codi gwrychyn y Bosche. Doedd dim trugarhau i fod. Disgynnodd siel ddeg llath ar hugain oddi wrthym. Roeddem yn ceisio cynnal cynhebrwng i'r ddau filwr yr un pryd â chynhebrwng gwareiddiad. Gallaswn daeru y noson honno fod y byd hefyd ar ymyl ei fedd. Roedd yr holl beth mor ynfyd, mor lloerig. Oedd gan bobl adref unrhyw ddirnadaeth o'r rhyfel afrad hwn?

Mynnodd y Caplan orffen y gwasanaeth er gwaetha'r tair neu'r pedair siel arall a ddisgynnodd gerllaw. Erbyn gorffen, dim ond y Caplan a minnau oedd yno. Doeddwn i ddim yn hoffi ei adael ar ei ben ei hun, ac roeddwn hefyd, pe bawn yn hollol onest, yn rhy ofnus i symud o'r fan. Roedd pawb arall wedi rhedeg am gysgod. A dyna lle roedd y Caplan a minnau'n gorffen y gwasanaeth ar ein boliau yn y mwd, y ddau ohonom ofn am ei hoedl, cyn rhedeg nerth ein traed i'r dyg-owt am gysgod.

Roedd un rhan o'r gwasanaeth heb ei gyflawni, sef

canu'r emyn. Gofynais i'r hogia yn y dyg-owt gyd-ganu â mi. A dyna lle roeddem, y siels yn gorws o beswch uwch ein pennau, yn canu 'Bydd Myrdd o Ryfeddodau' mewn harmoni hyfryd. Rywsut, rywfodd, wrth gyd-ganu fe anghofion ni am rai munudau yr ofn oedd wedi ein llethu ynghynt. Teimlais ryddhad bod Wmffra druan, na chafodd fawr o fywyd, wedi cael claddedigaeth barchus.

* * *

Agoraf fy llygaid am ennyd eto a gweld bod yr hen leuad yn parhau i fod yno, ond bod cwmwl yn araf deithio'n llen i'w chyfeiriad. Bydd wedi ei chuddio ymhen y rhawg. A gaf agor fy llygaid eto i'w gweld? Os dyma ydy marw, yna rydw i'n ei groesawu. Tydw i ddim yn teimlo'n drist nac yn teimlo ofn, dim ond bod yna deimlad o chwithdod, chwithdod na chaf weld Brynengan, na Mam, fy nheulu, gweld Idris bach yn tyfu, gweld a theimlo cnawd meddal Marged. Marged â'i gwên fendigedig. Ceisiaf ddwyn i gof ei gwên, ei hwyneb, clywed trydar ei chwerthin. Rydw i'n methu'n lân â'i gweld na'i chlywed yn fy nychymyg. Rhaid peidio meddwl gormod. Rydw i wedi dysgu nad ydy hi'n talu myfyrio gormod mewn rhyfel, ac eto, beth arall a wnaf yn y fan yma ar fy mhen fy hun? Ydw i ar fy mhen fy hun?

Ceisiaf godi fy mhen, ond mae'r cur yn ormod. Gwn fod cyrff eraill o gwmpas y cae. Mae arogl y meirw o'm cwmpas yn heintio'r tir a'r awyr. Onid wrth ddod i chwilio am y cyrff ar gyfer eu claddu yn y fynwent fach newydd wrth fôn clawdd y rheilffordd y cefais yr archoll? Gyda lwc, fe ddaw rhywun arall i'm nôl i. Ni ellir ein gadael yma yn froc môr ar draeth tir neb. Does bosib y gellid gadael llond cae yn garped o gyrff am byth. Rhaid claddu pawb, yn enw'r tad! Neu tybed a fyddwn ni sy'n gorwedd yma yn troi'n bridd, yn wrtaith i gnydau ffermydd y dyfodol? Na, bydd yn rhaid ein claddu rhywsut. Caf innau, felly, gysgu'n dawel braf o dan goed y rheilffordd.

Mae hi'n ddistaw yma. Mae hyd yn oed Popi wedi rhoi'r gorau i'w ochneidio diddiwedd. Mae'n rhaid ei fod wedi cysgu, neu ei fod wedi marw. Hoffwn i ddim cael y dasg o ysgrifennu llythyr at ei annwyl Rose. A beth amdanaf i? Sut lythyr a ysgrifennir at Mam? Fe roddwn y byd am gael bod yno efo hi i'w chysuro pan fydd hi'n derbyn y llythyr. Gallaf glywed Robat yn dweud wrtha i, 'Os wyt ti 'di marw, Mozart, yna fyddi di'm yno, yn na fyddi di'r t-t-twmffat g-g-g-wirion!' Mae'n debyg mai Wini druan fydd y llatai. Mae cynifer o wasanaethyddion y llythyrdy wedi ymuno â'r fyddin fel bod merched y Dyffryn wedi cael gweithio dros dro yno. Am swydd greulon i chwaer fach; cario llythyr at ei mam i'w hysbysu fod ei mab wedi marw.

A beth am Marged? Mae'n debyg y byddai hi'n well ei byd heb hen lolyn gwirion fel fi beth bynnag. Doedd pethau, ysywaeth, ddim yr un fath rhyngom pan euthum adref ar *leave*. Fy mai i. Marged! Marged! Ei henw hi'n weddi yn uffern. Doeddwn i ddim eisiau achosi poen iddi hi, yr anwylaf o ferched y Dyffryn. Mae hi'n haeddu gwell na fi. A ydy hi wedi llwyr faddau i mi? Sut fydd hi'n ymateb, tybed, o glywed fy mod wedi marw?

Marw. Mae marwolaeth yn beth cyffredin gartref yn ogystal ag yma yn Ffrainc. Marwolaethau babanod, hunan-laddiadau, merched yn marw wrth esgor, wrth erthylu, marw o newyn, marw o dlodi, marw yn y chwareli. Yr unig bobl gefnog adref, ar wahân i'r landlordiaid ydy teulu Owens, yr ymgymerwyr. Mae arogl marwolaeth yn mygu'r Dyffryn a meysydd Ffrainc.

Marw. Dyna'r hyn rydan ni i gyd wedi bod yn ei ofni, ond does gen i ddim ofn. Mi fyddai marw yn fendith bellach. Tydw i ddim eisiau byw mewn ofn o hyd. Rydw i eisiau marw. Mynd at Dduw, os ydy O'n bod. Fe fyddai Mam druan yn gwaredu pe clywai fi'n siarad fel hyn. Roedd gen i, fel gweddill fy nheulu a'm cydnabod yng nghymdogaeth y Dyffryn, ddaliadau crefyddol cryfion. Ar wahân i Mrs Wilias Pagan a olchai riniog llechog ei thŷ yn ddeddfol heriol bob bore Sul fel y byddem yn pasio yn haid syber i'r capel, doeddwn i erioed wedi cyfarfod â neb a ddywedai ar goedd na chredai yng Nghrist, ac Iddo farw er ein mwyn; hynny ydy, nes dod i Ffrainc.

Roeddwn i hefyd, cyn dod i Ffrainc, yn gyfarwydd ag ofn. Roedd byw yng nghysgod crefydd wedi dysgu i mi, ers yn blentyn bach, ofni uffern. Fe ddois wyneb yn wyneb â'r ofn hwnnw yn Delville y llynedd ac wedyn yma rŵan yn Bullecourt. Mae hwn yn uffern gwaeth nag unrhyw uffern a ddychmygais erioed o'r blaen. Do, fe ddiflannodd unrhyw ddaliadau crefyddol oedd gen i yn Delville. Roedd y teimladau cymysg yma'n corddi pan ddychwelais i adref ar *leave.*

18

Nes i mi glywed fy mod am gael mynd ar *leave*, roeddwn i wedi gwneud fy ngorau i beidio â meddwl gormod am fy nghartref. Gallai'r hiraeth fy llethu ar adegau. Fe fyddwn yn poeni'n ofnadwy am fy nheulu, poeni sut y byddai Mam yn dygymod pe lleddid fi. Rydw i'n siŵr y bu hynny'n fwy o boen arna i, meddwl am deimladau Mam yn hytrach nag am fy marwolaeth fy hun. Roeddwn yn teimlo'n betrus wrth ddychmygu gweld Marged eto. Sut fyddai hi efo fi? Sut fyddwn i efo hi? A fyddem yr un fath? Na, doedd bosib. Roedd fy myd wedi newid yn llwyr, ac eto, roeddwn yn ysu am ei gweld.

Wyddwn i ddim beth i'w ddisgwyl wrth fynd adref. Roeddwn yn gawdel o deimladau. Oedd, roedd yna ryddhad o gael gadael Ffrainc, mynd adref, ac eto . . . Roedd hi'n wirioneddol chwith gen i ffarwelio â'r hogia, ac yn arbennig felly Robat. Roeddwn yn gyndyn o fynd adref hebddo. Byddai wedi bod yn braf cael ei gwmni rhadlon ar yr hen daith hir yn ôl.

Roedd gen i, am ryw reswm, ofn mynd adref. Roedd gen i ofn gadael yr ofn yr oeddwn mor gyfarwydd ag o yn y ffosydd.

Wrth i'r trên arafu cyn dod i stop yng ngorsaf y Dyffryn, dridiau ar ôl gadael Ffrainc, fe ollyngais strap y ffenest a gweld tref fy magwrfa yn llwyd o dan gysgod y mynyddoedd a'i hamgylchynai. Roedd y mynyddoedd gerwin yn crymu fel pe baent yn agor eu breichiau'n warchodol o amgylch y Dyffryn llwm. Bu'r daith yn un hir gan y bu'n rhaid hwylio o Le Havre. Byddai wedi bod cymaint yn gynt, a llawer mwy uniongyrchol, i mi gael mynd o Boulogne, ond roedd y daith honno wedi ei chadw ar gyfer y swyddogion a'r uwch-swyddogion. Oherwydd meithder y daith, byddai'n rhaid cychwyn ar fy siwrne yn ôl i Ffrainc o fewn deuddydd.

Doedd neb adre, hyd y gwyddwn i, yn gwbod fy mod ar fy ffordd. Tybed sut y byddwn i wrth weld Mam a Nhad? Roedd meddwl am eu gweld eto yn fy ngwneud yn nerfus. Fe wyddwn, wrth gamu o'r trên, nad yr un person a gerddodd yn falch drwy'r orsaf ar ei ffordd i Ffrainc ddeng mis yn ôl. Sut byddai fy mrodyr a'm chwiorydd efo fi? Sut byddai Richard? Rich, fy mrawd mawr a wrthododd yn chwyrn fynd i ymladd. Roedd hynny'n groes i'w egwyddorion o. Gwrthododd fynd ar dir argyhoeddiad crefyddol. A hyd yn oed ar ôl consgriptiwn, roedd yn parhau i fod yr un mor ddi-syfl. Bu'r awdurdodau'n drugarog wrtho gan ystyried ei fod yn cyflawni gwasanaeth pwysig fel athro cynorthwyol. Nid oedd Rich yn barod i godi arfau i ladd ei gyd-ddyn, a doedd o ddim yn deall pam y bu i mi wneud. Ond wnaeth o fyth, chwarae teg iddo, edliw i mi fynd. Mam wnaeth hynny, ond dim ond am noson.

Roedd y ffaith i mi ddweud celwydd am fy oed yn fwy o siom iddi bron iawn na'r ffaith i mi wirfoddoli i fynd i ymladd. Dyna'r unig dro i mi weld Mam yn wirioneddol flin. Roedd hi wedi gwylltio'n gudyll, a Rich a Nhad yn ceisio lliniaru dipyn ar ei llid. Gafaelodd yn ei siôl, a mynd allan o'r tŷ gan gau'r drws yn glep. Ni wyddem ni'r plant, nag ychwaith fy nhad, i ble'r aeth hi. Ond daeth yn ei hôl yn hwyr y nos gan fynd o gwmpas ei phethau fel pe na bai dim wedi digwydd. Ni soniodd ddim wedyn am y peth tan y diwrnod yr oeddwn i'n gadael. 'Edrych ar dy ôl dy hun, Ifor bach. Cred ti yn Nuw ac mi fydd popeth yn iawn.'

Ni fuaswn i fyth yn cyfaddef hynny i Mam nac i'm brawd, ond doeddwn i ddim yn siŵr ychwaith pam wnes innau ymuno. Beth wnaeth i mi enlistio? Lloyd George? Na. Awydd achub cam gwlad fach fel Belgium? Na. Y papurau? Na. Balchder? Efallai. Cofiaf fel yr oedd merched y Dyffryn yn fy edmygu, yn dweud wrthyf fy mod yn ddewr, a hynny'n gwneud i mi gerdded â'm cefn yn sythach a'm camau'n fwy bras. Roedd rhai merched nad oedd wedi iselhau eu hunain i edrych arnaf o'r blaen yn gwenu'n ddel arnaf. Roedd hyn wrth fodd fy nghalon wrth gwrs, ond dim ond un ferch oedd yn mynd â'm bryd go iawn, a Marged Glan Gors oedd honno. Doedd Marged ddim mor frwd â rhai o'r merched eraill wrth fy ngweld yn enlistio. 'Dwyt ti'm yn falch ohona i, Marged?' gofynnais iddi wrth ddwyn prynhawn o'i chwmni wrth Lyn y Ffridd. 'Ydw, siŵr, ond bod gen i ofn na wela i mohonat ti eto,' meddai hithau a'r llygaid llonydd duon yn ymberfeddu â'm rhai i. Rydw i'n cofio i mi chwerthin pan ddywedodd hi hynny. Doedd gen i ddim bwriad o gael fy lladd. Mi fyddwn yn ôl efo hi cyn pen dim. Er nad oeddwn innau eisiau i ni gwahanu, roeddwn ar dân, ar ôl enlistio, i fynd i ymladd. Roeddwn yn poeni f'enaid y byddai'r cyfan drosodd cyn i mi gael cyfle i brofi f'arwriaeth.

Y Dyffryn. Roeddwn i yno. Disgynnais o'r trên. Doedd fawr neb yn yr orsaf, dim ond ciwed o hogiau tua'r deuddeg oed yn tynnu ar sigaréts gefn wal. Ni welson nhw mohona i'n pasio. Roedd un o bosteri recriwtio Kitchener yn dal ar wal yr orsaf a hwnnw'n pwyntio'i fys yn fygythiol â'r llythrennau breision 'I WANT MORE MEN' arno. Roedd rhyw wàg wedi ysgrifennu enw LIZZIE PEN MORFA odditano. Cofiaf i Lizzie gynnig ei gwasanaeth i mi, pan welodd fy mod ar fin gadael am Ffrainc, fel gwobr am fy newrder.

Roeddwn wedi bod yn Nglan Gors yn gweld Marged y prynhawn tesog hwnnw cyn gadael am Ffrainc ac roedd hi'n dechrau tywyllu wrth i mi gerdded adref. Roedd hi'n noson gynnes braf, a minnau'n teimlo'n dipyn o lanc yn cael mynd i'r rhyfel. Wrth groesi pont yr Afon Fawr, clywais lais cras Lizzie Pen Morfa yn dringo'r poncyn i fyny tuag ataf. 'Rho dy law i mi, Ifor Jones, 'c'ofn mi fynd ar fy hyd.' Rhoddais fy llaw iddi a'i thynnu i fyny i'r bont. Cadwodd ei gafael yn fy llaw. 'Ti isio mynd am dro at yr afon, Ifor?' meddai hithau'n gwenu gan ddatgelu rhes o ddannedd oedd fel pibonwy bychain duon. Gwrthodais innau'n gwrtais. Daeth hithau'n nes, ac oglau hen lafant sur yn gymysg â chwys ar ei chroen crebachlyd. 'Clwad bo chdi'n mynd i'r armi. Ti'n dipyn o foi, dwyt. Ond ddoi di'n ôl 'di'r peth?' 'O dof, Lizzie. Mi welwch chi fi eto,' meddwn innau gan geisio cerdded heibio iddi. Gollyngodd Lizzie fy llaw a phlannu ei hun hi ar fy nghwdyn a'm gwthio yn erbyn wal garreg isel y bont. Roedd gen i ofn disgyn dros y wal wrth iddi wthio'i llaw yn galed yn erbyn botymau fy nhrywsus. Rhythodd arnaf a dweud, 'Sa'n bechod wastio dy ddyndod di, Ifor bach. Gna'n fawr o dy gyfla, ta ydy Marged Glan Gors 'di ca'l y blaen arna i, dwa'?'

Ar wahân i'r ffaith fod Lizzie'n codi mymryn o ofn arnaf a bod ei hoglau'n fy mygu, roedd ei chlywed yn siarad mor llac am fy Marged yn codi fy ngwrychyn, ac os nad oeddwn am ddianc o fewn yr eiliadau nesaf, roedd peryg y byddai rhywbeth arall yn codi hefyd. Cydiais yn llaw fach seimllyd Lizzie – oedd erbyn hyn wedi dechrau rhwbio yn ogystal â phwyso – a dywedais 'Nos Da' yn siort cyn brasgamu oddi yno mewn rhyddhad. Chwarddodd Lizzie gan weiddi ar fy ôl, 'Bydd rhaid i ti fagu mwy o blwc na hynna os ti isio mynd i'r armi, Ifor Jôs. Ond mi fydda i yma os fyddi di isio mwytha pan ddoi di'n ôl. Os doi di'n ôl, te?'

Ac fe ddois yn ôl, am ychydig ddyddiau. Braf oedd gweld nad oedd fawr ddim wedi newid, bod y Dyffryn yn dal ar ei draed, nad oedd tai a siopau a chapeli'n rwbel ar lawr fel adeiladau Ffrainc. Dechreuais gerdded y chwarter milltir i'r tŷ. Roedd hi wedi dechrau tywyllu, ond roeddwn i'n eithaf balch o hynny – doedd gen i ddim llawer o awydd gweld neb. Roeddwn i'n poeni'n fwy na dim beth ddywedwn i wrth bobol. Roedd meddwl am dynnu sgwrs, ac am siarad mân, yn codi ofn arnaf. Roeddwn i wedi anghofio sut oedd gwneud hynny.

Gwelais Gwil Gola' yn cerdded o'm blaen efo'i bolyn a'i fachyn yn ymestyn at y cadwyni bychain a grogai o lampau'r stryd. Roedd ganddo yntau ddau fab yn cwffio yn y Dardanelles. Fel arfer byddwn yn diolch iddo am oleuo'r ffordd o Station Road i fyny at y groesffordd o'm blaen, ond heno roeddwn eisiau anweledigrwydd y nos yn glogyn du amdanaf. Clywais sŵn plant, peth dieithr yn Ffrainc, yn chwarae sowldiwrs a nyrsys wrth geg Station Road, ac yn cael modd i fyw yn chwarae rhyfel. Gobeithiwn na chaent hwy weld dim byd tebyg i'r hyn a welais i yn Ffrainc.

Wrth gerdded i fyny'r allt gallwn weld golau'r Red

Lion a'i sŵn yn tywallt i'r lôn. Oedais am ennyd wrth y drws a gweld Isaac Roberts yng nghanol y miri. Doedd colli Wmffra yn y rhyfel ddim wedi cael effaith andwyol arno, felly. Pwy fyddai'n gorfod dioddef ei lwy bren heno, tybed? Beti druan, mae'n rhaid.

Roeddwn ar fin cerdded yn fy mlaen pan welais ddwy o ferched County Road yn eistedd yn y Lion. Gwen a Joanna Owen oedden nhw. Gyda William, eu brawd bach, yr arferwn i ddringo wal y Ficerdy a thynnu rhisgl y sycarmorwydden fawr a oedd yn ganolbwynt hyfryd i'r ardd. Gyda'r rhisgl hwnnw wedyn y byddem yn gwneud pibau bychain. William a'm dysgodd hefyd sut i wneud bwa saeth. Byddem am ddiwrnod cyfan ar lan Llyn y Ffridd yn casglu'r hesg i wneud y saethau ac yna am y gorau i weld pa mor bell y gallem eu saethu. Profedigaeth fawr i'w chwiorydd a'i fam oedd marwolaeth William yn y chwarel, ac yntau'n ddim ond pymtheg oed.

Beth ar wyneb y ddaear oedd ei chwiorydd yn ei wneud yn llymeitian yn y Lion? A oedd hi'n dderbyniol bellach i ferched fynd i dafarn? Meddyliais am Mam; beth ddywedai hi pe gwyddai bod genod County Road yn y Lion? Roedd Mam a Nhad yn llwyrymwrthodwyr pur – y ddau wedi eu heffeithio'n drwm gan y Diwygiad. Yn nhŷb Mam, ymhél â'r ddiod gadarn oedd y pechod eithaf. Bron iawn na chredwn ei bod yn meddwl ei fod yn bechod gwaeth na'r un arall, hyd yn oed odineb neu ladd. Fyddai wiw i mi ddweud wrthi fy mod yn cael llymaid o rŷm bob bore adeg *stand-to* yn y ffosydd, ac mai dyna, ar wahân i dderbyn llythyr neu barsel, oedd uchafbwynt fy niwrnod i.

Euthum yn fy mlaen gan basio'r Lion yn llechwraidd

ac yna troi'r gornel. Dyma basio siop Williams y Bwtsiar. Mam fyddai'n golchi ffedogau'r bwtsieriaid. Dyna oedd i gyfrif am yr arogleuon cnawd a gwaed fyddai beunydd yng nghegin gefn tŷ ni. Fel tâl am y golch, fe gâi Mam gigach a seimiach ar ddiwedd y dydd a llwyddai'n rhyfeddol i wneud cawl a barai ddeuddydd i'r wyth ohonom. Llwyddai Mam i greu pryd blasus o nemor ddim a doedd wiw i ni adael y gegin heb ddiolch iddi neu fe fyddai Nhad yn ei dweud hi heb flewyn ar ei dafod. Roedd fy nhad yn meddwl y byd o Mam; doedd ond rhaid i rywun weld y ffordd y byddai'n edrych arni fin nos, pan na fyddai hi'n gwybod bod ei lygaid anwesol arni.

Roeddwn o fewn tafliad carreg i County Road, ond cyn troi am ein stryd ni, roedd rhaid pasio Cumberland Stores. Roedd gen i lythyr gan Robat at Mr Evans. Byddai'n rhaid i mi fynd yno cyn gadael eto am Ffrainc. Oedais ennyd o flaen ffenest hardd ei siop. Hon oedd y ffenest y bûm fel prentis yn ei golchi'n ddeddfol bob bore cyn iddi agor. Yna, fy ngorchwyl i fyddai glanhau'r llawr gyda blawd llif llaith tra byddai Robat yn y cefn yn golchi'r cig moch fel y gallwn innau, ar ôl iddo sychu, ei orchuddio â reis a phupur er mwyn cadw'r pryfaid draw. Gallwn, bron iawn, ogleuo'r sbeisys a gedwid yn y potiau mawr yn rhesi taclus ar y silffoedd pren, y caws a ddeuai mewn blociau trigain pwys, a'r cistiau te. Ble aeth y byd hwnnw? Roedd fy myd bellach wedi newid yn llwyr. Erbyn hyn roeddwn wedi troi am County Road. Gallwn weld Brynengan. Roedd y tŷ yn dywyll a'r llenni wedi eu cau. Roedd pobman fel y bedd. A fu rhyw amryfusedd? Fyddai Mam fyth yn cau llenni'r parlwr ffrynt. Dim ond dwy waith yn unig y cofiaf hi'n gwneud hynny, a'r tro cyntaf oedd pan fu farw Rebecca, fy chwaer fach, o'r dwymyn a hithau'n ddim ond dwyflwydd oed. Dim ond cwta fis oedd yna ers i Mam eni chwaer arall i mi sef Jennie, Jennie a aned o dan gwmwl mawr, ond a ddaeth â heulwen cynnes braf i'n bywydau. Jennie, y ferch radlonaf, ddiniweitiaf. Jennie, y chwaer orau a gafodd unrhyw frawd.

Y tro arall y caewyd llenni parlwr Brynengan oedd pan fu Nain Graianog farw'n sydyn un noson ar ôl cael ei tharo gan strôc. Roedd hi wedi agor y giatiau i'r trên diwethaf i'r Dyffryn y noson honno ac wedi mynd i'r cwt o dŷ bychan oedd ganddi wrth ymyl y lein. Mae'n rhaid ei bod wedi bod yn ddiwyd y diwrnod hwnnw, gan na fedrech weld y bwrdd gan gymaint o botiau nionod oedd wedi eu piclo a llond pot llefrith o *beef* wedi ei halltu. Dynes strict iawn oedd Nain Graianog, a doeddwn i ddim llai na'i hofn hi. Roedd hi wedi cael strôc flwyddyn cyn hynny, ac roedd un ochor o'i hwyneb yn gam, fel llun wyneb mewn drych a hanner y drych â phlygiad afreolaidd yn ei wydr. Roedd hi'n anodd gythreulig ei deall pan fyddai'n harthio arnaf. Roedd Nain Graianog, fel fy mam, yn weddw yn ifanc ac yn fam i wyth o blant. Bu farw ar ei phen ei hun yn y gwely bocs oedd ganddi y tu ôl i garthen fawr lwyd a grogai o'r to.

A oedd fy nheulu yn credu fy mod i wedi marw? A ddywedwyd wrthynt fy mod innau, yn ogystal ag Wmffra, wedi trengi? Neu a oedd rhywbeth wedi digwydd i Mam? Roedd mamau ar hyd y wlad wedi torri eu calonnau wrth weld eu meibion yn mynd i ryfel. A fu'r cyfan yn ormod iddi? Pam bod y tŷ wedi ei lapio mewn dillad galar? Cerddais yn betrus at y drws. Roeddwn i yma. Roeddwn i adre, ac eto doeddwn i ddim yn gallu mynd i mewn i'r tŷ.

Fedrwn i ddim wynebu fy nheulu fy hun. Beth oedd wedi digwydd i mi? Byddai'n rhaid i mi drio bod yr Ifor oeddwn i cyn mynd i Ffrainc. Ond fedrwn i yn fy myw â chofio sut fachgen oedd hwnnw. I ble roedd Ifor Jones wedi mynd? Roedd hyd yn oed yr enw hwnnw'n ddieithr bellach. Gan bod gymaint o Jonesys yn ein bataliwn ni, fe'n cyfarchwyd ni bob tro gan ein dau rif olaf. Dyna pam mai Jones 59 oeddwn i bellach. Ond doeddwn i ddim yn adnabod hwnnw chwaith. Pwy oedd y dyn anhysbys hwn a safai fel rhith y tu allan i'w gartref ei hun?

Doedd dim sŵn i'w glywed ar wahân i'm calon yn curo fel pe bai'n cwffio i ffrwydro unrhyw funud drwy f'asennau. Fe fuaswn wedi hoffi llyncu fy mhoer, ond roedd ofn wedi fy sugno'n sych. Cerddais o flaen y ffenestr flaen a sleifio drwy'r seidin cul at gefn y tŷ. Sefais fel delw wrth ffenestr fechan y gegin gefn gan gael cyfle i weld fy nheulu cyn iddyn nhw fy ngweld i. Roedd ceisio eu gweld drwy'r angar ar y ffenestr fel edrych arnynt drwy ddagrau. Roedd Rich yno'n procio'r tân, Jennie'n fflatio'r antimacassars ar gadair freichiau Nhad a Wini'n ysgrifennu wrth y bwrdd. Beth oedd hi'n ei ysgrifennu? Fedrwn i ddim gweld.

Edrychais ar fy mrawd a'm dwy chwaer. Roedd Jennie wedi prifio. Nid hogan fach oedd hi mwyach. Edrychai'n debyg i Mam. Roedd hi'n siapus a'i gwallt golau tonnog wedi ei glymu'n dwt â ruban. Fe'i tarawodd fi yn y fan a'r lle. Roedd ganddi ruban ddu. Gwibiodd fy llygaid at Wini wrth y bwrdd. Roedd ei gwallt hithau wedi ei glymu yn yr un modd â ruban ddu. Roedd rhaid bod rhywun wedi marw, ond pwy? Doedd dim sôn am Huw a Llinos, na Mam na Nhad. Oedd rhywbeth wedi digwydd i un ohonyn nhw? Fedrwn i ddim dioddef dim mwy. Roedd rhaid i mi gael gwybod. Roedd rhywbeth mawr o'i le, ac roedd rhaid i mi gael gwybod.

Roeddwn wedi dechrau crynu. Tynnais anadl ddofn i geisio sadio fy hun ac agorais y drws. Wrth glywed clicied y drws fe gododd Rich o'i gwman ac edrych arnaf. 'Ifor!' sibrydodd. Rhedodd Jennie ataf a gafael ynof. Roedd hi mor lân, mor gynnes. Roedd cymaint o amser ers i mi fod mor agos â hyn at ferch, i deimlo gwres ei choflaid, i feddwi ar ei glendid. Tynnodd ei hun oddi wrthyf ac edrych arnaf. 'Ifor.' Fedrwn i ddim darllen ei meddwl, ond roedd hi'n edrych arnaf mewn ffordd nas gwelais hi'n gwneud o'r blaen. 'Wyt ti'n iawn?' gofynnodd. Gwneuthum ymdrech i wenu arni, ond fedrwn i ddim dweud gair. 'Rwyt ti'n edrach fel tasa ti ar lwgu. Mi 'na i rwbath i ti rŵan. Fydda i'm dau funud.' Aeth Jennie ati yn ei ffordd ddeheuig, ddi-lol arferol i roi'r tecell ar y tân ac i dorri tafell o fara. 'Ti'n fudr, Ifor,' meddai Wini o'r bwrdd gan grychu ei thrwyn. 'Taw Wini,' hisiodd Rich arni'n annodweddiadol o fygythiol.

Am foment, doedd dim sŵn yn y gegin, dim ond sïo'r tân a thipian y cloc mawr. Cloc Nain Graianog oedd hwn. Daeth Nhad ag o ar y trên o Graianog i'r Dyffryn ar ôl i Nain farw, a Rich a fo'n ei gario fel petaen nhw'n cario arch yr holl ffordd o'r orsaf i'r tŷ. Roedd y cloc mawr wedi mynnu ei le yng nghornel y gegin fach a'i wyneb pres yn llewyrchu'n sarhaus yng ngolau fflamau'r tân. Faint o weithiau y siarsiodd Mam ni i beidio â rhedeg o gwmpas yn y gegin pan oeddem yn iau, 'C'ofn i Cloc Graianog ddisgyn am eich penna chi a'ch lladd chi.' Roedd yn gas gen i'r cloc â'i wyneb haerllug. Roedd o'n lladd pob hwyl, yn fy ngalw i mewn o'r stryd pan oeddwn wedi dechrau cael blas ar chwarae ac yn pennu pryd y byddai'n rhaid i ni fynd i'r ciando. Edrychais i fyny ar ei wyneb di-hid. Roedd hi bron yn hanner awr wedi deg.

Hanner awr wedi deg! Beth oedd yr hogia'n ei wneud rŵan? Mae'n siŵr bod rhai ar sentri, yn trwsio'r weiran bigog neu'r ysgolion dringo, neu'n llenwi bagiau. Tybed oedd Robat heno â chroen ei din ar ei dalcen yn diawlio wrth lenwi'r bagiau? 'Wedi d-d-dod yma i achub y wlad 'ma ydw i, ddim i'w rhofio hi i g-g-g-yd mewn i b-b-b-lydi b-b-b-bagia!' Tua'r adeg yma bob nos byddai'r llygod mawr yn tresbasu ac yn heidio i'r ffos. Byddai Robat yn dweud yn aml ein bod mewn pedair rhyfel, un yn erbyn yr Almaen, un yn erbyn y mwd, un yn erbyn y llau ac un yn erbyn y llygod mawr! Roedd yn gas gennym ni i gyd y llygod, ond roeddent wedi datblygu'n obsesiwn gan Robat druan! Doedd o ddim am adael iddyn nhw ei drechu.

Bu Robat am noson gyfan un tro yn taro pennau'r llygod â rhaw, ac yn gweiddi'n fuddugoliaethus bob tro y trengai un ohonynt. Un noson fe drochom ni'r lle â chreosot, ac roeddem bron â mygu gan y drewdod, ond wnaeth hyd yn oed hynny ddim i gadw'r diawliaid i ffwrdd. Tua'r un pryd bob nos, mi fyddai'r llygod barus yn pitran i lawr y steps, tisian, ac yna mynd yn ddiwyd at eu gwaith beunosol o gnoi tyllau yn ein bagiau a lleibio ein rashons argyfwng.

Edrychais i fyny at yr hen gloc eto. Roedd ei fysedd, fel traed y llygod, wedi cerdded yn ddi-hid drwy'r misoedd diwethaf heb y syniad lleiaf o'r hyn y bu'n rhaid i mi ei wynebu. Roedd amser yn chwarae triciau â dyn mewn rhyfel. Un o'r pethau gwaethaf yn Ffrainc oedd yr aros, aros i rywbeth ddigwydd. Ac yna pan fyddem yn y ffosydd, roedd amser eto yn greulon. Fe ddeuai'r swyddog atom cyn i ni fynd dros y bagiau a dweud bod gennym bum munud tan bod y sioe yn dechrau. Pum munud i lenwi'r meddwl ag atgofion, i geisio anwybyddu'r ofn, i baratoi at y posibilrwydd o farw. Yn y funud olaf, fe fyddem i gyd yn ysgwyd llaw, fe fyddwn i bob tro yn darllen llythyr diweddaraf Marged ataf ac yn ceisio dwyn i gof ei gwên. Ond fe âi'r amser yn ei flaen yn ddidrugaredd, a chyn pen dim fe fyddai'r chwiban yn cael ei chanu a byddem i gyd yn heidio i Dir Neb. Lladdwyd miloedd bob dydd ers dechrau'r rhyfel, ond fe dipiai'r cloc hwn a llawer o glociau eraill mewn cartrefi ar hyd a lled Cymru eu camau'n ddifater. Byddai cloc Graianog yma ymhell ar ôl i bob un ohonom ym Mrynengan adael y byd hwn. A beth fyddai'n digwydd i'r cloc wedyn? I ba gartref arall y byddai'n mynd i gadw amser, i atgoffa'r trigolion am eu meidroldeb?

'Ifor.' Rhoddodd Jennie baned yn fy llaw, ond roedd fy llaw yn crynu fel deilen. Roedd y gwpan yn mynnu dawnsio yn ei soser. Fedrwn i mo'i chadw'n llonydd. Cymerodd Jennie'r gwpan a mynd â hi at y bwrdd.

Roeddwn eisiau gofyn ble roedd pawb, ond roedd gen i ofn cael gwybod, rhag ofn bod y newyddion mor ddrwg ag yr oeddwn yn ei ofni. 'Tyd i ista am funud, Ifor,' meddai Rich gan amneidio at y bwrdd. Roedd Wini wedi codi o'i chadair ac roedd dagrau yn ei llygaid. Aeth a thaflu'r papur y bu'n ysgrifennu arno i'r tân. 'Llythyr i ti oedd hwnna,' meddai Wini a'i bochau bychain yn crynu wrth geisio dal y dagrau'n ôl. Deuthum o hyd i lais cryg o rhywle. 'Be o'dd gen ti i ddeud wrtha i ynddo fo, Wini?' Edrychodd Wini ar Jennie a Rich, ac yna'n ôl ata i. Codais ar fy nhraed. Roedd cynnwys y llythyr yn crebachu'n lludw yn y grat. Teflais gip at Rich. 'Lle ma' Mam?' Edrychodd Rich arnaf gan gymryd fy mraich a'm tywys at y bwrdd. 'Mae Mam yn iawn, Ifor. Mae hi yn ei gwely, mae hi braidd yn wan. Fe gafodd hi hogyn bach wythnos yn ôl. Idris ydy enw ein brawd bach newydd ni.'

Roedd y rhyddhad nad oedd dim wedi digwydd i Mam yn gymaint nes i mi ddisgyn i'r gadair a phlannu fy mhen yn fy nwylo. Roedd gen i frawd arall. Roedd hi'n anodd dirnad y fath beth. Rhoddais ochenaid. Doeddwn i ddim am grio, dim o flaen fy chwiorydd. Rhaid oedd bod yn gadarn. Eisteddais ar fy nwylo er mwyn ceisio cuddio'r cryndod. Roeddwn i'n cymryd felly nad oedd unrhyw brofedigaeth deuluol wedi digwydd. Efallai ei fod yn arferiad yn ystod y rhyfel i gau llenni, i ferched wisgo rubanau duon yn eu gwallt. Edrychais ar y grât fawr ddu. Roedd rhywbeth ar goll. Doedd ffustion Nhad ddim yn eu lle arferol yn sychu. 'Lle ma' Dad?' gofynnais. Edrychodd y tri arnaf yn fud. Ailadroddais fy nghwestiwn. Roeddwn ar fy nhraed erbyn hyn. Gwyddwn bod rhywbeth mawr o'i le. Gorchmynnodd Rich fi i eistedd a dywedodd yr hanes am Nhad yn mynd drwy'r glaw i nôl y meddyg at Mam pan oedd hi ar fin esgor a sut y bu iddo farw o niwmonia o fewn dyddiau i hynny.

'Mi roeddan ni'n claddu ddoe, Ifor. Fe gafodd Nhad y cynhebrwng mwyaf ma'r Dyffryn 'ma erioed wedi ei weld.'

Pe byddwn i'n swyddog yn hytrach na phreifat cyffredin ac yn cael teithio 'nôl o Boulogne yn hytrach nag o Le Havre, diau y byddwn wedi llwyddo i gyrraedd y Dyffryn mewn pryd ar gyfer cynhebrwng annhymig fy Nhad. Roedd bywyd wedi mynd yn ei flaen ym Mrynengan ers i mi adael, fel pe na bai rhyfel. Roedd bywyd wedi ei greu a bywyd wedi ei ddarfod. Roeddwn wedi colli fy nhad ac wedi ennill brawd. Ddywedodd yr un ohonom ni ddim byd, dim gair. Doedd dim siw na miw yn y gegin fach ar wahân i dipian difraw cloc Graianog.

19

Mynnodd Richard mod i'n cael ei wely o a Huw y noson honno. Dywedodd wrthyf, mewn llais fel uwd o feddal, fy mod i angen noson iawn o gwsg. Mynnais innau, mewn llais nad adwaenwn, nad oedd neb i ddweud wrth Mam fy mod adre tan y bore. Roedd hithau angen ei chwsg. Ond y gwir plaen oedd fod gen i ofn wynebu Mam, ofn na fedrwn ddal, ofn pe bawn yn crio na fyddwn yn gallu peidio.

Sleifiais i fyny i'r llofft. Roedd pob man yn dawel. Rhaid bod pawb yn cysgu. Sefais am ennyd wrth ddrws cilagored llofft fy rhieni. Tarais fy mhen yn ofalus rownd y drws. Yno yn y gwyll gallwn weld Mam ar ei hochr a'r bwndel bach yn ei breichiau a Huw ar wastad ei gefn yn lle yr arferai Nhad orwedd. Fel roeddwn yn troi i adael clywais lais Mam yn galw fy enw. Edrychodd y ddau ohonom ar ein gilydd am ennyd a deimlai fel oes. 'Doeddwn i ddim isio'ch deffro chi, Mam. Dach chi 'di bod drwy betha mawr.' Cododd Mam ar ei heistedd gan godi'r baban bychan i mi gael ei weld. 'Ifor, dyma Idris, dy frawd bach di. Wyt ti isio gafael ynddo fo?' Doedd gen i ddim mymryn o awydd gafael yn y baban. Roedd gen i ormod o ofn ei ollwng, ond fedrwn i ddim gwrthod.

Cymerais ef gan Mam. Idris. Mor ddiniwed. Mor lân. Ond wrth edrych i lawr ar wyneb difrycheulyd fy mrawd bach wythnos oed, y cyfan a welwn oedd ei organau mewnol yn nofio mewn gwaed. Fedrwn i ddim cael gwared â'r darluniau yn fy mhen o gyrff, o aelodau o gyrff nad oedd posib eu hadnabod, o hanner pen Hubert ar ôl iddo gael ei daro gan 5.9 yn Delville a'r ymennydd yn diferu'n llid tywyll i lawr dros ei hanner grudd. Nid oedd gan neb ddirnadaeth o'r fath beth. Gwasgais Idris bach yn dynn at fy mrest er mwyn ceisio dileu'r darluniau. Dechreuodd oernadu. Cymerodd Mam ef oddi arnaf a'i roi ar ei bron las-wythiennog. Edrychodd arnaf â'i llygaid llawn gofid. 'Wyt titha 'di bod drw betha mawr hefyd, yn do, Ifor bach. Dos i dy wely. Fe gawn ni roi'r byd yn ei le yn y bora.'

Gyda rhyddhad enfawr y gadewais y llofft a throi'n lluddedig am y llofft fechan arall ar ben y landin. Yr unig bethau yn y llofft oedd gwely, cadair, cist, drych bach sgwâr a sampler Gweddi'r Arglwydd – a wnïodd Mam pan oedd hi'n hogan ifanc – yn crogi ar y wal. Dyma'r gwely yr arferwn ei rannu gyda Richard a Huw. Wrth ochr y gwely, yn un twr, roedd llyfrau ysgol Rich. Gwelais adlewyrchiad yn y drych. Cymerodd eiliad neu ddwy i mi sylweddoli mai fy wyneb i a rythai'n gythryblus arnaf. Roedd fy mochau'n hongian fel dwy sach a'm llygaid yn ddyfnach, fel dau faril gwn.

Eisteddais ar erchwyn y gwely, gan ddechrau agor botymau'r siaced. Roedd fy nwylo'n crynu. Gwyrais i dynnu'r bŵts a oedd fel ail groen i mi erbyn hyn. Pryd y tynnais nhw ddiwethaf, wyddwn i ddim. Bu'n rhaid i mi ddefnyddio cyllell boced i grafu'r sanau oddi ar fy nhraed clwyfedig. Ymhen hir a hwyr, wedi diosg pob dim, gan gynnwys fy nghrys llawn llau, syrthiais yn lluddedig i'r gwely glân cynnes.

Mor braf oedd y gwely, ac eto, fedrwn i ddim yn fy myw â chysgu. Roeddwn i adre, ac eto fe deimlwn mor bell. Ceisiais fwynhau'r glendid, y cysur, ond fedrwn i ddim. Wrth gau fy llygaid fe fflachiai luniau o'r ffosydd, y goleuadau Verey, y siels, y cyrff, y llygod, y mwd. Doedd dim dihangfa. Roeddwn i methu'n lân â deall pam na allwn gysgu yma pan oeddwn yn medru cysgu ar fy nhraed ynghanol bomiau Ffrainc. Roedd rhan ohonof yn ysu am fynd yn ôl yno, yn ôl i ryw fath o normalrwydd, gan mai hwnnw, mae'n debyg, oedd fy normalrwydd i bellach

Codais o'r gwely. Estynnais y darn papur o'r siaced. Cofiais y tro diwethaf y bûm yn fy nghwman â'm trwyn yn y papur. Roedden ni yn y *support trenches*, gwta wythnos cyn i mi gael *leave*. Roedd hi'n gyfnod eithaf tawel ac roeddwn i'n eistedd ar waelod y *fire-step* yn gwneud nodiadau ar y papur maniwsgript a anfonodd Jennie ataf ychydig wythnosau cyn hynny. Roedd Bain yn sefyll yno'n byseddu ei laswyr. Cododd ei ben ac edrych arnaf. '*Jones 59! What are you doing*?' '*I'm writing, sir*,' meddwn innau'n straffaglio i godi ac wedi dychryn am fy hoedl. Roeddwn wedi llwyr ymgolli yn y darn. Chwarddodd Bain. '*I can see that you are writing, Jones. What are you writing? A letter to your sweetheart?*' '*No, sir. Music, sir.*' Edrychodd Bain arnaf mewn rhyfeddod. '*You can write music here?*' meddai gan gamu tuag ataf a chipdremio dros fy ysgwydd ar y papur ar fy nglin. Codais f'ysgwyddau. Doeddwn i ddim yn gwybod ai cerddoriaeth oeddwn i'n ei ysgrifennu. *'What is it called?'* gofynnodd Bain wedyn. *'I don't know, sir,'* atebais innau'n onest. *'What is it about then?' 'I don't know, sir. Life, death. I don't know.'* Bu distawrwydd rhyngom am amser hir, cyn i Bain ddweud, '*I'm sure it is a fitting tribute to all our great lads who have perished in this war.*' '*Yes, sir,*' meddwn innau.

Roedd ar fin mynd, ond fe drodd yn ôl ataf a dweud '*Elegie*'. Doeddwn i ddim yn deall. Roedd fy Saesneg wedi gwella'n arw ers bod yn Ffrainc, ond fy Ffrangeg, ar wahân i *estaminet*, *vin*, *lit*, *bonjour* a *oui/non* yn ddim. Edrychais arno mewn penbleth. '*Elegie,*' meddai wedyn. '*That would be a fitting title for your music, would it not?*' Rhoddais wên wan iddo a dweud '*Would it, yes.*' Codais y papur ato gan gynnig iddo ysgrifennu'r teitl ar y dudalen flaen. Rhoddodd yntau ei laswyr i mi, ac ysgrifennodd *Elegie* mewn llawysgrifen coprplat hyfryd. '*Very fitting,*' meddai eto, cyn cyfnewid fy mhapur am ei laswyr. '*Yes, very fitting, sir,*' atebais innau fel adlais iddo, heb ddeall yn iawn beth oedd ystyr *fitting*, dim ond ei fod yn un o hoff eiriau'r gŵr bonheddig hwn.

Aeth Bain yn ei flaen gan fy ngadael innau i geisio troi'r plwm yn fy mhensil yn gerddoriaeth. Ond yr unig beth a glywn yn fy mhen oedd sŵn y magnelau, ac eto, roedd rhyw lonyddwch yn dod i mi weithiau wrth daro'r nodau bach duon ar hyd yr erwydd, i geisio gwneud synnwyr o anhrefn.

Yn fy llofft fechan, euthum i sefyll at y ffenestr er mwyn benthyg mymryn ar olau'r lleuad uwchben i ddarllen fy ngherddoriaeth, os cerddoriaeth oedd o hefyd. Roeddwn wedi edrych ymlaen at roi cynnig ar y darn ar y piano tra oeddwn i adre. Cael clywed y nodau go iawn, yn hytrach nag yn fy meddwl. Roeddwn wedi hiraethu gymaint am y piano tra oeddwn yn Ffrainc. Ond wrth edrych ar y nodau yn fy llofft gysurus yn ôl yn y Dyffryn, yr unig beth a welwn ar yr erwydd ar y papur o'm blaen oedd silwéts y milwyr yn crogi ar weiren bigog. Roedd y rhyfel wedi cipio'r gerddoriaeth o'm henaid. Plygais y papur a'i roi yn y gist. Efallai y byddwn yn teimlo'n well y tro nesaf y down adref. Edrychais eto ar y gwely. Roedd yn rhy gyfforddus. Gosodais fy siaced a'm crys ar lawr a gorwedd arnynt, ond chysgodd y llau na minnau ddim drwy'r nos.

20

Deuddydd llawn a gefais yn y Dyffryn, cyn troi yn fy ôl am Ffrainc. Dyna, mae'n debyg, rai o ddyddiau anoddaf fy mywyd; hyd yn oed yn anoddach, efallai, na'r dyddiau yn y ffosydd. Er bod cynifer ohonom ynddo, teimlai'r tŷ bychan yn wag heb gwmni dedwydd fy nhad a'i straeon difyr o'r chwarel. Cofiwn ef yn adrodd un noson, rai dyddiau cyn i mi adael am Ffrainc a phan nad oedd Mam na'm chwiorydd o gwmpas, i Harri Pen Nionyn orfod ymddiheuro i'r Stiward am regi arno y diwrnod blaenorol. Doedd ymddiheuro ddim yn dod yn hawdd i Harri, ond roedd hi'n hynny, neu fod ar y plwyf. Ac felly fe aeth yr hen Harri at y Stiward â'i gynffon rhwng ei goesau gan ddweud: 'Dach chi'n gwbod i mi ddeud 'thach chi ddoe am fynd i'r diawl, wel, does dim raid i chi fynd rŵan!'

Gallwn glywed fy nhad yn piffian chwerthin yn y gadair freichiau wrth y tân a ninnau, y meibion, i'w ganlyn gan erfyn am fwy o hanesion. Roedd ei chwerthiniad yn heintus. Byddai'n rhoi ei ddwrn yn ei geg i atal ei hun rhag ffrwydro, yn union fel hogyn bach drwg yn rhichian chwerthin mewn gwasanaeth yn y capel, pan nad oedd fiw iddo wneud. Roeddwn yn ei golli'n affwysol, ond fedrwn i ddim hyd yn oed gydnabod y golled i mi fy hun, rhag ofn i mi ymddatod fel un o belenni gwlân Jennie pan gâi Llinos fach afael ynddi a chodi gwrychyn ei chwaer fawr.

Deuai pobol i'r tŷ i gydymdeimlo ac i'm croesawu adref. Roedd pawb, gan gynnwys fy mrodyr a'm chwiorydd, eisiau hanes y rhyfel. Y cyfan a gawn, o fore gwyn tan nos, oedd y rhyfel hyn a'r rhyfel llall. Rhyfel, rhyfel, rhyfel; a minnau'n ceisio fy ngorau glas i anghofio'r diawl peth.

Yr unig rai na wnaeth fy holi'n dwll am y rhyfel oedd Mam a Marged. Roedd Mam yn dawedog; y cyfan a wnâi fyddai syllu arnaf o bryd i'w gilydd pan dybiai na wyddwn fod ei llygaid gofidus arnaf. Fe wyddai Mam nad oedd angen dweud dim. Doedd dim geiriau i ddisgrifio'r hyn a welais yn y *Front Line*. Roedd Huw bach ar dân eisiau gwybod pob dim am y rhyfel, ac yn enwedig pa fath o ynnau a welswn. Beth oedd yr arf pwysicaf a ddefnyddid? Doeddwn i ddim am ddweud wrth hogyn bach wyth mlwydd oed mai dewrder moesol oedd prif arf y rhyfel hwn. Mynnai gael gwybod a oedd Lloyd George yn anfon digon o filwyr ac arfau i ni? Fedrwn i mo'i ateb o, dim ond dweud mai'r prinder mwyaf oedd cludwyr y stretsiers. Doedd yna byth ddigon o'r rheiny.

Pan oedd Huw wrthi'n fy mwydro'n lân â'i gwestiynau diddiwedd am y rhyfel, fe fyddai Mam yn ysytyriol ohonof ac yn rhoi gorchwyl iddo, neu'n ei anfon i chwarae, neu'n gofyn iddo warchod Llinos, er mwyn i mi gael ysbaid o'r holi. Fe ufuddhâi fy mrodyr a'm chwiorydd yn syth bìn i Mam. Roedd rhyw urddas tawel yn perthyn iddi, ac fe wisgai ei galar yn dawel a di-lol, ond ni allwn siarad â hi fel yr arferwn wneud cyn mynd i Ffrainc. Y cyfan allwn i ei wneud oedd ceisio cuddio rhagddi yr arswyd yn fy enaid.

Daeth Mr Evans, Cumberland Stores, acw drannoeth fy nychweliad. Roedd wedi cael clust yn y siop fy mod adref. Daeth i'r gegin atom, â'i gap yn un llaw a phwys o gaws yn y llall. Diolchodd Mam iddo a chynnig hen gadair freichiau fy nhad iddo eistedd arni. Roedd golwg wedi torri arno, ei lygaid yn holltau bychain y tu ôl i'w sbectol fach gron a lithrai at ddibyn ei drwyn main. Mae'n siŵr ei fod yn dipyn o faich arno fo a'i frawd Evan a Laura'r forwyn heb gymorth Robat a minnau yn y siop. Ceisiais fy ngorau i ateb ei gwestiynau, ond roedd hynny hefyd yn straen. Addawodd y byddai lle i mi a Robat yn y siop pan ddeuem adre. Rhoddais innau lythyr Robat iddo. Cododd ar ei draed a gwnaeth Mam yr un modd. Holais innau beth o hanes Evan, cyn iddo adael. Edrychodd Mr Evans a Mam ar ei gilydd. Cymylodd wyneb Mr Evans, gwthiodd ei sbectol yn nes at ei lygaid ac eglurodd fod ei frawd wedi ei ladd yn Beaumont Hamel fis Rhagfyr. Fedrwn i ddim credu'r peth. Wyddwn i ddim fod Evan wedi enlistio, heb sôn am farw.

Ar ben hynny, roeddwn innau yn Beaumont Hamel yn ystod mis Rhagfyr. Roedden ni i fod i geisio cipio'r *Munich Trench.* Llyffethair mwyaf unrhyw filwr y Nadolig hwnnw yn Beaumont Hamel oedd nid y magnelau na'r Almaenwyr, ond y tir. Roedd yr amodau yno'n erchyll, gyda'r gwaethaf a welswn. Roedd mwd yr Ancre yn dyffeio pob ymdrech. Roedd y tywydd a churo di-dor y magnelau wedi troi'r holl ardal yn un stwnsh corslyd, anhydrin. Doedd dim modd cloddio ffosydd, gan y byddent yn llenwi â dŵr a mwd o fewn dim. Yr unig beth a gloddiem o'r mwd oedd dynion. Roedd yna selerydd yn ardal Beaumont Hamel, ond roedd rheiny bellach yn adfeilion. Doedd dim dyg-owts o gwbl ar hyd y lein yma. Ar yr unfed ar ddeg o Ionawr fe ymosodom ni'n llwyddiannus ar y *Munich Trench.*

Mewn llai nag wythnos roedd ein bataliwn wedi cipio hanner cant o garcharorion. Rai dyddiau cyn hynny aeth deg Almaenwr ar goll yn y niwl. Daethant atom yn brudd ond yn barod i ildio. Dynion oedden nhw, fel ninnau. Edrychais arnynt gan ofyn i mi fy hun beth ddiawl oedden ni'n ei wneud? Pam ein bod yno o gwbl? Doedden nhw, fwy na minnau, ddim eisiau lladd. Pryd, o pryd y deuai'r uffern hwn i ben?

Rydw i'n cofio, yn Beaumont Hamel, i mi lithro ar hyd un o fyrddau pren sigledig y ffos. Fe'm gorchuddiwyd â mwd gwlyb. Roedd y glaw a'r mwd yn cynyddu pwysau fy mhac a'm cot fawr. Fe regais fel na wnes erioed o'r blaen a Robat yno'n chwerthin ar fy niwyg brown, newydd. Sodrodd ei wn ar lawr er mwyn rhoi cymorth i mi godi. Daeth ei dro yntau i felltithio Ffrainc a'r Almaen wrth droi a gweld fod ei wn a'i holl eiddo wedi eu claddu yn y mwd. Ond wyddai Robat na minnau ddim bod ein cyflogwr yn dioddef o dan yr un amodau yn Beaumont Hamel y Nadolig hwnnw. Ymddiheurais yn daer gan edrych i fyny at Mr Evans a Mam gan ailadrodd y geiriau 'Wyddwn i ddim. Wyddwn i ddim.'

Eglurodd Mr Evans mai wythnos yn unig y bu ei frawd yn Ffrainc cyn cael ei daro yn ei frest gan fwled. Bu farw ar amrantiad. Ceisiais innau ei gysuro drwy egluro rhagoriaethau cael eich lladd gan fwled. Edrychai Mam arnaf mewn arswyd, ond fe'i hanwybyddais. Eglurais bod *direct hit* yn well na dioddef o ysgyrion siel, neu nwy, neu'r oerfel, neu fidog, neu foddi mewn twll siel yn Nhir Neb neu farw'n araf ynghlwm mewn weiren bigog . . . Roeddwn erbyn hyn wedi codi ar fy nhraed i areithio ar fy mhwnc arbenigol. Roedd cymaint o ffyrdd i farw, cymaint o bosibiliadau. Euthum yn fy mlaen. 'Yn bersonol, fe fyddai'n well gen inna gael fy lladd gan fwled . . . Unrhyw beth, ond nid y weiran. Dyna fy ofn mwyaf. Mae ceisio symud ar draws Tir Neb heb gael eich saethu i'r llawr neu gael eich darnio gan siel yn ddigon brawychus, ond mae rhedeg at wal o weiren bigog yn waeth. Mae pob un milwr yn gwybod y gall gael ei rwydo yn y weiren a'i larpio, yna dim ond aros i'r peirianddrylliau wneud eu gwaith, neu grogi yno fel cnu ar ddrain a marw'n araf, araf . . .'

Estynnodd Mr Evans ei law ataf tra oeddwn ar ganol fy llith. Gafaelais innau yn ei law, yn barod i'w hysgwyd, ond tynnodd Mr Evans fi tuag ato. Cofleidiodd fi'n dynn. Ni bu'n hir cyn i mi sylweddoli fod Mr Evans yn wylo'n hidl. Datglymodd ei hun o'r goflaid, tynnu ei sbectol, sychu ei ddagrau a dweud, 'Gwna di'n siŵr dy fod ti a

Robat yn dod yn ôl mewn un darn. Wyt ti'n dallt?' Gosododd y sbectol yn ôl ar ei drwyn, ac ar hynny trodd ar ei sawdl a mynd trwy'r drws.

Roedd Mam erbyn hyn wedi eistedd ac wedi claddu ei phen ym mlanced y babi. Fel 'y babi' y cyfeiriwn ato, nid fel Idris. Roeddwn i'n edliw i'r peth bach ddwyn fy nhad oddi arnaf. Edrychais ar Mam drwy fy llygaid llaith a gofyn yn chwerw, 'Pam na ddywedodd neb wrtha i?' Ddywedodd Mam ddim. Y tro hwn fe waeddais, 'Pam na ddywedodd neb wrtha i?!' Safodd Mam â'r babi yn ei breichiau ar ganol llawr y gegin a dweud yn dawel, 'Ifor bach, y peth cyntaf oedd dweud wrthyt ti am dy dad. Pe byddwn wedi dechrau dweud wrthyt neithiwr am bawb sydd wedi marw ers i ti adael, yna mi fyddwn i'n dal i siarad bore 'ma. Does yna neb yn cael ei esgusodi. Mae galar wedi cyffwrdd â phob tŷ yn y Dyffryn yma.'

Ar hynny, fe gythrais am y drws a rhedeg o'r tŷ. Roedd yn rhaid i mi gael awyr. Roeddwn i'n mygu. Rhedais i fyny'r stryd gan anwybyddu pawb a'm cyfarchodd. Galar! Be wydden nhw am alar? Roedd pawb yn y stryd yn ymddwyn fel pe na bai'r rhyfel wedi bod, fel pe na bai'r rhyfel yn bod, y funud hon. Roedd milwyr, hogiau fel finnau, yn cael eu darnio'n llwch wrth i ni siarad. Beth falien nhw amdanynt? Roedd y rhyfel fel pe bai wedi llonni pawb yn y Dyffryn. Roedd cymaint wedi newid; merched yn mynd i'r dafarn, eu sgertiau'n fyrrach, merched yn gweithio . . . Onid oedd Wini wedi cael gwaith yn y Post? Onid oedd bywyd yn mynd yn ei flaen yn eithaf didramgwydd? Onid oedd fy rhieni wedi llwyddo i epilio tra oeddwn i'n ceisio cadw'n fyw? Onid oedd ganddynt unrhyw gydymdeimlad, unrhyw amgyffred o'r hyn oedd yn digwydd yr ochr arall i'r dŵr?

Roedd y teimladau hyn o ddicter a chwerwder ac anghyfiawnder yn fy llethu ac roedd awydd mawr arnaf i ddial arnynt am eu difaterwch. Rhedais hyd nes nad oedd prin anadl ar ôl yn fy nghorff a'm croen yn laddar o chwys. Roeddwn wedi rhedeg fel ewig, fel pe bai cŵn Annwn yn fy erlid, fel pe bai diwedd y byd ar ddod. Syrthiais yn swp truenus i'r llawr. Roeddwn ar ben poncen, uwchben y dref. Roeddwn o fewn chwarter milltir i Lan Gors, o fewn chwarter milltir i Marged, o fewn chwarter milltir i'r unig un fedrai fy ngwaredu.

21

Wrth nesáu at Lan Gors fe gynyddai fy ofnau. Roedd rhywbeth yn fy nal yn ôl. Beth yn union a'm rhwystrai rhag mynd i weld y ferch yr oeddwn yn ei charu; y ferch yr oeddwn wedi dotio â hi; y ferch yr oeddwn wedi addunedu i'w phriodi pan fyddai fy nghyfnod fel prentis yn Cumberland Stores wedi dod i ben a phan fyddwn felly yn dechrau ennill cyflog iawn? Fe wn yn awr wrth orwedd yma yn Nhir Neb mai ofn oedd wedi gafael arnaf. Ofn y byddwn yn datgelu fy ofnau mwyaf iddi hi. Ofn y deuai'r gwir i'r fei, nad oeddwn yr arwr mawr yr oeddwn wedi ffugio bod wrth adael y Dyffryn yn fy lifrai milwr. Roedd gen i ofn bychan hefyd na fyddai ei theimladau hi yr un fath ag yr oedden nhw ddeng mis yn ôl, er gwaetha'i llythyrau mynych ataf.

Roedd llawer o hanesion yn ein cyrraedd yn Ffrainc am 'fabanod y rhyfel yn ôl ym Mhrydain'. Roedd un dyn, yn ein cwmni ni, wedi saethu ei hun ar ôl iddo glywed bod ei gariad wedi beichiogi â dyn arall o'i bentref o. Un o'r ychydig bethau a'n cadwai ni'n weddol o fewn ein pwyll oedd gwybod bod rhywrai adref yn aros amdanom, yn meddwl amdanol, yn driw i ni. Roedd cymaint wedi fy synnu, yn newyddion i mi, ers cyrraedd adref, fel na fedrwn i ddim bod yn hollol ddiogel fy meddwl bod Marged heb newid. A oedd yna ryw newyddion am Marged a fyddai'n fy nhaflu oddi ar fy echel?

Aeth oriau heibio cyn i mi fagu plwc i fynd i Lan Gors. Wrth guro ar ddrws y tyddyn, llyncais fy mhoer a gwthio fy nwylo i'm pocedi er mwyn cuddio'r cryndod tragwyddol.

Daeth chwaer Marged at y drws. Roedd Elin, fel ei chwaer, yn ferch dlos, ond ddim mor syfrdanol o hardd â Marged. Agorodd ei llygaid mawr yn fwy pan welodd fi. Esboniodd nad oedd Marged adref. Roedd hi yn y bandrwm yn y Sarn. Edrychais arni mewn syndod. 'Be? Ydy Marged wedi ymuno â'r band?' Chwarddodd Elin chwerthiniad ei chwaer, chwerthiniad fel bwrlwm dŵr y nant a gydredai â thalcen y tyddyn, ac a fyddai'n bygwth gorlifo ei glannau bychain pan fyddai'n dywydd mawr a cheisio llety yn y tyddyn. 'Nac ydi,' meddai Elin, 'mae hi wedi cael gwaith. Mae'r bandrwm wedi ei droi'n weithdy gwneud sanau i chi'r milwyr. Mae hi'n gweithio yno ddeuddydd yr wythnos tra dwi'n gwarchod Tada, ac yna dwi'n gweithio yno ddeuddydd tra mae Magi'n gwarchod.' Roedd yn gas gen i'r enw Magi pan roedd Marged yn enw cymaint mwy urddasol i ferch mor brydweddol. Roedd yn gasach byth gen i feddwl amdani'n gwau sanau er cymaint yr oeddem ni'r hogiau eu hangen.

Gwahoddodd Elin fi i mewn i'r tyddyn tywyll ond gwrthodais yn gwrtais. Holais ar ôl Mr Lloyd. Cefais wybod nad oedd cyflwr eu tad wedi newid dim. Yn fuan ar ôl iddo golli ei wraig, roedd Tom Lloyd wedi ei daro, fel pe bai dros nos, â'r crydcymalau. Roedd ei gorff fel carchar iddo. Prin y gallai symud gewyn, a bu'n rhaid i'w ddwy ferch dendio arno ddydd a nos byth ers hynny.

Gadewais y tyddyn a cherdded draw i gyfeiriad y Sarn. Bûm yn eistedd ar ddarn gwastad o lechen uwchben y Dyffryn am ychydig tra'n disgwyl am Marged. Edrychais i lawr ar y Dyffryn. Roedd yn lle oer, a'r haul di-gymhelliad yn rhy ddiog i daflu ei belydrau gwan ymhellach na thros gopa crib y graig. Roedd hi wedi dechrau oeri a'r garreg yn lleithio oddi tanaf, ond ni fûm yn disgwyl yn hir. Clywais ei llais cyn ei gweld. Roedd hi'n mwmian canu iddi hi ei hun. Er ei bod o fewn ychydig droedfeddi i mi, nid oedd wedi sylwi arnaf. Roeddwn wedi dechrau crynu eto. Roedd ei gweld wedi fy nrysu am ennyd. Codais ar fy nhraed, ac wrth i mi wneud hynny fe'i gwelodd fi a dychryn. Rhoddodd waedd fach, cyn rhoi ei llaw fach wen at ei cheg. 'Ifor!' Gwnes ymdrech ar i wenu arni. Safai'r ddau ohonom yn rhythu ar ein gilydd yn swil. 'Wyddwn i ddim dy fod ti wedi dod adre. Am faint wyt ti'n cael aros?'

Eglurais y byddai'n rhaid i mi fynd yn ôl drennydd. 'Roedd yn ddrwg iawn gen i glywed am dy dad, Ifor,' meddai hithau wedyn. Roedd y ddau ohonom yn dal i sefyll yn ein hunfan. Roeddwn eisiau mynd ati, gafael yn ei gwast fain, a chladdu fy mhen anniddig yn niddosrwydd ei bronnau llawnion. 'Hoffet ti ddod am dro am funud?' cynigiais. Cytunodd hithau a cherddodd y ddau ohonom fel dau ddieithryn i fyny tua'r graig. Ni ddaliasom ddwylo na hyd yn oed edrych ar ein gilydd. Ni siaradem nemor ddim ychwaith. Yr unig sŵn i'w glywed oedd trydar ambell aderyn a siffrwd ein traed drwy'r brwyn llaith.

Wedi cyrraedd ein hoff fan, ger glannau'r llyn ac yng nghysgod Craig y Cwm, fe eisteddodd y ddau ohonom ar garreg. Cymaint y bûm yn meddwl am Lyn y Ffridd pan oeddwn yn chwys domen yn Derlancourt yr haf diwethaf! Mor braf fyddai bod wedi cael plymio'n noeth i'w ddyfroedd oer yr adeg honno a nofio 'nôl at yr hwyaid dwl wrth y lan. Roeddem newydd gyrraedd Derlancourt er mwyn cryfhau niferoedd gostyngol y bataliwn. O fewn wythnos cawsom orchymyn i fynd i ymosod ar le o'r enw Ginchy ger Coedwig Delville. Delville. Yn y goedwig hon y byddai'r siels yn taro'r coed cyn ffrwydro'n annhymig a tharo'n ddamweiniol ein troedfilwyr ni ein hunain. Roedd y dur yn gorchfygu'r coed. Yn Delville y teimlais am y tro cyntaf fel hen ddyn. Roedd fy ieuenctid ac unrhyw ddiniweidrwydd a berthynai i mi wedi ei ddwyn gan yr erchyllterau a welais yn y coed.

Er na chrybwyllwyd y peth, fe gofiai Marged a minnau y tro diwethaf i ni eistedd yma ar lan y llyn. Y noson cyn i mi fynd i Ffrainc oedd hi, y noson pan welais i Lizzie Pen Morfa ar bont yr Afon Fawr wrth i mi droi am adref. Roedd Marged a minnau wedi bod yn caru. Roeddwn wedi dechrau colli rheolaeth arnaf fi fy hun y prynhawn hwnnw, a Marged hefyd, cymaint roedd y ddau ohonom eisiau ein gilydd. Ond rhywsut, rhywfodd, llwyddasom i ymatal, diolch yn bennaf i Marged. Doedd hi ddim eisiau beichiogi cyn i ni briodi – byddai'r gwarth yn ormod. Ac eto, roedd hi eisiau. O! Roedd hi eisiau! Y fath rwystredigaeth! Fe ddywedodd Marged y prynhawn hwnnw, wrth i mi ei helpu i roi trefn ar ei dillad, 'Be tasa selogion Calfaria yn ein gweld ni rŵan, yn noeth ym mreichiau'n gilydd, Ifor?' A chofiaf i mi ei hateb, 'Mi fydden nhw'n dyst i wir gariad.'

A dyna pryd yr addawodd Marged i mi y byddai'n disgwyl amdanaf ac y byddai'n rhoi ei hun yn gyfan gwbl i mi pan ddown adref. Dywedais innau y byddai'r rhyfel yn werth ei ddioddef o wybod hynny. Wyddwn i ddim yr adeg honno, yn nyddiau diniweidrwydd, pa mor erchyll fyddai'r rhyfel.

A dyna ni yno.Y ddau ohonom yn ôl yn yr un lle, ond bod ein byd wedi ei drawsnewid, a minnau i'w ganlyn. Roedd y sgwrs rhyngom yn chwithig. Roedd y presennol yn anodd i mi. Doedd y presennol ddim yn perthyn i realiti o gwbl. Doeddwn i'n gwneud dim ond ymdroi yn y gorffennol, yn methu'n lân â rhag-weld na dychmygu unrhyw fath o ddyfodol. Edrychais i fyny at Graig y Cwm uwch ein pennau a'r rhedyn yn rhwd ar y mynydd. Roedd y cwm fel crater enfawr a'r defaid ar y sgri fel milwyr yn ymbalfalu i'r wyneb. Tynais fy nghot fawr a'i gosod ar y garreg i ni gael eistedd arni.

Er mwyn taflu'r sylw oddi arnaf fi, fe ddechreuais holi Marged am y gweithdy. Eglurodd yn falch bod gwau sanau i'r milwyr wedi datblygu i fod yn dipyn o ddiwydiant. Roedd chwe pheiriant yn y Bandrwm erbyn hyn a thros ddeg ar hugain o ferched lleol wedi eu hyfforddi ar gyfer y gwaith. Roedden nhw wedi gwneud dros drigain mil o sanau ers addasu'r Bandrwm yn weithdy. Roedden nhw wedi clywed cymaint o hanesion annifyr am gyflwr traed y milwyr, ac fe deimlent yn well wrth feddwl eu bod yn gwneud rhyw gyfraniad, pa mor fychan bynnag ydoedd, at yr achos. Gwrandewais yn astud ar lais Marged yn dweud ei hanes am hydoedd heb glywed yr un gair. Astudiais ei cheg, y gwefusau llawnion, y dannedd gwynion, a'r llais fel melfed. Roedd hi'n hardd a'i hwyneb yn delyneg. Deffrois o'm perlesmair wrth i'w llais godi: 'Ifor! Ifor! Wyt ti'n iawn?' Edrychais ar ei hwyneb ffwndrus. Roeddwn eisiau dweud wrthi nad oeddwn i'n iawn, na allwn rag-weld y byddwn byth yn iawn eto; fy mod yn dechrau meddwl 'mod i'n gwallgofi. Roedd yr olwg yn ei llygaid yn awgrymu ei bod hi wedi dechrau amau hynny eisoes. 'Ydy o'n ofnadwy, Ifor?' gofynnodd yn dawel gan afael yn fy llaw. Ddywedais i ddim, dim ond gwasgu ei llaw tra disgynnai'r dagrau o'm llygaid. 'Mi fydd o drosodd cyn bo hir, Ifor.' Ysgydwais fy mhen. Ni ddeuai'r uffern hwn byth i ben i mi. Cronnodd y dagrau, ond ni allai argae fy llygaid eu rhwystro rhag gorlifo a rhoddais fy mhen ar ei glin gan ddweud 'Sori. Sori. Sori,' drosodd a throsodd.

Mwythodd hithau fy ngwallt. Ymhen ychydig, fe gododd ar ei thraed. Edrychais i fyny tuag ati. Roedd hi wedi dechrau diosg ei dillad. Eisteddais yno'n fud. Ni wyddwn beth i'w ddweud na beth i'w wneud. Cyn pen dim, roedd hi'n noeth, a'i thethi'n flagur caled gan yr oerfel. Gafaelodd yn fy llaw a'm hannog i godi. Codais ac estynnodd Marged am fy nghot, a'i rhoi amdani cyn gorwedd ar wastad ei chefn ar lawr. Edrychai'n rhyfedd;

fy nghot flêr, fudr yn gwbl amhriodol wrth ochr ei chorff bach lliw hufen a'r ffluwch tywyll rhyfeddol rhwng ei choesau. 'Tyrd i nghadw fi'n gynnes, Ifor,' meddai hithau'n floesg. Euthum i lawr ati'n afrosgo, a gorwedd wrth ei hymyl. 'Na, Ifor. Tyrd yma. Dwi'n oer.' Tynnodd fi tuag ati. Roeddwn erbyn hyn yn gorwedd ar ei phen a'r got wedi ei lapio'n amdo amdanom ein dau.

Cleddais fy mhen yn nyffryn ei bronnau. Teithiodd fy nwylo crynedig ar hyd ei chorff sidanaidd, i lawr, lawr at yr hollt llithrig rhwng ei choesau. Twriais fy mhen ym mlew ei harffed. Ymgollais yn llwyr yn y torchau oedd fel llynghyrod meinion ar dywod aur traeth Dinas Dinlle. Yfais o sudd hallt ei gwain. Roeddwn fel pe bawn wedi fy meddiannu. Agorais fotymau fy llodrau. Cymerodd Marged fi yn ei dwylo, gan sibrwd yn fy nghlust, 'Mi fydda i yma i ti eto pan ddoi di'n ôl, Ifor.' Dechreuodd hithau ystwyrio, gan geisio'i rhyddhau ei hun oddi wrthyf. Ond doeddwn i ddim eisiau i hyn ddod i ben. 'Dwi isio chdi, Marged.'

Edrychodd arnaf am eiliad cyn gorwedd yn ôl yn gennad i mi gael ei threiddio. Ni chlywais mohoni'n crio wrth i mi bwnio fy midog yn ddwfn i'w ffos hi, a'r ffos honno'n wlyb fel ffosydd Ffrainc. Cododd hithau ei choesau'n uwch er mwyn i mi gael mynd i mewn yn bellach, i mi gael boddi yng ngwres ei lleithder, i mi gael diwallu'r chwant angerddol hwnnw oedd yn wayw yn fy lwynau ac a feddiannai fy holl gorff. Roedd yna gerddoriaeth mewn rhyw, yn ei rhythmau, yn ei ddistawrwydd, yn ei angerdd, yn ei dynerwch, ac yn ei ffrwydroldeb. Suddais yn ddwfn i berfeddion ogof dywyll ei chuddfannau. Ebychodd hithau. Fe'i llenwais hi â'm had, a'm gadael innau'n wag a llipa.

Nid fel yna yn union yr oeddwn wedi dychmygu yr uniad rhyngom, na hithau ychwaith mae'n siŵr. Roedd y ffaith fod y weithred yr oedd y ddau ohonom wedi bod yn dyheu amdani ac yn brwydro i'w gwrthsefyll, wedi digwydd mor ddi-ffrwt, yn siom. Cuddiais fy nghnawd crebachlyd yn gyflym oddi wrthi. Estynnais ddillad Marged iddi cyn troi fy nghefn arni a mynd i eistedd yn ôl ar y garreg. Roedd fy meddwl ar chwâl. Am ryw reswm roedd gen i gywilydd mawr o'r weithred a fu rhyngom. Gweithred o gariad ydoedd, ond doeddwn i ddim yn siŵr a oedd gen i'r gallu i garu dim mwy.

Ymhen hir a hwyr daeth Marged i eistedd ataf. 'Sori,' meddwn innau eto. 'Mae'n iawn. Roeddwn i eisiau rhoi cysur i ti,' meddai hithau'n grynedig gan roi ei llaw ar fy nglin. Fedrwn i ddim dioddef ei llaw gysurlon. Doeddwn i heb arfer â chyffyrddiad mor dyner, ac fe'm syfrdanwyd gan ei geiriau. Poerais fy llid arni wrth ddweud: 'Be! Ti'n gadael i fi dy gymryd di am bod gen ti bechod drosta i? Argian Marged, dwyt ti ddim gwell na Lizzie Pen Morfa! Ti'n siŵr nad wyt ti wedi tosturio wrth rai o hogia eraill y Dyffryn 'ma ers pan dwi wedi bod i ffwrdd?' Roedd Marged erbyn hyn ar ei thraed ac wedi gwelwi'n lliain. 'Ifor! Be sy wedi dod drostat ti?' Roedd hi'n crio. Fedrwn i ddim dioddef ei gweld felly. Roeddwn ar fin ymddiheuro, ac eto beth fedrwn i ei ddweud? Onid oedd hi, fel pawb arall yn y Dyffryn yma, wedi llwyddo i fyw drwy'r rhyfel yn ddianaf, yn ddi-boen? Onid oedd Marged, awr neu ddwy yn ôl, wedi bod yn canu wrth gerdded tuag adref o'r gweithdy? Yn canu! Sut fedrai hi ganu a ninnau mewn rhyfel?

Estynnodd Marged am ei siôl a'i rhoi am ei

hysgwyddau a cheisiodd roi trefn ar ei gwallt tonnog du. Dechreuodd gerdded i ffwrdd. Codais a mynd ar ei hôl. 'Sori, Marged. Mae'n ddrwg gen i. Ddyliwn i ddim fod wedi dod yma. Rwyt ti'n haeddu gwell.' Arhosodd Marged yn ei hunfan a throi i edrych arna i cyn dweud drwy fôr o ddagrau: 'Tydw i ddim yn siŵr ydw i'n dy adnabod di ddim mwy.'

Ar hynny fe redodd i lawr y Cwm yn ôl i gyfeiriad Glan Gors. Gwaeddais ar ei hôl a'i henw'n atseinio'n erbyn y graig. Sefais yno gan edrych arni'n mynd yn llai ac yn llai fel yr âi'n bellach. Cyn hir, roedd hi wedi diflannu gan fy ngadael yno ar fy mhen fy hun yn ceisio dod i delerau â'r hyn oedd newydd ddigwydd, ac â'r person newydd hwn nad adwaenwn, ac nad oeddwn yn ei hoffi. Fe fyddwn wedi gwneud unrhyw beth am gael troi'r cloc yn ôl.

22

Er dyheu cymaint am gael mynd adref ar *leave*, doedd bod adref ddim wedi bod yn braf. Roedd deuddydd yn ormod, ac eto ddim yn ddigon. Fe ddyliwn i fod wedi mynd drws nesaf at Beti ac Isaac Roberts i gydymdeimlo â nhw ar golli Wmffra, ond wnes i ddim. Sut oedd disgrifio ei farwolaeth, ei gladdedigaeth? Sut oedd dweud efallai y bu iddo fo fod yn hapusach yn ystod yr ychydig wythnosau erchyll a gafodd yn Ffrainc nag y bu drwy gydol ei oes yng nghwmni ei fam a'i dad di-hid yn County Road, ac iddo fod yn un o'r ychydig ddynion a lwyddodd i besgi ar y tipyn bwyd a gawsem yn y ffosydd? Sut oedd egluro wrth y potyn meddw o dad oedd ganddo bod Wmffra yn fwy o ddyn nag a fyddai o a'i lwy bren felltith fyth? Sut oedd cyfleu hyn i gyd i rieni na roddodd gariad o gwbl i'r bachgen bach direidus â'i lygaid croes? Na, ni fûm drws nesaf. Doedd gen i ddim calon i fynd. Bûm yn llwfr, ond addunedais i mi fy hun yr awn yno pan fyddwn adref nesaf.

Na, doedd fy ychydig amser yn ôl yn y Dyffryn ddim yn braf. Dim i mi, dim i Mam ac yn sicr ddim i Marged druan. Euthum eto i Lan Gors y diwrnod canlynol, y diwrnod cyn y byddai'n rhaid i mi droi'n ôl am Ffrainc. Roedd yn rhaid i mi ei gweld. Roedd yn rhaid i mi gael egluro, cael ymddiheuro. Roedd yn rhaid i Marged gael gwybod mai hi oedd yr unig un a roddasai reswm i mi fyw. Nid ymladd er mwyn lladd a wnawn yn y rhyfel, ond ymladd er mwyn cadw'n fyw. Cadw'n fyw er mwyn cael dod yn ôl ati hi. Doeddwn i ddim wedi bwriadu ei brifo. Roeddwn wedi siarad â hi mewn ffordd anfaddeuol, ond gweddïwn y buasai hi rhywsut yn gallu maddau i mi.

Elin atebodd ddrws Glan Gors i mi eto. Holais am Marged. A oedd hi yn y Bandrwm? Ysgydwodd Elin ei phen a dweud bod Marged yn ei gwely'n sâl. Ymbiliais arni am gael ei gweld. Ond gwrthododd ei chwaer yn bendant. 'Mae hi wedi cael dipyn o sgeg, Ifor,' meddai Elin yn siort. 'Dwi'n gwbod. Ond mae'n rhaid i mi gael ei gweld,' meddwn innau'n ddi-ildio. Ysgydwodd Elin ei phen yn chwyrn ac roedd ar fin cau'r drws pan eglurais fy mod yn gorfod mynd yn ôl i Ffrainc y diwrnod canlynol. Dim ond heddiw oedd gen i. A fyddai hi'n gofyn i Marged ddod at y drws er mwyn i mi gael ffarwelio â hi?

‘Aros funud,’ meddai hithau gan gau y drws. Bûm yn sefyll yno am rai munudau a deimlai fel oes pan ddaeth Elin yn ei hôl. ‘Mi ddaw atat ti mewn dau funud. Paid ti â’i chynhyrfu eto, wyt ti’n dallt?’

Aeth Elin i mewn i’r tyddyn gan fy ngadael yn hofran ar riniog y drws. Roedd gen i bron gymaint o ofn y funud honno ag a oedd gen i wrth fynd dros y bagiau yn Ffrainc. Roedd fy nghalon yn curo yn erbyn cawell fy asennau eto fel pe bai’n crefu am gael dianc. Bûm yn sefyll yno am ymron i chwarter awr, yn gwylio’r haul yn ceulo’n friw ar y gorwel. Roeddwn yn dechrau amau a oedd Marged am ddod i’m gweld wedi’r cwbl, ond yna pan oeddwn ar ddibyn anobaith, agorodd y drws a daeth Marged yno i sefyll gan wyro ei phen tuag at y llawr. Fedrwn i ddim gweld ei hwyneb, ond roedd ei holl osgo yn dweud wrthyf ei bod wedi cael ei llorio’n lân gan yr hyn a ddigwyddodd ger Llyn y Ffridd bedair awr ar hugain ynghynt.

‘Marged. Mae’n ddrwg gen i. Mae’n wirioneddol ddrwg gen i.’ Cododd hithau ei phen a gwelais olion dagrau ar ei hwyneb trist. Roedd ei llygaid du a’i gruddiau tlws yn goch. Llenwodd fy llygaid. Roedd gen i’r fath gywilydd o fod wedi achosi’r fath loes iddi. ‘Marged. Dwi’n gorfod mynd yn ôl fory. Fedra i ddim mynd heb wybod ein bod ni’n iawn. Dwi ddim yn gwybod beth ddaeth dros fy mhen i yn siarad mor hyll efo ti. Wnei di fadda i mi? Ydan ni’n iawn, Marged?’ Edrychodd arnaf am ennyd cyn gwneud y symudiad bach lleiaf gyda’i phen. ‘Ga i afael yn dy law di?’ sibrydais wedyn. Ddywedodd hi yr un gair, ond gafaelodd yn fy llaw. Daeth rhywbeth drosof a dechreuais wylo’n dawel. ‘Sori. Sori. Sori.’ Gwasgodd fy llaw a dweud ‘Mi fyddan ni'n iawn, Ifor. Tyrd adre'n saff.' Ar hynny fe syrthiais i'w breichiau ac wylo'n hidl. 'Ga i aros efo ti, Marged? Dwi ddim isio mynd yn ôl i fan'na. Fedra i ddim neud o ddim mwy. Ga i aros efo ti? Dwed y ca' i aros efo ti. Plis.'

23

Mae'r cwmwl bron â chyrraedd y lleuad. Fydd o fawr o dro cyn ei guddio'n gyfan gwbl. Yna mi fydd hi'n dywyll arnaf. Yn ddu fel gwaelodion Llyn y Ffridd, yn ddu fel modrwyon gwallt fy Marged. Mae yna wynt wedi dechrau codi, a chyda'r gwynt daw'r arogl anghynnes i'm ffroenau eto. Mae'n arogl cyfarwydd – arogl marwolaeth. Arogl y meirw. Mae rhai cyrff wedi bod yma ers dyddiau, ond nid arogl cyrff dynion yn unig sydd yma ond cyrff ceffylau hefyd.

Clywaf sŵn traed. Gwelaf bedwar dyn yn cario stretsier tuag ataf. Ceisiaf godi fy mhen i'w cyfarch, ond does dim yn tycio. Fe gerddant yn eu blaenau. Maen nhw'n fy mhasio. Ni allaf eu gweld, ond rydw i'n siŵr i mi weld cip o goler wen. Y Caplan yw un ohonynt, mae'n rhaid. Hwn fyddai'n gweddïo gyda ni cyn i ni fynd dros y bagiau. Byddai hyd yn oed y milwyr mwyaf gwydn, wrth gyweirio'r fidog, yn ailadrodd ei eiriau'n ddistaw bach ar hyd y lein. Maen nhw'n mynd draw at y cyrff ym mhen pellaf y cae, ac yn dechrau eu cario 'nôl at y rheilffordd. Daw fy nhro i yn y man.

Fe laddwyd un o'r caplaniaid ar y maes hwn ychydig wythnosau'n ôl. Roedd ei farwolaeth yn ergyd drom i ni'r milwyr. Roedd yn hanner cant oed, ac eto roedd ei ysbryd yn ifanc. Rydw i'n cofio i Robat a minnau fynd gydag ef un noson. Roeddwn newydd ddychwelyd o fod adref ar *leave.* Roedd y bataliwn wedi bod yn 'gorffwys' yn Courcelles ers dechrau Ebrill a dyna ble yr adunais â nhw gan fod yn falch ryfeddol o weld fod Robat yn dal mewn un darn. Fe ddywedodd wrthyf eu bod, wrth gerdded ddeuddydd ynghynt o gyfeiriad Serre, wedi dod ar draws dwsinau o gyrff wedi eu gwasgaru ar hyd y ffordd. Roedd Robat wedi cynhyrfu'n lân ac eisiau aros i roi claddedigaeth iddyn nhw, ond fe'u gorchmynnwyd i gerdded yn eu blaenau. Addawodd y Caplan i Robat y bydden nhw'n mynd yn ôl i gynnal gwasanaeth byr uwchben y cyrff pan ddeuai'r cyfle cyntaf.

Y noson honno, aeth y Caplan, Robat a minnau i gyfeiriad Serre. Cawsom fenthyg dau feic. Aeth y Caplan ar un a Robat ar y llall gyda minnau'n lled-eistedd yn sigledig y tu ôl iddo a'm coesau i fyny yn yr awyr. Roedd hi'n noson oer a'r gwynt yn brathu ein clustiau. Er bod y gwanwyn ar ddarfod roedd hi wedi bod yn bwrw eira ers rhai dyddiau a gwnâi hynny deithio ar feic yn gebyst o anodd ar brydiau. Yn amlach na heb bu'n rhaid i ni ddod oddi ar y beic a'i gario drwy'r eira a thros y tyllau yn y ffordd. Roedd cyflwr y ffyrdd yn warthus, nid yn unig o safbwynt y tywydd ond hefyd yn sgil y ffrwydradau a thyllau'r siels a grewyd gan yr Almaenwyr er mwyn gwneud ein taith ni'r Cynghreiriaid tuag at yr *Hindenburg Line* yn anodd, os nad yn amhosib ar brydiau.

Ymhell cyn i ni gyrraedd man y gyflafan fe ddaeth yn gawod enbyd o eira. Byddai Robat a minnau wedi troi'n ôl erstalwm, oni bai am ddycnwch y Caplan a'i awydd angerddol i goffáu'r meirw a adawyd mor ddiseremoni ar ganol y ffordd. Prin y gallem weld ymhellach na'n trwynau. Canai'r Caplan ar ei feic o'n blaenau er mwyn i ni gael dilyn ei sŵn. Nid oedd ganddo'r llais pereiddiaf, ond roedd yn gysur mawr i Robat a minnau wybod ei fod gerllaw.

Ymhen hir a hwyr daethom i'r fan, ac yn wir, doedd Robat heb orliwio'r sefyllfa. Roedd dwsinau, os nad rhai cannoedd, o gyrff yn lled-orwedd ar hyd y lôn. Roeddwn i, fel Robat, yn teimlo'n ddig na allem eu claddu, ond byddai wedi bod yn amhosib i'r tri ohonom, hyd yn oed pe bai'r tywydd yn ffafriol, i fod wedi claddu cynifer. Byddai angen byddin gyfan i gwblhau'r gwaith.

Cyn cychwyn ar ein taith oer yn ôl adroddodd y Caplan weddi fechan uwchben y cyrff ac fe ganodd Robat a minnau 'Bydd Myrdd o Ryfeddodau', un o hoff emynau fy nhad. Roedd un cysur yn y ffaith fod pob un o'r cyrff, wrth i ni sefyll yno yn talu ein gwrogaeth iddynt, yn araf bach yn cael ei orchuddio â haenen wen o eira. Canai Robat y bas yn soniarus i'r geiriau hynod addas 'Oll yn eu gynau gwynion'. Ni fyddai'r atal yn ei boeni byth pan fyddai'n canu a chefais innau gysur rhyfedd wrth gyd-ganu ag o. Fe wyddwn bod gen innau lais swynol, llais tebyg, ond nid cystal â llais fy nhad. Er fy mod yn hoff o ganu, wrth ganu'r piano y deuwn i o hyd i'm gwir lais. Wrth i Robat a minnau ddod i ddiwedd yr emyn, daeth hiraeth mawr drosta i am fy nhad, ac yno, uwch y celanedd, y dechreuais alaru amdano go iawn. Erbyn i ni ddod i ddiwedd yr emyn roedd llygaid y Caplan yntau'n llaith a'r cyrff o'n blaenau'n grymachau gwynion glân. Roeddent oll wedi eu gorchuddio ag amdo gwyn yr eira. Trodd y Caplan atom gan ddweud wrth sychu ei ddagrau:

‘*It was impossible for us to bury them all. God has answered our prayers.*’

Hwn oedd y Caplan hynaws a fynnai ddod dros y bagiau gyda ni’r hogiau pan fyddem yn ymosod. Nid dod i ymladd fyddai o, ond i’n calonogi ni ac i roi cymorth i unrhyw un a syrthiai ar faes y gad. Gwnaeth hynny eto, ychydig dros bythefnos yn ôl. Y pedwerydd ar ddeg o Fai oedd hi. Rydw i’n cofio’r dyddiad gan mai dyna ddyddiad pen-blwydd Mam. Roedd hi’n ddeugain oed ar y diwrnod hwnnw a newydd ei gadael yn weddw. Yn ystod mis Mai roedd ein bataliwn wedi bod yn derbyn rhagor o hyfforddiant yn Sapignies. Noson y trydydd ar ddeg fe’n gorchymynnwyd i symud tuag at Bullecourt. Roeddem i glirio rhan de-orllewinol y pentref y bore canlynol. Ar y pedwerydd ar ddeg, datblygodd y sgarmes yn frwydr i ennill y Groes ar ochr orllewinol y pentref. Fe fyddai Mam yn gwaredu wrth feddwl nid yn unig ein bod yn lladd, ond yn ymladd er mwyn ennill croes Iesu Grist a lechai yng nghysgod coeden gastanwydden enfawr. Ni fu’r goeden na’r groes ar eu traed yn hir y diwrnod hwnnw. Roedd yr Almaenwyr wedi magnelu ein safleoedd blaenaf yn ffyrnig, ynghyd â phentref Bullecourt ei hun – nid bod yna unrhyw arwydd o bentref ar ôl yno.

Rydw i’n cofio poeni wrth weld y gyflafan o flaen fy llygaid gan wybod nad oedd gennym swyddogion da ar ôl. I ychwanegu at ein trafferthion, roedd y gelyn wedi ffrwydro prif domen ein bomiau, ac yn sgil hynny, felly, roedd ein cyflenwad arfau yn gwbl annigonol.

Gyda’r nos fe gynyddodd y bombardiad gan yr Almaenwyr. Doedd nunlle’n saff. Roedd y rheilffordd, lle buom yn cysgodi rai oriau ynghynt, bellach dan gwmwl o nwy. Doedd sefyll ar eich traed ar y tir a alwem yn '*Red Patch*', sef y darn tir rhwng ein ffosydd ni a Bullecourt a'r Groes, ddim yn ddewis. Byddai unrhyw un a safai yno yn cael ei saethu'n syth bìn. Ar y darn tir gwastad hwn, sef yr union fan lle rydw i'n gorwedd heno, y gwelid y Caplan y noson honno yn ymlusgo ac yn ceisio osgoi'r saethu a'r siels er mwyn rhoi cysur i'r rhai a anafwyd ac i weddïo uwchben y meirw.

Fe'i anafwyd yn ddiweddarach, mae'n debyg, o flaen adfeilion eglwys Bullecourt. Cawsai ddigon o gyfle i wneud ei ffordd yn ôl i ddiogelwch cymharol ein ffosydd, ond mynnodd aros hyd nes bod y rhai a anafwyd i gyd wedi eu harbed. Wrth godi yng ngolau dydd i gario milwr clwyfedig y saethwyd y Caplan yn ei stumog; a gwaedodd i farwolaeth.

Digon digalon oeddem ni y milwyr wedi i'r Caplan farw. Yn wir, roedd llawer ohonom wedi dod i ben eithaf ein tennyn. Roedd unrhyw hydwythedd ar ein rhan fel pe bai wedi ei sugno ohonom.Ymhen deuddydd cafodd ein bataliwn ei ryddhau o Bullecourt – y twba gwaed – ac fe aethom yn ôl yn griw lluddedig a phrudd i Achiet-le-Grand. A dyna lle y buom am weddill y mis Mai ofnadwy hwnnw. Erbyn dechrau mis Gorffennaf roeddem yn ôl yn ceisio cadw'r lein ger Bullecourt mewn lle ag iddo'r enw eironig *L'Homme Mort*. Bu ychydig frwydro yn ystod dyddiau cyntaf y mis. Roedd yr Almaenwyr wedi dal eu gafael ar hen safle'r groes, ond roedd hi'n llawer tawelach yma rŵan. Roeddem ni i gyd yn gobeithio'n ddistaw bach bod hyn yn arwydd efallai bod y rhyfel ofer hwn yn tynnu at ei derfyn.

A thynnu at ei derfyn mae fy mywyd innau. Dim ond ddoe, neu echdoe (tydw i ddim yn gwybod am faint yr ydw i wedi bod yn gorwedd yma), roedd criw ohonom wedi bod drwy'r nos yn bordio ffosydd *Gordon Switch* a *Mare Street*. Daeth swyddog atom i ddweud bod cyflenwad ein harfau yn brin. Roedd angen mynd draw i'r *Red Patch* i gasglu unrhyw arfau oddi ar y cyrff oedd yn pydru yno. Y munud y gwnaem hynny, yna medrem ddechrau casglu'r cyrff ar gyfer eu claddu. Gwirfoddolais ar amrantiad. Roeddwn yn bryderus ynghylch Robat: doedd o ddim yno yn ystod *Roll Call* y bore ac roedd hynny wastad yn arwydd drwg. Wyddwn i ddim beth fuaswn i'n wneud pe digwyddai rhywbeth i Robat. Dyna pam y cytunais mor frwd neithiwr, neu pryd bynnag oedd hi, i fynd i fyny at y *Red Patch* i chwilio, nid yn unig am arfau, ond yn fwy penodol am Robat. Roedd gen i deimlad ei fod mewn perygl. Doedd o ddim wedi marw, roeddwn yn sicr o hynny. Ond roedd hynny am na allwn ddirnad y posibilrwydd ei fod yn farw. Byddai'n well gen i farw fy hun na cheisio dioddef ei golli o.

Wrth ymbalfalu drwy'r cyrff ar dir *Red Patch* y disgynnais yn swp diymadferth ar lawr. Wyddwn i ddim i ddechrau beth oedd wedi digwydd i mi, ac yna fe deimlais boen yn fy nghlun ac yn fy ysgwydd. Roeddwn wedi cael fy saethu, ddwywaith. Diolch i Dduw mai cael fy saethu a wnes i, ac nid cael fy rhwydo ar y weiren bigog. Roedd y weiren bigog o flaen Bullecourt gyda'r mwyaf brawychus a welswn erioed. Wnaeth hyd yn oed y tanciau ddim llwyddo i'w llorio'n llwyr.

Mor hawdd yw lladd, ac eto rydw i'n dal yn fyw. Ond am faint? Edrychaf i fyny eto ar y lleuad. Nid oes llawer ohoni i'w gweld, dim ond sleisen fechan denau. Mae hi'n dywyll yma rŵan. Er cael cariad teulu a ffrindiau, ac er yr holl ddynion eraill sy'n gorwedd yma heno hefo fi, pan ddaw hi i'r diwedd mae dyn yn gyfan gwbl ar ei ben ei hun. Hynny, nid yn gymaint marw, sy'n fy nychryn.

Clywaf sŵn siffrwd y traed unwaith eto. Ciledrychaf drwy'r llygaid sy'n mynnu cau. Mae'r pedwar yn cario stretsier yn ôl at y rheilffordd. Nid ydynt yn siarad, ond wrth basio gerllaw mae un ohonynt yn baglu dros gorff milwr ar y llawr. Nid yw'n hir cyn codi a'i sadio'i hun a'r stretshyr. Ond cyn iddo wneud hynny mae'n rhegi rhwng ei ddannedd yn dawel bach, ond yn ddigon uchel i mi ei glywed a'i ddeall. Y geiriau a boerodd oedd 'D-d-d-iawl!' Nid wyf yn teimlo dim, dim ond awgrym cynnes o wên ar fy wyneb oer.

Ciledrychaf eto ar y lleuad. Nid yw yno bellach. Dim ond tywyllwch dudew.

Clywaf synau a lleisiau o'm cwmpas ymhobman. Nid wyf ar fy mhen fy hun. Clywaf nodau fy *Elegie* yn gefndir i'r lleisiau.

Clywaf Gloc Graianog yn tician yn araf.

Clywaf faban yn wylo.

Clywaf gyfaill yn diawlio.

Clywaf gariad yn dweud 'Mi fydd o drosodd cyn bo hir, Ifor' . . . a chyn i'r tywyllwch gau amdanaf yn llwyr . . .

. . . clywaf lais Mam yn dweud . . .

'Cred ti yn Nuw, ac mi fydd popeth yn iawn.'

RHAN TRI

HEDDIW

24

Roedd pentwr o bost yn ei chroesawu pan gyrhaeddodd Leri'n ôl i'r tŷ capel. Biliau oedden nhw i gyd. Taflodd ei chot ar ganllaw derw'r grisiau a sodro'i chês wrth droed cloc Graianog cyn anelu am y gegin i wneud paned. Ond roedd distawrwydd anghyffredin yn amgylchynu'r tŷ capel – roedd y cloc wedi dod i stop. Byddai'n gwneud hynny weithiau, fel pe bai'n chwythu ei blwc. Dro arall fe dybiai Leri ei fod yn pwdu fel plentyn bach drwg am na chawsai ddigon o sylw. Roedd ei ddistawrwydd yn fwy byddarol na'i dic toc tawel. Agorodd Leri ei ddrws derw. Tynnodd y tsiaen trwm a rhoi 'o' bach tyner i'w bendil. Na, nid plentyn oedd y cloc, meddyliodd Leri ag awgrym o wên ar ei hwyneb, ond dyn. Fel y rhan fwyaf o ddynion, nid oedd angen llawer mwy i'w blesio nag ychydig o sylw a mwythau islaw. Wedyn fe fyddai'r dyn hefyd yn mynd fel wats am sbelan nes teimlo ei fod yn cael ei esgeuluso unwaith yn rhagor. Bron na ddywedai Leri wrth glywed tipian cyfarwydd y cloc ei fod yn diolch iddi, neu o leiaf yn ei chroesawu adref. Gloywai ei wyneb pres fel haul yn gwenu.

Aeth Leri drwodd i'r gegin. Roedd hi wedi bod yn edrych ymlaen ers meitin am baned mewn cwpan go iawn. Roedd blas plastig ar bob paned a gawsai ar yr holl drenau y bu arnyn nhw drwy gydol y dydd. Twriodd yn ei bag am sigaréts. Paced gwag. Doedd ganddi ddim amynedd i godi o'r tŷ i fynd i'r siop, a hithau newydd gyrraedd ar ôl siwrne faith a gychwynnodd am saith y bore o Hardecourt de Bois i Haute Picardie i Lille i Waterloo i Euston i Fangor ac yna o'r diwedd i'r Dyffryn.

Er ei fod yn ddiwrnod hir, rhyfeddai Leri at y ffaith ei bod wedi llwyddo i ddod yr holl ffordd o ogledd Ffrainc yn ôl i ogledd Cymru o fewn yr un diwrnod, a hynny cyn iddi hi ddechrau tywyllu hyd yn oed.

Oedd hi wirioneddol angen sigaréts rŵan? Roedd hi wedi llwyddo i wneud hebddyn nhw yn Ffrainc. Onid oedd hwn yn gyfle i geisio rhoi'r gorau i smygu unwaith ac am byth? Roedd y siawns o ddatblygu cancr yr ysgyfaint yn cynyddu fel yr âi rhywun yn hŷn, ac oedd, roedd hi'n ddynes dros ei deugain oed erbyn hyn, nid, ysywaeth, yn hogan ifanc ddeunaw oed.

Tynnodd Leri ei ffôn bach o'i bag a rhoi'r swits ymlaen. Doedd hi heb fod mewn unrhyw fath o gysylltiad â neb ers ei neges ddiwethaf i Sam pan oedd hi yn Llundain. Chafodd hi mo'i synnu wrth weld bod neges arall ganddo, neges a anfonwyd bedwar niwrnod yn ôl. Do, fe fu'n llwyddiannus yn Glasgow. Roedd o rŵan yn gorfod paratoi ar gyfer y rownd gyn-derfynol oedd eto i'w chynnal yn Glasgow ym mis Chwefror. Efallai y byddai Leri'n gallu mynd efo fo y tro hwn. Roedd y rownd yma'n un bwysig: byddai'n cael ei recordio ar gyfer teledu y BBC ac ar gyfer Radio Tri. Roedd enillydd pob adran yn cael dwy fil o bunnoedd ynghyd â mynd drwodd i'r rownd derfynol yng Nghaeredin. Roedd Leri ar dân eisiau mwy o'r hanes gan Sam a chael gwybod pwy a pha offerynnau eraill fyddai'n cymryd rhan yn y rownd nesaf. Anfonodd neges ato:

Dwi adre . . .

Ar wahân i Alwen yn dymuno'n dda iddi yn Ffrainc, doedd dim negeseuon tecst eraill. Anfonodd yr un neges at Alwen, gan hepgor y dotiau. Roedd Alwen yn anobeithiol am decstio. Mae'n siŵr ei bod hi at ei cheseiliau mewn bybl bath a chlytiau ar y funud. Druan ohoni. Ac eto, o leiaf roedd ganddi gwmni, er mor feichus oedd ei phlant.

Roedd un neges llais. Gwrandawodd Leri ar y llais crynedig. Mr Pearce Bod Alaw oedd yno, yn dweud wrthi ei fod yn mynd i mewn i'r ysbyty, ac yn gofyn a fyddai hi gystal â chadw golwg ar y byngalo iddo fo? Byddai'n ôl adref erbyn y pymthegfed. Edrychodd Leri ar y calendr a gweld ei bod yn ugeinfed heddiw. Cododd ac aeth drwodd i'r parlwr ac edrych drwy'r ffenest. Na, roedd Bod Alaw mewn tywyllwch llwyr. Doedd dim sôn am yr un enaid byw. Gobeithiai Leri ei fod yn iawn. Teimlai gywilydd mawr na fu draw i'w weld cyn gadael am Ffrainc, ond diolchai ei bod wedi anfon cerdyn post ato â llun draig goch Mametz arno. Er, mae'n siŵr, hyd yn oed os oedd y cerdyn wedi cyrraedd, na fyddai Mr Pearce yn ymwybodol ohono. Tybed ym mha ysbyty oedd o? Ai wedi mynd i gael y driniaeth fawr roedd o? Sut oedd cael yr wybodaeth? Doedd ganddi hi ddim rhif ffôn bach iddo fo, a hyd yn oed pe byddai, os oedd o yn yr ysbyty châi o mo'i ddefnyddio.

Er mor falch oedd Leri o gael bod yn ôl adref, fe deimlai'n lled unig yn y tŷ capel. Roedd hi wedi arfer gymaint â chael cwmni dros y dyddiau diwethaf, fel y byddai'n cymryd tipyn o amser iddi ddod i arfer unwaith eto â'i chwmni hi ei hun. Fe fyddai wedi hoffi cael cwmni rhywun y noson honno, er mwyn cael rhannu ei phrofiadau â nhw, cael dweud ei hanes. Wedi dweud hynny doedd dim byd mwy diflas na gorfod gwrando ar hanes gwyliau pobl eraill.

Agorodd Leri'r e-bost. Roedd yno bum neges yn ei disgwyl – dwy ohonynt yn cynnig bargeinion ar gatalogau dillad, un arall yn cynnig benthyciadau ariannol, un gan y Ganolfan Gerdd yn dweud wrthi na fyddai ei hangen i ddysgu yno ar y nos Fawrth ganlynol, sef nos yfory, gan bod arholiadau yno, ac un oddi wrth Kevin.

Leri

Croeso gatre! Wedi bod yn brysur ers i ti adel bore ma. Dyn o Reading wedi ffono yn gweud bod e'n dod fory yn lle drennydd. Ma fe moyn ymweld â bedd ei dad-cu ym mynwent Serre. Wedi bod wrthi'n glanhau ac yn cuddio'r holl boteli gwin nes di orfodi fi i yfed! Wedi penderfynu peidio gwisgo fy nghrys pinc, rhag ofon y bydd y dyn o Reading hefyd yn meddwl bo fi'n hoyw! Edrych ar ôl dy hunan. Paid â bod yn ddierth. Cofia gyfri i 10!

Saddo! x

Gwenodd Leri. Doedd hi ddim yn licio cyfaddef, ond roedd hi'n ei golli'n barod, nid fel dyn yn gymaint, ond fel ffrind. Roedd y ffarwelio rhyngddyn nhw wedi bod fymryn yn chwithig y bore hwnnw. Wyddai'r un o'r ddau ai cofleidio ai peidio, ond yn hytrach fe gododd Kevin ei ddwy law at Leri wrth iddi eistedd yn y trên gan ddangos deg bys. Dechreuodd bwyntio tuag atyn nhw gyda'i fynegfys. Roedd Leri am eiliad yn meddwl ei fod yn ceisio gwneud rhyw gyfeiriad tuag at ganu'r piano, ond fe wawriodd arni wrth iddo godi ei ddau fawd mai cyfrif i ddeg oedd o. Gwenodd arno a chodi ei llaw fel y cychwynnodd y trên ar ei daith.

Aeth ei phaned yn oer wrth iddi eistedd o flaen y cyfrifiadur yn meddwl am ateb clyfar neu ffraeth i'w neges e-bost. Ni ddaeth ysbrydoliaeth iddi, ac felly ymhen hir a hwyr teipiodd yn syml:

Kevin,

Wedi cyrraedd yn saff. Beth bynnag nei di paid â thrio codi lein ddillad i'r dyn o Reading! Diolch am bob dim.

Saddes x

Pwysodd y botwm *reply* gan ddychmygu Kevin wrth ei ddesg flêr yn Haute Picardie yn darllen ei neges. Sut fyddai'n ymateb? A fyddai'n gafael mewn un pigwrn wrth ei gorffwys ar ben-glin y goes arall? A fyddai'n ochneidio ac yna'n sugno'i fochau? A fyddai ei wyneb yn crychu'n un wên fawr lydan gan ddatgelu ei ddannedd gwyn, gwyn? Tybed pryd y gwelai ef eto?

Roedd Leri ar fin diffodd y cyfrifiadur pan ganodd cloch y tŷ. Pwy allai fod yno rŵan? Llusgodd ei thraed draw at y drws a gweld Alwen a'i threib yno'n gwenu'n ddisgwylgar arni. Doedd ganddi ddim dewis ond eu gwahodd i mewn. Byddai Leri wedi bod yn sobor o falch o gwmni Alwen, ond roedd hi wedi ymlâdd gormod i orfod delio â'r tri mwnci bach.

Daeth y pedwar i mewn. Roedd Alwen yn llond ei hafflau: roedd bag newid Mabon yn tynnu ar un ysgwydd, Mabon yn hongian dros yr ysgwydd arall a Sioned a Tomos (y Tanc) y tu ôl iddi fel cysgod yn tynnu ar odrau ei sgert.

Am unwaith roedd y plant yn dawedog. Doedden nhw heb arfer â'r tŷ capel. Doedden nhw ddim wedi arfer â thŷ heb *X-box* neu *Playstation*! Bob tro yr âi Leri i Hafan i weld Alwen fe fyddai'r ddau blentyn hynaf am y gorau yn ceisio lladd cymeriadau dieflig yr olwg ar y sgrin o'u blaenau. Neu os nad hynny fe fydden nhw'n rhedeg o gwmpas y tŷ, yn dringo ar ben dodrefn, yn ceisio lladd ei gilydd. Cofiai Leri iddi orfod celu ei chwerthin un tro wrth glywed Tomos yn gweiddi ar Sioned, 'Dwi'n mynd i farw chdi!' ac Alwen yn harthio o'r gegin, 'Lladd ydan ni'n ddeud, Tomos. Dwi'n mynd i dy ladd di!' Roedd cywirdeb y Gymraeg yn bwysicach na'r ffaith fod y plant yn ymdrybaeddu mewn trais byth a beunydd. Ond heno roedden nhw, trwy rhyw drugaredd, yn dawedog. Mae'n siŵr o safbwynt plant fod y tŷ capel yn dŷ eithaf tywyll a bwganllyd.

Hebryngodd nhw i'r gegin. Doedd ganddi ddim byd i'w gynnig iddyn nhw, dim hyd yn oed lefrith i roi mewn paned i Alwen, heb sôn am ddiod oer i'r plant. Doedd Alwen yn poeni dim. Roedd hi wedi dod i'r Dyffryn i gasglu Sioned, a fu'n chwarae efo'i ffrind, ac roedd hi ar ei ffordd yn ôl i Dre. Doedd gan Alwen hithau ddim llawer o fwyd yn y tŷ nac ychwaith yr egni i goginio tri phryd gwahanol. Tybed a fyddai Leri yn hoffi dod efo nhw am damaid o swper i rywle? Byddai'n gyfle iddi ddweud ei hanes yn Ffrainc.

Aeth meddwl Leri ar garlam. Beth oedd hi am ddweud? Doedd ganddi ddim llawer o awydd codi o'r tŷ eto, ac yn sicr doedd meddwl am eistedd wrth fwrdd bwyd efo'r tri ffyspot cnonnog yna ddim yn apelio; ond fe fyddai'n braf cael cwmni Alwen dros bryd o fwyd a photel o win, ac fe fyddai'r noson ar ei phen ei hun yn y tŷ capel yn hir fel arall. 'Ia, grêt! 'Swn i wrth fy modd!' meddai Leri'n ffugio brwdfrydedd. Suddodd ei chalon i'w hesgidiau pan glywodd Alwen yn dweud yn llawn cynnwrf wrth ei phlant: 'Dowch, trŵps! Ma' Anti Leri am ddod efo ni i McDonalds!'

* * *

Cymerodd hydoedd i strapio pawb i mewn i'r Renault Megane llychlyd y tu allan. Fe fynnodd Sioned eistedd yn y sedd flaen, ac, yn ôl ei harfer, fe gafodd hi ei ffordd. Golygai hynny bod yn rhaid i Leri stwffio ei hun rhwng cadeiriau Mabon a Tomos a'u teganau a'u geriach i gyd yng nghefn y car. Pam, o pam, na fuasai hi wedi gwrthod y gwahoddiad? I wneud pethau'n gan mil gwaeth bu'n rhaid iddi ddioddef canu Martyn Geraint yr holl ffordd i'r dre. Sut y llwyddodd Mabon i gysgu drwy'r fath sŵn, ni ddeallai Leri fyth!

Roedd McDonalds yn waeth na'r hunllef gwaethaf; y lle'n llawn plant anystywallt a rhieni drylliedig yr olwg. Sodrodd Alwen y plant a Leri wrth fwrdd plastig melyn a'i lond o gartons budron a sgrapiau o fwyd, a llyn o Coke ynghanol y cyfan. 'Be wyt ti isio, Ler?' galwodd Alwen wrth iddi ddechrau gwneud ei ffordd at y ciw o bobl wrth y cownteri ym mhen draw'r purdan hwn. Doedd gan Leri ddim syniad. Doedd ganddi hi ddim cof o gael pryd McDonalds o'r blaen, oni bai iddi hi gael un rhywdro ar ddiwedd noson feddwol yn Dre. Ond yn sicr doedd hi ddim wedi cael ei thrwytho yn niwylliant anwar y lle fel yr holl bobl yma. 'Unrhyw beth,' atebodd, gan geisio ymddangos yn ddi-hid. 'O deud be, Ler! Tyd, ma' 'na deulu arall yn dod i mewn!' ebychodd Alwen gan ysgwyd ei breichiau'n ddiamynedd a rhoi Leri'n bwt yn ei lle. Fe deimlai Leri fel plentyn bach dwl a gwyddai bod llygaid beirniadol Sioned a Tomos wedi eu hoelio arni. 'Gymra i be bynnag ti'n gael, Als.' Trodd Alwen ar ei sawdl ac ymuno â'r ciw. Gwyddai Leri y dyliai hi fod wedi cynnig mynd i archebu er mwyn i Alwen gadw cow ar ei phlant, ond roedd ganddi hi ofn na fuasai'n gwneud hynny'n llwyddiannus. Tybed a fedrai hi fod wedi rhoi'r archeb cywir, a hynny'n ddigon sydyn, i un o'r llafnau ifanc apathetig yr olwg y tu ôl i'r cownter?

Dechreuodd glirio'r llanast o'u blaenau gan roi'r holl sbwriel mewn pentwr ym mhen draw'r bwrdd. Edrychodd Sioned a Tomos arni gan ddechrau chwerthin. Gwaeddodd Tomos, 'Ma'r bin wrth y drws!' 'O ydy siŵr!' meddai Leri gan wenu rhwng ei dannedd. Cododd y sbwriel a mynd â fo fesul dipyn draw at fin oedd eisoes wedi'i orlenwi â gwaddodion bocsys bwydydd a diodydd pobl eraill. Ni chynigiodd Sioned na Tomos ei helpu, dim ond edrych arni â hanner gwên ar eu hwynebau bach difyrrus wrth ei gweld yn gollwng hanner y cartons ar lawr ar ei ffordd.

Erbyn i Leri ddod 'nôl atynt roedd Tomos wedi dechrau gwthio'i fys drwy'r Coke ar y bwrdd gan wneud y llanast yn gan mil waeth. 'Dydy hynna ddim yn syniad da, Tomos,' meddai Leri, gan ymbil arno i fihafio. 'Ydy mae o,' meddai yntau'n herfeiddiol gan rasio'i fysedd bach tewion drwy'r hylif tywyll fel pe bai'n ail-greu trac rasio Le Mans. 'Dos i nôl syrfiét!' cyfarthodd Leri ar Sioned. Edrychodd Sioned arni hi am ennyd, yn ceisio penderfynu oedd hi am ufuddhau ai peidio i'r ddraig yma o ddynes. Mae'n rhaid iddi hi weld y mellt yn llygaid Leri, achos fe gododd yn go handi, a nôl llond ei dyrnau bach o'r syrfiéts papur na sugnai hylif o gwbl, syrfiéts oedd mor ddi-fudd â phwced heb waelod. Yn ei llaw hefyd roedd peth wmbreth o wellt yfed. Dechreuodd hi a Tomos dorri'r papur a amgylchynai'r gwellt yn beli bach a'u rhoi yn y gwellt fel bwledi mewn gwn ac yna ddechrau chwythu drwyddyn nhw. Mae'n amlwg mai Leri oedd y targed. Roedden nhw am y gorau'n ceisio ei 'marw' hithau. Roedd Leri wrthi'n meddwl am ffyrdd o ddial na fyddai'n golygu ei bod yn cael ei charcharu am oes am gam-drin pan welodd Alwen yn dod yn ôl â hambwrdd ymron iawn â chuddio ei hwyneb gan gymaint o focsys a chartons a chwpanau cardbord oedd arno.

Wyddai Leri ddim yn iawn beth oedd y bwyd – os bwyd hefyd – a gafodd. Roedd y Coke mor oer nes saethu gwayw drwy ei dannedd. Ond fe lwyddodd i fwyta ac yfed y cwbl yn ogystal ag adrodd rhywfaint o'i hanes yn Ffrainc am yn ail â sgrechiadau'r plant. Bu'n rhaid iddi guddio'i siom wrth sylweddoli nad oedd gan Alwen fawr ddim diddordeb yn hanes Ifor na'r rhyfel; y cyfan roedd hi am ei wybod oedd sut foi oedd Kevin. Wnaeth 'na rywbeth ddigwydd rhyngddyn nhw? 'Paid â bod yn wirion!' cleciodd Leri. Gwenodd Alwen yn slei arni gan ddweud â'i cheg yn llawn byrgyr a meionês a sos coch, 'Ti'm yn deutha fi bod ti 'di bod ar ben dy hun efo Kevin am bedair noson a bod dim byd wedi digwydd? Na'th o'm pàs arna chdi na'm byd?' Roedd ei sgwrs arddegol yn dechrau pigo Leri. 'Naddo, Alwen! Mynd yno i ymchwilio i hanes brawd Taid wnes i, dim mynd yno i gael bonc!' Wnaeth hyd yn oed hynny ddim pylu ei gwên.

'*I think the lady doth protest too much!*' meddai Alwen eto, yn amlwg yn mwynhau pryfocio'i ffrind. Ddywedodd Leri ddim mwy. I beth? Doedd gan Alwen ddim diddordeb yn hanes Ifor nac yn ei hymweliad emosiynol â'r bedd, felly rhoddodd Leri y gorau i geisio dweud yr hanes.

Newidiodd y pwnc a gofyn oedd yna ryw hanes ers iddi fod i ffwrdd? Oedd hi wedi colli rhywbeth pwysig? Na, doedd yna ddim byd mawr wedi digwydd, ambell i briodas, ambell i dor-priodas, ambell i enedigaeth ac ambell i farwolaeth; ond dim byd y tu hwnt i'r cyffredin. Ond roedd yna un peth roedd Alwen eisiau ei drafod efo Leri. Un cwestiwn mawr, ac roedd hi am i Leri fod yn hollol onest efo hi. Difrifolodd wyneb Alwen. Llamodd calon Leri. Roedd Leri'n argyhoeddedig fod Alwen wedi dod i wybod am ei pherthynas hi a Dei. Sut fyddai hi'n ymateb? Beth fyddai hi'n ei ddweud? Ond roedd cwestiwn Alwen i Leri yn llawer gwaeth na hynny. Roedd Leri'n gegrwth pan ofynnodd ei ffrind: 'Fasa ti'n licio rhoi gwersi piano i Sioned, ac wyt ti'n meddwl ei bod hi'n barod?' Tynnodd Leri andal ddofn, ciledrychodd ar wyneb Sioned, oedd erbyn hyn â'i gwedd llawn hyfdra wedi newid yn un dof, llawn braw, cyn troi'n ôl at Alwen gan raffu celwyddau. Hwn oedd ei chyfle euraid i ddial. 'O ydy. Mae Sioned yn barod ac mi faswn i wrth fy modd yn ei dysgu hi. Pryd wyt ti isio iddi ddechra?'

25

Cododd Leri'n blygeiniol y bore canlynol ar ôl noson braf o gwsg. Clywed fan fach goch Seimon, y postmon, a'i deffrodd. Cododd ac edrych drwy ffenest ei llofft. Roedd hi'n fore braf, digwmwl a gwelodd Seimon yn taflu pentwr o lythyrau drwy'r hollt yn nrws y byngalo bach unig. Tybed pryd y deuai Mr Pearce adref i'w darllen? Roedd hi'n colli gweld plwc beunyddiol llenni Bod Alaw.

Cyn deg o'r gloch y bore fe ganodd y ffôn. Ei brawd oedd yno, yn cynnig iddi fynd draw i Forannedd rywdro yr wythnos honno i gael hanes Sam yn Glasgow. Diolchodd Leri iddo'n gwrtais am gofio amdani gan ddweud nad oedd ganddi wersi piano y noson honno yn y Ganolfan Gerdd ac y byddai'n gallu dod draw yn nes ymlaen. Clywodd Leri fymryn o banig yn ei lais pan ebychodd: 'Heno? Wel . . . ym . . . Ia, ia. Yr unig beth ydy . . . fydd Linda ddim yma. Mae hi'n mynd i'w dosbarth ioga. Mae hi'n nos Fawrth.' Doedd gan Leri ddim byd yn erbyn Linda – i'r gwrthwyneb, roedd hi'n gyrru ymlaen yn well efo Linda nag oedd hi efo'i brawd – ond doedd hi ddim yn gweld bod hynny'n rhwystr iddi hi fynd draw. Sam roedd hi eisiau ei weld yn fwy na neb. Bu saib annifyr am ennyd, ac mae'n rhaid i Dafydd ddarllen ei meddwl gan iddo fo ychwanegu'n frysiog, 'Ond mae croeso i ti ddod yr un fath. Ma' Linda fel arfer yn mynd am ddiod efo'r genod ioga ar ôl y wers ond mi dduda i

[…] ôl yn syth heno.'

[…]i weddill y bore yn ceisio argraffu'r […]dd yn Ffrainc gyda'i chamera digidol […]tryffaglio am oriau – pam bod rhaid i bopeth fod mor gymhleth? Erbyn amser cinio roedd hi wedi deall y system a dechreuodd ar y broses lafurus o argraffu. Gadawodd i'r peiriant wneud ei waith ac aeth hithau yn ei char i'r archfarchnad leol i brynu nwyddau angenrheidiol i'r cwpwrdd bwyd.

Wrth gau drws y tŷ, edrychodd Leri draw at Bod Alaw. Roedd y lle'n dywyll o hyd, heb arwydd o fywyd. Croesodd y lôn fach at y byngalo. Canodd y gloch er y gwyddai nad oedd neb yno. Sbeciodd drwy'r twll llythyrau. Roedd popeth i'w weld yn drefnus, dim byd y tu allan i'r cyffredin, ac eto . . . Roedd y tŷ'n rhy drefnus os rhywbeth. Beth oedd o'i le? Yna fe darawodd Leri fel bollt. Doedd dim byd ar y mat bach coch y tu mewn i'r drws – ond gwyddai Leri bod Seimon wedi rhoi llythyrau drwy'r twll y bore hwnnw. Fe fyddai'r llythyrau wedi disgyn ar y mat bach coch. Mae'n rhaid bod rhywun wedi bod yn y tŷ yn eu casglu. Ond pwy? Oedd rhywun yno yr eiliad honno? Dechreuodd Leri deimlo'n anghyfforddus, fel pe bai'n tresbasu. Trodd ar ei sawdl a mynd at ei char.

* * *

Roedd Morannedd ynghanol y dre. Lle cyfleus iawn i Sam pan fyddai mewn oed i fynd i hel tafarndai. Yn wir, roedd y Crown yn union gyferbyn â Morannedd. Ni fyddai'n rhaid iddo gael tacsi adref, dim ond rholio 'nôl i'r tŷ a chysgu'n braf hyd nes i'r cur pen plygeiniol ei ddeffro. Wedi dweud hynny, gwyddai Leri ei fod wedi dechrau croesi rhiniog ambell i ddrws tŷ tafarn y dref ers tipyn, ond nid y Crown. Roedd hwnnw ar hyn o bryd rhy agos o lawer at adre. Wyddai Leri ddim yn iaw i fynd draw yno. Doedd Dafydd ddim wedi ei gwahodd draw am swper, felly doedd hi ddim eisiau mynd ar eu traws a hwythau'n bwyta. Gadawodd Bod Alaw fel roedd cloc Graianog yn taro wyth.

Agorodd Dafydd y drws a cherydd yn ei lais wrth ddweud: 'O'n i'n meddwl na fasat ti byth yn dŵad.' Chododd Leri ddim i'r abwyd dadleugar, dim ond megino'r tân wrth roi'r botel win yn ei law a dweud, 'Dos i agor hon 'nei di? I ni gael dathlu llwyddiant Sam.'

Doedd dim rhaid iddi holi ble roedd o. Clywai sain y piano yn dod o waelodion y tŷ pedawr llawr. Gwasgodd heibio i gorff trwm ei brawd, anwybyddu ei ebychiadau, a dilyn y gerddoriaeth i lawr y grisiau i'r seler fechan ddiffenest. Eisteddodd am ennyd ar waelod y grisiau yn gwrando ar ei nai yn canu'r piano. Gwelai ffurf ei wyneb main yn adlewyrchiad pŵl yr offeryn. Roedd y gerddoriaeth yn hyfryd, yn deimladwy ac yn ofnadwy yr un pryd. Roedd yna adlais o gerddoriaeth Debussy ynddo, ond nid Debussy oedd y cyfansoddwr. Fel bollt, adnabu Leri y gerddoriaeth – darn Ifor oedd o, yr *Elegie*. Roedd Sam wedi ymgolli'n llwyr yn y gerddoriaeth. A oedd yna werth gwirioneddol i'r darn, ynte ai hi oedd wedi gwirioni arno oherwydd y cysylltiad teuluol? Ceisiodd wrando arno mor wrthrychol ag y gallai. Roedd yna symlrwydd i'r darn, y symlrwydd tlws a berthynai i'r cyfnod Edwardaidd, ac eto roedd yna ddwyster tywyll yn llechu yn nodau isaf yr alaw hudolus.

Daeth y ddiweddeb eglwysig â'r darn i'w derfyn. Cododd Sam a chyn iddo fo droi ati dywedodd, 'O'n i'n gwbod bo ti yna'. Gwenodd Leri. Os oedd hi wedi gweld ei adlewyrchiad o, yna mae'n rhaid ei fod yntau wedi gweld ei hun hithau. 'Roedd hwnna'n hyfryd,' meddai Leri'n dawel. Roedd hi'n amlwg o'i ystum ei fod o'n cytuno. 'Doedd dim posib dallt rhai o'r nodau, felly dwi wedi ailsgwennu mymryn o'r ail dudalen tra ti 'di bod ffwr' yn jolihoetio!' Gwenodd Leri. Roedd Sam byth a beunydd yn tynnu'i choes wrth iddi ddefnyddio geiriau a'i heneiddiai hi o dipyn yn ei dŷb ef. Roedd 'jolihoetio' yn un o eiriau ei mam.

Aeth Sam yn ei flaen. '. . . a fel glywist ti, dwi wedi gorffen y darn. Dwi'm yn meddwl bod Ifor wedi'i orffen o. Dwi'n siŵr bod o'm yn bwriadu gorffen y darn fel roedd o. Doedd o jyst ddim yn gneud sens. Dwi'm yn gwbod ai fel'na y basa fo wedi licio iddo fo orffan.'

Chaen nhw fyth wybod yr ateb i hynny, ond fe deimlai Leri'n siŵr y byddai Ifor wedi gwerthfawrogi i un o'i ddisgynyddion fynd i'r drafferth o'i gwblhau. Onid oedd pawb eisiau cael eu cofio; nid o anghenraid i gael eu hanfarwoli, ond i beidio â mynd yn angof? Roedd hynny'n wir am bawb, ac nid yn unig am y rhai a laddwyd mewn rhyfel. Roedd llais Kevin yn darllen geiriau Sassoon, '. . . swear . . . that you'll never forget' yn canu yn ei chlustiau. Roedd Ifor rhywsut yn dal i fyw tra oedd ei gerddoriaeth o'n parhau, ac roedd hi'n addas iawn mai Sam, oedd â rhywfaint o'r un gwaed yn llifo yn ei wythiennau o ag Ifor, fu'n gyfrifol am orffen y darn.

Aeth y ddau i fyny at Dafydd, i chwilio am y botel win ac i Sam gael dweud ei hanes. Roedd o yn ei stydi yn astudio rhyw ddogfennau. Sylweddolodd Leri pa mor debyg yr edrychai Dafydd i'w dad. Roedd ganddo'r un ystum wrth eistedd yn swp llipa, gwargrwm uwchben y ddesg. Bron na ellid taeru ei fod yn cysgu. Fel yna'n union roedd eu tad, pan na fyddai wedi mynd ar ei drafels. Roedd Leri'n siŵr erbyn hyn bod gan ei thad, pan oedd yn iau, ddynes arall yn rhywle. Sut arall y gellid egluro'r holl gyfnodau o absenoldeb? A oedd Dafydd wedi etifeddu nodweddion crwydrol ei dad? Ynte ai hi oedd yn dilyn yn ôl ei draed yn y maes hwnnw?

'Lle ma'r gwin 'ma 'ta, Dafydd?' galwodd Leri'n ddigywilydd wrth i Sam a hithau gythru am y botel a'r gwydrau cyn setlo yn y parlwr. Daeth Dafydd ar eu holau dan rwgnach. Doedd Sam ddim i gael mwy na hanner gwydraid, roedd ganddo ysgol yn y bore. Cododd Sam ei lygaid at y to. Ceisiodd Leri guddio'i rhwystredigaeth. Oedd rhaid i Dafydd fod mor bedantig?

Roedd Sam ar ganol dweud ei hanes yn Glasgow, a'r botel win bellach yn wag, pan ddaeth Linda adre. Daeth i mewn i'r parlwr â'i gwynt yn ei dwrn. Safodd yn stond ar ganol llawr y parlwr a cheisiodd wenu. Roedd hi'n amhosib anwybyddu'r ffaith ei bod wedi bod yn crio, ac ar fin gwneud hynny eto. Roedd golwg fel drychiolaeth arni. Esgusododd ei hun a rhedeg i fyny'r grisiau.

Er nad oedd Leri wedi cael clywed yr hanes i gyd gan Sam, na chael dweud ei hanes hi yn Ffrainc, na chael dangos y lluniau, teimlai ei bod hi'n bryd iddi fynd. Roedd rhywbeth mawr yn bod ar Linda, a doedd Leri ddim yn teimlo mai ei lle hi oedd ceisio'i chysuro. Gofynnodd i Sam gysylltu â hi yn ystod y dyddiau nesaf ac aeth â'i chynffon rhwng ei choesau yn ôl i'r tŷ capel.

26

Roedd Leri'n hwyrach nag arfer yn gorffen ei gwersi piano y noson ganlynol gan y bu'n rhaid iddi hi drefnu rhai ychwanegol yn lle'r rhai a ohiriwyd ganddi er mwyn iddi fynd i Ffrainc. Roedd Ffrainc i weld yn bell i ffwrdd bellach; roedd hi'n cael ei themtio i e-bostio Kevin, ac eto doedd ganddi hi ddim byd neilltuol i'w ddweud, dim ond ei bod yn awyddus i gadw mewn cysylltiad. Roedd hi wedi sôn wrtho cyn gadael bod arni flys mynd i ymweld â'r *Menin Gate* rhyw ddiwrnod, i glywed yr utgorn olaf. Dywedodd yntau y byddai wrth ei fodd yn mynd â hi – roedd yn mynd â thripiau bws yno yn aml. Doedd Leri ddim yn awyddus i fod yn rhan o griw mewn bws; byddai'n well ganddi hi gael Kevin iddi hi ei hun. Efallai y trefnai i fynd eto pan fyddai'r cyfrif banc yn iachach a'r ysfa i grwydro'n dwysáu.

Dechreuodd Leri amau'i hun. Ai'r *Menin Gate* ynte Kevin oedd hi wirioneddol eisiau ei weld? Roedd arni awydd gweld y ddau – oedd rhywbeth o'i le ar hynny? Pam fod Kevin ar ei meddwl gymaint? Mae'n rhaid bod pryfocio Alwen y noson o'r blaen wedi ei phigo'n fwy nag y tybiai ar y pryd. Oedd hi'n ei ffansïo? Oedd yr holl fisoedd heb freichiau dyn amdani wedi dechrau dweud arni? Na, wrth gwrs nad oedd hi'n ei ffansïo. Ffrind oedd o, dyna i gyd. Doedd y ffaith ei fod yn ddyn diddorol yr oedd hi'n wirioneddol hoff ohono, ddim o anghenraid yn golygu ei bod yn ei ffansïo. A oedd hi'n siomedig na ddigwyddodd dim byd rhyngddyn nhw? A ddigwyddodd yna rywbeth rhyngddyn nhw? Fe wyddai Leri i'r ddau oedi'n hir ar y noson olaf cyn mynd i'w gwelyau. A oedd

Kevin wedi cael ei demtio, tybed, ac a oedd hithau wedi cael ei themtio i groesi'r llinell gyfeillgar oedd rhyngddyn nhw? A gâi hi wybod byth beth oedd ei deimladau tuag ati? A wyddai hi beth yn union oedd ei rhai hi? Doedd dim dwywaith ei fod ar ei meddwl yn amlach nag yr hoffai gyfaddef, ond un fel'na oedd Leri lle roedd dynion yn y cwestiwn – neidio i mewn i berthynas a mopio'n syth. Byddai'n rhaid iddi ddilyn cyngor doeth Kevin a chyfrif i ddeg.

Cyn iddi gyrraedd y deg, cafodd ymwelydd. Roedd hi wastad yn falch o weld Sam, waeth sut dymer fyddai arni. Buan iawn yr anghofiodd am Kevin am y tro. Roedd hi'n awyddus i wybod beth oedd wedi ysgwyd Linda i'r fath raddau.

Doedd gan Sam ddim syniad pam bod ei fam mor ofnadwy o ddigalon. Eglurodd nad oedd hi wedi bod yn hi ei hun ers iddi fynd i aros at ffrind tra oedd o a'i dad yn Glasgow. A neithiwr, roedd hi wedi cau ei hun yn ei llofft drwy'r fin nos. Ddaeth hi ddim allan o'r llofft y bore hwnnw chwaith. Roedd Sam yn amau efallai bod ei dad yn gwybod beth oedd achos yr helynt, ond roedd yn hynod dawedog ac yn cadw'n glir oddi wrth ei wraig.

Wrth i Sam ddweud yr hanes roedd Leri, yn ddistaw bach, yn dechrau amau fwy fwy bod Dafydd, fel ei dad o'i flaen, yn byw bywyd deublyg. Tybed pwy oedd ei ysglyfaeth trist? Oedd 'hi', fel ag yr oedd Leri erstalwm efo Dei, yn meddwl amdano'n obsesiynol ddydd a nos, yn dyheu am gael ei gwmni, am gael ei gorff? Heblaw am y ffaith fod Sam i'w weld yn poeni gymaint, byddai Leri wedi cael ei themtio i chwerthin. Allai hi ddim dychmygu Dafydd â'i gorff mawr afrosgo yn cael rhyw â neb. Mae'n rhaid bod ei gariad yn ddynes ddewr iawn! Gwelodd bod Sam â'i feddwl ymhell. Gwyddai Leri'n iawn pan fyddai yna rywbeth ar ei feddwl, gan y byddai'n taro'i fysedd ar y bwrdd, fel pe bai'n ymarfer arpeggios mud.

''Dan ni oedolion yn gneud mès o betha weithia, 'sti Sam. Be bynnag sy'n bod efo dy fam, mi ddaw hi at ei choed. Cyfnod ydy o. Mi fydd bob dim yn iawn dwi'n siŵr.' Ond roedd Sam i'w weld wedi ei gynhyrfu mwy nag a feddyliodd Leri i ddechrau. Roedd yn rhaid iddi atgoffa'i hun o bryd i'w gilydd nad oedd Sam ond pymtheg oed, ac nad rhieni'n unig a boenai am eu plant. Byddai'r esgid weithiau ar y droed arall.

'Ga i aros yn fa'ma heno?' sibrydodd Sam fel hogyn bach ar goll. Byddai Leri wrth ei bodd yn cael ei gwmni, ond mentrodd ddweud wrtho mai dianc o sefyllfa anodd oedd hynny. Ond anghytunai Sam. Teimlai fod ei rieni angen amser iddyn nhw eu hunain, a ph'run bynnag doedd o ddim yn gallu canolbwyntio ar ei ymarfer piano ynghanol awyrgylch dirdynnol ei gartref. Roedd hi'n hanfodol ei fod yn cael llonydd i baratoi at y gystadleuaeth o'i flaen. Cytunodd Leri iddo gael aros yn y tŷ capel, ar yr amod y byddai ei rieni'n fodlon â hynny. Doedd hi ddim eisiau troi'r drol ym Morannedd ddim mwy nag yr oedd eisoes. Ffoniodd Sam ei gartref, cael sgwrs fer â'i dad, diffodd y ffôn a gwenu fel giât ar ei fodryb. 'Wel? S'gen ti ffags?'

Pylodd ei wên yn reit handi wrth sylweddoli bod Leri wedi rhoi'r gorau iddi. '*God* Ler! Be ddigwyddodd i ti yn Ffrainc? Wyt ti *in love* eto neu rwbath?' Rhoddodd Leri beltan ysgafn iddo ar ei ben, cyn setlo wrth y bwrdd i ddangos lluniau Ffrainc iddo. '*God! Depressing* ia? 'Nest ti rwbath arall 'blaw sbio ar fedda?' gofynnodd Sam iddi'n gellweirus. Dangosodd Leri iddo'r llun a dynnodd Kevin ohoni hi'n plygu wrth fedd Ifor. Roedd hi'n amlwg oddi wrth lygaid cochion Leri yn y llun i'r profiad fod yn un emosiynol iddi hi. ''Nest ti grio, do?' meddai Sam wrthi'n dawel. 'Do. Do'n i ddim wedi disgwyl teimlo fel 'na. Ella bod o'n swnio'n wirion, ond roedd rhedeg fy mysedd ar hyd llythrennau'i enw fo fel ysgwyd llaw ag o.' Ysgydwodd Sam ei ben a dweud, 'Deud gwir 'tha chdi, dwi'n teimlo rwbath tebyg pan dwi'n chwara'r *Elegie*. Mae o'n *eerie*, ond dwi'n teimlo bod o yna efo fi rhwsut.' Syllodd Leri arno. 'Pwy? Ifor?' meddai hi wedyn. 'Ia,' atebodd Sam. 'Ro'n i hyd yn oed yn teimlo bod o efo fi weithia yn Glasgow, pan ro'n i'n chwara'r Debussy. Ydy hynna'n wirion, ta be?' Gwenodd Leri arno. Hogyn pymtheg oed neu beidio, roedd o'n gallu bod yn aeddfetach na llawer i oedolyn.

Ar ôl gorffen eu swper, aeth Sam drwodd at y Bösendorfer, ac aeth Leri ati i dwtio'r gegin a gwneud rhywfaint o smwddio. Treuliodd Sam dros hanner awr yn mynd drwy ei *scales* a'i ymarferiadau arferol. Roedd Leri wedi lled ddisgwyl iddo ganu'r *Elegie*, ond fe safodd yn stond pan glywodd agoriad mawr y Tchaik. Diffoddodd yr hetar ac eistedd ar y setl. Gwrandawodd ar y gerddoriaeth ddramatig yn atseinio drwy barwydydd y tŷ capel.

Roedd Sam yn chwarae'n feistrolgar ond aeth at adran yr *octaves* a baglu. Aeth yn ôl dros y darn eto a chael cam gwag unwaith yn rhagor. Heb hyd yn oed ei weld, gallai Leri deimlo bod tensiwn yn ei chwarae. Aeth drwodd ato a gweld bod ei ysgwyddau wedi codi. 'Tria fo eto,' meddai gan sefyll yno'n pwyso ei dwylo'n ysgafn ar ei ysgwyddau tyn. Teimlodd y tensiwn yn llifo oddi wrtho a'r gerddoriaeth yn tyfu.

Rai oriau'n ddiweddarach bu'r ddau'n trafod y consierto. Eglurodd Leri bod yna ddwy brif fagl enwog yn y Tchaik ac roedd yr *octaves* yn un ohonyn nhw. Roedd hon yn adran lle na allai'r unawdydd gysgodi rhag y gerddorfa, gan ei bod mor agored ac amlwg. Roedd Sam yn gwybod hynny, ond sut oedd goresgyn yr adran honno? Beth oedd y gyfrinach?

Awgrymodd Leri mai un ateb oedd paratoi, paratoi, paratoi. Os oedd yr unawdydd yn gwybod y darn y tu chwith allan, yna ni ddylai fod problem. Y gamp oedd, ar ôl meistroli'r darn i gyd, bod rhaid wedyn geisio anghofio'r nodau a chanolbwyntio ar y gerddoriaeth! Roedd Sam yn meddwl bod hynny'n ateb rhy simplistig. Gwenodd Leri arno gan ychwanegu drwy ddweud ffaith oedd mor syml, ond mor anodd i'w gweithredu. 'Mae'n rhaid i ti – fel efo unrhyw fynydd o dy flaen – beidio â bod ofn ei ddringo.'

27

Aeth rhai dyddiau, a bywyd Leri yn ei sgil, yn eu blaen yn ddidramgwydd. Roedd Sam yn dal i letya gyda hi. Byddai'n codi bob bore toc wedi chwech ac yn gwneud dwyawr dda o ymarfer y piano cyn gadael am yr ysgol. Yna gyda'r nos, ar ôl i Leri orffen ei gwersi piano, fe ymlafniai Sam am ddwy, ac weithiau dair, awr arall uwchben y Bösendorfer.

Roedd Leri wrth ei bodd yn rhannu ei gwmni a'i gerddoriaeth, ond y munud y gadawai am yr ysgol fe fyddai hithau'n troi at ei gorchwyl dyddiol o ganu'r piano. Yr un darn fyddai'n cael ei sylw bob tro, a'r Tchaik oedd hwnnw. Byddai'n mynd dros yr adrannau hynny a fu'n faich iddi yn y Barbican flynyddoedd yn ôl. Pam ei bod yn cosbi ei hun fel hyn? Ond fe wnâi bob bore, mor ddeddfol ag y byddai aml i un yn mynd i redeg neu fynd i'r *gym*. A oedd hi'n teimlo'n well ar ôl gwneud? Wyddai hi ddim. Yr unig beth wyddai hi oedd na allai ar hyn o bryd adael i'r peth fynd. Roedd y consierto fel cyffur, weithiau'n ei chodi o'r felan ac ar adegau eraill yn ei gwthio ymhellach i ddyfnderoedd mawr du ei bod. Yn ddiweddar, fodd bynnag, roedd chwarae'r consierto yn gysur, yn ymylu ar fod yn therapiwtig.

Er nad oedd hi'n fodlon cyfaddef hynny, roedd Leri hefyd wedi dechrau mwynhau ei gwersi piano. Ymunodd Sioned, merch Alwen, â'r giwed o ddisgyblion – ac er mawr syndod iddi fe ddarganfu nad oedd Sioned yn gymaint o anghenfil annifyr pan nad oedd yng nghwmni ei mam. Yn wir, roedd hi'n ymylu ar fod yn hogan fach glên, llawn asbri. Roedd yr haul wedi lluchio llond llaw o frychni fel gronynnau o dywod ar ei thrwyn bach smwt, a grychai pan gâi rhywbeth yn anodd gan beri i'r brychni uno'n un sbloets brown. Roedd hi'n blentyn llawn dychymyg ac wrth ei bodd yn sgwrsio. Roedd hi'n tynnu ar ôl ei mam yn hynny o beth!

Yn ystod un o'i gwersi cyntaf, fe hebryngodd Leri Sioned i'r ystafell biano, a'i gadael yno am ychydig tra aeth hi i droi'r popty ymlaen ar gyfer y caserol yr oedd hi wedi'i baratoi ar ei chyfer hi a Sam yn ddiweddarach y noson honno. Pan ddaeth yn ôl i'r ystafell biano rai eiliadau'n ddiweddarach, roedd Sioned ar ei hyd ar lawr, ei breichiau'n groes ar ei mynwes a'i llygaid ynghau. Am ennyd fer, ofnai Leri fod rhywbeth wedi digwydd iddi, ei bod wedi cael ffit neu rywbeth gwaeth. Ond buan y gwelodd mai smalio yr oedd yr hogan fach. 'Be wyt ti'n neud?' gofynnodd Leri iddi hi'n stowt. 'O'n i'n chwara bo fi wedi marw,' meddai hithau. 'Pam ti'n gneud peth felly?' gofynnodd Leri eto. Cododd Sioned ar ei thraed a sythu ei sgert fach lwyd gan ddweud, 'O'n i jyst isio gwbod sut beth ydy o i fod wedi marw. Dach chi'n gwbod be sy'n digwydd i chi pan dach chi wedi marw?' Ysgydwodd Leri ei phen. Pam fod rhaid iddi ofyn cwestiynau mor astrus? 'Nac ydw. A tydw i ddim ar frys i ffendio allan chwaith. Pam ti'n gofyn?' Gwyrodd Sioned ei phen yn bruddglwyfus tuag at y llawr a dweud, 'Mae Martyn Geraint wedi marw bora 'ma.'

Agorodd llygaid Leri'n fawr. Beth oedd hi fod i'w ddweud rŵan? Roedd cydymdeimlo gydag oedolion mewn galar yn ddigon anodd, ond sut oedd trin pwnc mor ddwys efo plentyn bach? Doedd Leri ychwaith ddim wedi gweld papur newydd nac wedi gwrando ar y radio i glywed newyddion o'r fath. Martyn Geraint! Sut fuodd o farw tybed, a faint oedd ei oed o? Roedd Leri'n siŵr ei fod tua'r un oed â hi, os nad yn iau. 'Mae'n ddrwg gen i,' meddai Leri'n gydymdeimladol. 'O be fuo fo farw?' 'Ma' Mam yn deud bod o 'di marw am bod o'n dew. Bod o'n cael gormod o fwyd.' Beth gebyst oedd Alwen wedi bod yn ei ddweud wrth ei phlentyn? Doedd Martyn Geraint erioed wedi taro Leri fel rhywun oedd â phroblemau pwysau difrifol. Oedd Alwen wedi dechrau colli arni?

'O'ddat ti'n gwbod faint oedd ei oed o?' gofynnodd yn dyner i'r hogan fach chwilfrydig. Edrychodd Sioned ar Leri gan grychu'r trwyn â'r swsys yr haul tragwyddol arno a dweud, 'Dwy a hannar.' Daeth tro Leri i grychu ei thalcen. 'Dwy a hanner?!' holodd yn ddryslyd. 'Ia. Nath Mam ennill o yn Ffair Llan.' Lledodd gwên anferth dros wyneb Leri wrth iddi sylweddoli pwy yn union oedd gan Sioned o dan sylw. Roedd ganddi hi a'i brodyr bysgodyn aur, ac enw hwnnw oedd Martyn Geraint! Roedd ar fin chwerthin pan ofynnodd Sioned, ''Sach chi'n licio byw am byth, Leri?' Ysgydwodd Leri ei phen a dweud yn onest nad oedd hi eisiau marw, ond doedd hi chwaith ddim eisiau byw am byth. Roedd rhaid i gyfnod pawb ddod i ben, hyd yn oed un Martyn Geraint druan.

Ceisiodd Leri dynnu sylw Sioned at y piano er mwyn osgoi rhagor o'r cwestiynau dyrys, ond roedd Sioned yn benderfynol o'i holi'n dwll. 'Pam bod rhaid marw?' Cymerodd Leri anadl ddofn wrth ystyried y cwestiwn cyn troi at Sioned a dweud: 'Er mwyn i'r rhai sydd ar ôl werthfawrogi byw. Reit *miss*, lle ma' *middle C*?'

* * *

Ddiwedd yr wythnos penderfynodd Leri fynd i'r archifdy. Cochodd 'Robin swil' hyd at fôn ei glustiau pan welodd hi'n cerdded i mewn. Roedd hi'n awyddus i weld a oedd cofnod o farwolaeth Ifor, neu deyrnged iddo yn y papur lleol ym mis Gorffennaf 1917. Llenwodd Leri'r ffurflen fach werdd oedd yn gais am ddogfen ac aeth i eistedd wrth un o'r desgiau i ddisgwyl.

O fewn ychydig funudau daeth Robin yn ei ôl nid â phapur newydd, fel yr oedd Leri wedi ei ddisgwyl, ond â chyfrol anferth o holl rifynnau'r wythnosolyn yn ystod y flwyddyn gyfan. Mor fawr oedd y gyfrol nes bod rhaid iddi godi ar ei thraed bob tro y byddai angen troi'r dudalen. Roedd y papurau yn y gyfrol wedi melynu a rhai o'r tudalennau wedi breuo. Treuliodd Leri beth amser yn pori drwy'r teyrngedau i'r degau o hogiau lleol a gwympodd yn y rhyfel ym 1917 ac yn rhifyn Gorffennaf yr ail ar bymtheg roedd yna gyfeiriad at Ifor:

GORFFENHAF 17,1917.
NEWYDDION TRIST O FFRAINC

> *Wele un arall o fechgyn y Dyffryn wedi syrthio yn y frwydr. Derbyniwyd gair yn hysbysu fod Private Ivor Jones, Brynengan, County Road, wedi cyfarfod â'i ddiwedd yn Ffrainc. Cydymdeimlir yn ddwys â'r teulu. Cyn ymuno â'r fyddin yr oedd yn gwasanaethu ym masnachdy Mr E Pryce Evans, Cumberland Stores. Dyma'r ail o'r gwasanaeth-yddion i syrthio. Yr oedd yn aelod ffyddlon o Eglwys Calfaria. Yr oedd yn Ffrainc ers dros flwyddyn o amser.*

Roedd yn brofiad rhyfedd darllen ei hanes. Daeth darluniau o flaen llygaid Leri o'i theulu trallodus yn eistedd yng nghegin Brynengan o dan gloc Graianog yn ceisio dod i delerau â'r ail brofedigaeth fawr iddynt o fewn cyn lleied o amser. Roedd ei thaid yno, ond baban bach oedd o. Doedd o, diolch byth, ddim yn ymwybodol o'r golled yr adeg honno, nac ychwaith yn mynd i gofio'r cyfnod tywyll hwnnw.

Roedd hanner awr arall cyn y byddai'r archifdy'n cau am ginio, felly twriodd Leri yn ei blaen drwy'r rhifynnau eraill. Roedd eu cynnwys yn ddiddorol, yn enwedig felly yr hysbysebion am bob math o feddyginiaethau ar gyfer gwahanol anhwylderau – roedd eli ag iddo'r enw rhyfedd Zam Buk oedd i fod yn wyrthiol ar gyfer bob math o bethau, o afiechydon y pen i losg eira! Roedd hefyd fynych sôn am Belennau Pink Dr Williams a thabledi Dr Cassell ar gyfer y nerfau. Bechod na fuasai wedi cael gafael ar rheiny cyn chwarae'r Tchaikovsky yn Llundain!

Roedd Leri ar fin cau'r gyfrol a mynd am ginio pan dynnwyd ei sylw at bennawd yn rhifyn Awst, 1917:

HUNANLADDIAD
DIGWYDDIAD TRIST

Foreu Mawrth aeth geneth ifanc o'r enw Elin Roberts, Glan Gors i chwilio am ei chwaer, yr hon a fu ar goll ers nos Lun. Cafodd hyd i esgidiau ar lan y dŵr ac yna gorff gwraig ifanc mewn pwll bychan ger Llyn y Ffridd. Aed i lawr ar unwaith i'r pentref i gyrchu yr Heddwas Edwards, a daeth amryw o'r Dyffryn i fyny gydag ef. Wedi cael y corph i'r lan, gwelwyd mai ei chwaer, Miss Margaret Roberts, Glan Gors, ydoedd. Cludwyd y corph o'r lle i lawr i adeilad y Bandrwm i aros cael arch a'r trengholiad. Cynhaliwyd trengholiad ddydd Mercher gan Mr T.J. Owen, Bangor. Yr oedd yn bresennol yr Arolygydd Rees, Pwllheli, yr Heddwas Edwards, y Dyffryn, ynghyd â deuddeg o reithwyr. Wedi gwrando tystiolaethau gan y rhai y cafwyd y corph ac ereill, ac wedi trafodaeth fanwl, gofalus, bwriwyd rheithfarn o:

> *'Hunanladdiad tra mewn cyflwr o orphwylledd a beichiowgrwydd, a phasiodd y rheithwyr bleidlais o gydymdeimlad â theulu yr ymadawedig yn eu profedigaeth lem.'*

Claddwyd hi ddydd Gwener ym mynwent Soar.

Roedd Marged Glan Gors wedi lladd ei hun felly, fis union ar ôl i Ifor farw. Roedd hi bron i bum mis yn feichiog. Ai'r ffaith ei bod yn feichiog, ynteu methu dygymod â marwolaeth ei chariad a'i harweiniodd i rhoi terfyn ar ei bywyd? Tybiai Leri ei fod yn gyfuniad o'r ddau.

Gadawodd yr archifdy mewn breuddwyd. Anghofiodd yn llwyr am ei chinio, ac aeth yn syth i'w char a throi ei drwyn yn ôl i gyfeiriad y Dyffryn. Roedd yn ddiwrnod braf, yr haul uwchben fel pe bai'n ysgythru'r cymylau lliw ôd a eisteddai ar ben y mynyddoedd duon. Ai diwrnod fel hyn oedd hi pan gerddodd Marged o Lan Gors i fyny i Lyn y Ffridd i ddifa'i hun?

Yn fuan ar ôl cyrraedd y Dyffryn, cymerodd Leri'r troad i fyny tuag at y Sarn. Er ei bod wedi byw yn y Dyffryn ers rhai blynyddoedd, doedd ganddi ddim cof o fynd ar hyd y ffordd fach wledig hon. Roedd llawer o'r bythynnod ar fin y ffordd yn furddunod. Doedd dim ôl bywyd yn unlle ar wahan i ru awyren filwrol fawr o'r Fali i darfu ar heddwch iasol y lle hwn a fu unwaith yn ferw o brysurdeb. Roedd teuluoedd cyfan yn cael eu codi yma o dan gysgod y graig ac o fewn cyrraedd i'r chwarel, lle byddent yn mynd yn blygeiniol i geisio troi cerrig yn fara.

Cyrhaeddodd Leri'r Sarn. Arafodd, ac agor ei ffenest gan geisio dal sylw'r person cyntaf iddi ei weld ers peth amser. Pesychodd yn uchel er mwyn ceisio tynnu sylw'r wraig ifanc yr ochr arall i'r ffordd. Trodd y wraig tuag ati a gofynnodd Leri: 'Sgiwsiwch fi. Fedrwch chi ddeud 'tha fi lle ma' Capal Soar, plis?' Rhythodd y wraig arni gyda gwên goeglyd yn chwarae ar ei gwefusau pinc llachar cyn dweud mewn acen Lerpwl gref: 'Yer wha, luv?' Brathodd Leri ei thafod cyn gofyn yn ffug-gwrtais eto, 'Do you happen to know where Soar is please?' 'Whure?' meddai hithau'n herfeiddiol eto. 'It's a chapel,' meddai Leri rhwng ei dannedd. 'Oh yeh. Thur'se a chapel just behind the boongalow, owver thure.' Diolchodd Leri iddi yn Gymraeg ac aeth yn ei blaen. Sut ar y ddaear oedd dynes fel honna, o Lerpwl o bob man, wedi ffendio'r Sarn? Trodd Leri i gyfeiriad y byngalo, a fu unwaith yn fwthyn bach diddos, a gwelodd furddun y capel o'i blaen.

Agorodd giât rydlyd y fynwent welltog a chamodd drwy'r brwgaits i gyfeiriad y cerrig beddau. Nid oedd yn fynwent fawr, ac ni fu'n hir yn dod ar draws y garreg fedd. Arni'n syml roedd y geiriau:

Yma y gorwedd
Elizabeth Roberts 1880-1900
hefyd ei merched
Margaret Roberts 1900-1917
Elin Roberts 1898-1939
a'i hannwyl briod
Thomas Wyn Roberts 1876-1931

Wrth astudio'r dyddiadau ar y garreg fedd, oedd yn gen drosti, fe wawriodd ar Leri nad Marged yn unig a ddioddefodd yn y teulu bychan hwn. Bu farw'r fam yr un flwyddyn ag y ganwyd Marged, oedd yn awgrymu iddi farw ar ei genedigaeth. Tybed a oedd hynny, yn ogystal â'r gwarth o fod yn feichiog, wedi codi ofn ar Marged? Mae'n siŵr, wedi i Marged farw, bod Elin wedi bod yn gaeth i dendio ar ei thad. O fewn wyth mlynedd iddo ef farw, bu Elin hithau farw. Ni chawsai'r un ohonynt lawer o fywyd. Er nad oedd y pedwar yma o'i blaen yn perthyn dim iddi hi, fe allasen nhw fod wedi bod. Pe bai Marged wedi byw, ac wedi geni ei phlentyn ddiwedd 1917, neu ddechrau 1918, byddai gan fam Leri gefnder neu gyfnither arall. Fe allasai'r plentyn hwnnw, pe byddai wedi bod yn iach a heb ei ladd yn ystod yr Ail Ryfel Byd, fod yn fyw heddiw i adrodd rhywfaint o'r hanes.

Roedd hi'n ymddangos nad oedd Marged druan wedi gallu dygymod â'i hamgylchiadau na chwaith y ffaith i Ifor Jones gael ei ladd ychydig fisoedd ar ôl cenhedlu eu plentyn. Efallai bod Ifor wedi cael ei effeithio'n drwm gan yr hyn a welsai yn y Rhyfel Mawr, ond roedd gan Marged hithau ei rhyfel ei hun hefyd. Os oedd Ifor wedi poeni ei fod yn gwallgofi, yna roedd ganddo yntau hefyd ei Ophelia ar lun Marged druan.

Aeth Leri yn ôl i'r tŷ capel, ac er iddi fod yn ymdrybaeddu mewn marwolaeth drwy'r dydd, doedd hi ddim yn ddigalon. Cofiodd am y sgwrs a gawsai gyda Sioned y noson gynt. Roedd yn rhaid gwerthfawrogi bywyd. Roedd yn rhaid gwneud yn fawr o'r tipyn amser ar y blaned ddyrys hon. Wrth gau drws y tŷ cododd y *Chronicle* oddi ar y mat a mynd i'w chegin.

Fe'i lloriwyd hi'n lân pan welodd yn y rhacsyn papur o'i blaen:

> *Elwyn Pearce, formerly an art teacher in the County School, died at the age of 66 whilst undergoing major surgery in hospital in Bristol. A private funeral will take place on Tuesday, 23 October in Capel Tabernacl, Bangor.*

Edrychodd Leri ar y calendr ar y wal. Roedd Mr Pearce Bod Alaw wedi ei gladdu ers deuddydd a doedd hi ddim hyd yn oed yn gwybod ei fod wedi marw.

28

Wythnos yn ddiweddarach aeth Sam yn ôl at ei fam a'i dad, er ei fod yn dal i fwrw ambell i benwythnos gyda Leri er mwyn cael llonydd i baratoi ar gyfer rownd nesaf cystadleuaeth yr *Young Musician*. Byddai Sam yn mynd bob bore Sadwrn ar y trên i Fanceinion er mwyn cael ei wersi gyda Dr Moffet. Fe gwynai amdano'n aml. Yn llawer rhy aml. Ni wyddai Leri pa mor ddiffuant oedd yr achwyn. Tybiai weithiau ei fod yn cwyno amdano er mwyn codi ei chalon hi. Athro blin a rhwysgfawr neu beidio, roedd Leri'n gweld newid mawr yn chwarae ei nai. Roedd hi'n anodd dweud yn union ym mha ffordd. Efallai bod ganddo fo rywbeth i'w wneud â'r ffaith i Dr Moffat fynnu yn un peth fod Sam yn eistedd dipyn yn is wrth y piano. Yn wir, roedd y stôl bron iawn â chyffwrdd y llawr! Er ei fod, yn nhŷb Leri, yn edrych yn rhyfedd, roedd wedi trawsnewid *posture* Sam. Ble roedd o gynt yn wargrwm uwchben y piano, roedd o bellach yn llawer mwy cefnsyth. O ganlyniad roedd yna newid bychan bach, ond un hynod o bwysig i chwaraewr o safon Sam, yn lliw a thôn ei chwarae. Roedd ei holl chwarae gymaint mwy rhydd rywsut.

Bu Leri gyda Sam ambell dro ar ei drip wythnosol i Fanceinion. Tra âi Sam am ei wers, fe âi Leri i siopa. Doedd hi ddim yn un am siopa'n aml, ond un tro wrth basio ffenest siop ddillad yn y Triangle gwelodd ffrog fach ddu. Fe syrthiodd mewn cariad yn fan a'r lle â'r ffrog. Roedd hi'n syml ac yn ddi-addurn, ond â thoriad hyfryd i'r defnydd meddal. Er nad oedd yn ffrog arbennig o ffurfiol, câi Leri drafferth dychmygu achlysur addas ar gyfer ei gwisgo. Pur anaml y byddai hi'n mynd allan i unman, ond o leiaf pe bai hi'n cael gwahoddiad gan rywun fe fyddai ganddi rywbeth cyfoes i'w wisgo yn hytrach na hen ddillad a berthynai i oes yr arth a'r blaidd. Roedd y ffrog hefyd yn ei ffitio fel gwain am dwca. Gwnâi ffafrau gwyrthiol â'i ffigwr deugain mlwydd oed. Wrth ei thrio yn ystafell newid y siop, dim ond un person oedd ar ei meddwl a Kevin oedd hwnnw. Fe hoffai i Kevin ei gweld yn gwisgo'r ffrog fach hon. Pam hynny? Efallai oherwydd mai'r ddelwedd a gawsai Kevin ohoni oedd pan roedd hi'n Verde's mewn hen siwt *linen* flêr, ac yna yn Ffrainc yn hercian fel hen wraig mewn hen ddillad cerdded blerach fyth!

Roedd cerddoriaeth gyfoes yn powndian drwy'r ystafell newid, a bu Leri am rai munudau'n dawnsio i'r gerddoriaeth tra'n edmygu ei hadlewyrchiad yn nrych y siop. Deugain oed neu beidio, roedd hi'n edrych yn reit dda. Biti na fuasai Kevin yno i'w gweld hi rŵan. Roedd ganddi'r mymryn lleiaf o hiraeth amdano, ac wrth gydnabod hynny'n ddistaw bach iddi hi ei hun fe wyddai bod yr hen Hympti wedi creu argraff arni. Hen dro ei fod yn byw mor bell!

Er nad oedd hi erioed wedi gwario cymaint ar un dilledyn o'r blaen, nac yn siŵr pryd y câi ddefnydd o'r wisg, penderfynodd Leri ei phrynu. Roedd angen rhywbeth arni i godi ei chalon. Fe'i synnwyd gan yr effaith a gafodd marwolaeth sydyn Mr Pearce arni. Doedd hi'n adnabod 'run o'i berthnasau i gael anfon gair o gydymdeimlad atynt – yn wir, wyddai Leri ddim a oedd ganddo berthnasau o gwbl. Teimlai i'w fywyd a'i farwolaeth basio mor ffwr-bwt, enghraifft o 'digwyddodd, darfu . . .' Roedd Mr Pearce yn gymeriad mor hynaws ac roedd pobl felly'n brin. Dylid bod wedi cael ffanfer i ddathlu ei fywyd, i gofio amdano. Roedd yn rhaid i Leri gyfaddef yn ddistaw bach ei bod yn dioddef o euogrwydd; fe allasai fod wedi bod yn gymydog llawer mwy cymwynasgar. Ychydig iawn a wnaeth hi mewn gwirionedd i leddfu ei unigrwydd.

Diolchai am gwmni achlysurol Sam i dynnu ei meddwl oddi ar bethau dyrys bywyd. Roedd cael orig neu ddwy ym Manceinion bob hyn a hyn, a chinio a photel o win cyn mynd am y trên, yn braf. Doedd hi ddim am adael iddi hi ei hun fynd i'r doldryms. Roedd hi am roi'r gorau i fod mor hunanfeirniadol a cheisio dechrau mwynhau bywyd.

* * *

Rai dyddiau'n ddiweddarach, wrth i Leri godi ei phost ac agor llenni'r ystafell biano, gwelodd rywbeth a wnaeth iddi rewi'n stond. Roedd car mawr 4x4 coch wedi stopio y tu allan i Bod Alaw. Adnabu'r car a'i berchennog yn syth. Wrth gwrs, fe ddylai fod wedi bod yn barod am hyn. Wnaeth hi ddim cysidro. Fe wyddai y byddai'r byngalo'n cael ei werthu yn hwyr neu'n hwyrach. Rhedodd i fyny i'r llofft fel dynes o'i chof. Doedd hi ddim am i Dei ei gweld mewn hen ddresing-gown flêr a'i gwallt yn sefyll yn bigau fel petai newydd ddioddef sioc drydanol enbyd.

Tarodd ddillad amdani a thynnu crib drwy glymau ei gwallt cyn sbecian drwy ffenest ei llofft. Gallai ei weld bob hyn a hyn drwy gwareli bychain y byngalo efo'i dâp mesur a'i bapurau. Wrth graffu'n fanylach fe welodd bod y byngalo'n wag. Doedd dim dodrefn i'w gweld yn unman. Pryd y gwagiwyd y tŷ, a phwy fu yno'n gwneud? Pe bai Leri wedi bod yn dyst i'r gwagio, yna fe allai fod wedi gofyn am gyfeiriad perthynas i Mr Pearce. Roedd hi wrthi'n synfyfyrio fel hyn pan fu bron iddi hi â neidio allan o'i chroen wrth glywed chwiban main yn dod o gyfeiriad Bod Alaw. Edrychodd draw a gweld Dei'n codi ei law'n ddigywilydd wrth y giât.

Daria! Roedd hi wedi cael ei dal yn sbecian. Bu bron iddi hi â chael gwasgfa pan welodd bod Dei yn croesi draw at y tŷ capel. Byddai'n rhaid iddi ateb y drws pe canai'r gloch. Roedd ei chalon wedi cyflymu a chwys yn dechrau ffrydio o dan ei cheseiliau. Taenodd ychydig o bersawr i guddio unrhyw ddrycsawr. Doedd hi ddim wedi cael cawod na dim eto. Canodd y gloch. Rhedodd Leri ei bysedd drwy ei gwallt ac aeth i lawr y grisiau gan weddïo na fyddai'n gwrido pan welai o'n sefyll ar y rhiniog.

'Sut wyt ti, Ler?' gofynnodd, a'i wên ddrygionus yn gwahodd, yn denu, yn addo amser da. 'Dwi'n iawn diolch, Dei. Ty'd i mewn am funud bach. Ro'n i isio gair efo ti, fel mae'n digwydd.' Roedd Dei erbyn hyn yn gwenu o glust i glust. Oedd o wir yn ffansïo'i lwc efo hi y bore hwnnw? Doedd ganddo fo ddim cywilydd o gwbl? Synnai Leri at ei hunanfeddiant ei hun. Doedd hi ddim yn crynu nac yn chwysu erbyn hyn, a doedd hi ddim, hyd y gwyddai, wedi gwrido chwaith.

Roedd Dei yn dal i fod yn olygus, ond fedrai Leri ddim peidio â sylwi – na gorfoleddu'n ddistaw bach – ei fod angen chwythu ei drwyn! Roedd un sneipen fach wedi caledu'n belen flaenllaw ar bigyn ei drwyn. Roedd hi'n anodd peidio edrych ar y belen fach werdd wrth siarad ag

o. Ceisiodd atgoffa'i hun i edrych yn hytrach ar ei lygaid. Arweiniodd ei chyn-garwr i'r gegin. Roedd sgôr Consierto Tchaikovsky ar agor ar y bwrdd gan Sam ers y noson cynt. Edrychodd Dei arno gan ofyn sut foi tybed oedd yr hen Tchaikovsky. Doedd gan Leri fawr o amynedd i wneud mân siarad. Atebodd yn ddiysgog: 'Anodd, fel y rhan fwyaf o ddynion.' Chwarddodd Dei, ond pylodd y chwerthiniad yn ddiminiwendo brysiog wrth weld nad oedd ganddo ddeuawd.

Cynigiodd Leri iddo eistedd ar y setl yn y gegin, a gwnaeth Dei hynny, ond arhosodd Leri ar ei thraed yn pwyso yn erbyn y sinc. Edrychai Dei fymryn yn anghyfforddus wrth edrych i fyny arni. Roedd Leri'n mwynhau ei safle o bŵer yn edrych i lawr arno. Ni chynigiodd baned na dim iddo fo. 'Be 'di dy hanes di 'ta, Ler?' gofynnodd gan geisio anwybyddu'r rhewfryn anferthol oedd rhyngddyn nhw. Nid oedd Leri am adael iddo fo ddadmer rhyw lawer chwaith. Doedd hi ddim eisiau iddo fo deimlo bod yna ormod o groeso iddo fo, er ei bod hi'n teimlo'n eithaf di-hid erbyn hyn.

'Isio gwbod hanes Bod Alaw dwi,' meddai Leri. Agorodd Dei ei lygaid fel soseri. 'Be? Ti 'di dechra gneud pres efo'r hen biano 'na o'r diwadd?' meddai gan geisio, neu smalio, bod yn glên. 'Dwi'm isio'i brynu fo. Isio gwbod pwy sy'n gwerthu ydw i.' Caeodd Dei ei wefusau'n dynn, cyn eu hagor a dweud: 'Fedra i'm deud, siŵr. Fasa fo ddim yn broffesiynol.' Roedd ar Leri awydd dweud wrtho nad oedd ffwcio cleients wrth fynd â nhw o gwmpas tai ddim yn broffesiynol iawn chwaith, ond doedd hi ddim am gynhyrfu'r dyfroedd yn fwy nag oedd rhaid. Roedd ganddo wybodaeth roedd hi ei angen. 'Be?

Ydy o'n gyfrinachol?' Nodiodd Dei ei ben ac yna dweud: 'Ma' ysgutor yr ewyllys am fod yn anhysbys.'

Doedd Leri ddim yn deall. Pam fyddai unrhyw berthynas i Mr Pearce am gadw'r cysylltiad rhyngddyn nhw'n gyfrinach? 'Ydy o'n rhywun lleol?' gofynnodd Leri, yn dal i bwyso. Cododd Dei ei ysgwyddau. Mae'n amlwg nad oedd am ddatgelu dim. 'Wel, pwy bynnag ydy o, dwi'n gobeithio nad wyt ti am ei berswadio fo i werthu i blydi Saeson.' Chwarddodd Dei gan ddweud yn nawddoglyd: 'Leri fach. Ti'm 'di newid dim. Dal yr un mor benboeth, yr un mor gul. Ma' isio i ti ddysgu ymlacio. Dechra joio byw.' Daeth tro Leri i chwerthin. 'O, dwi wedi dechra dysgu sut i joio, Dei. Ers dipyn rŵan, diolch. Yli, dwi'm isio bod yn ddigywilydd, ond fedra i'm gadael i chdi aros yma fawr hirach, mae gen i betha i'w gwneud. Ond mi faswn i 'di licio gwbod efo pwy y dyliwn i gysylltu i gydymdeimlo â marwolaeth Mr Pearce.' Ysgydwodd Dei ei ben eto. Cododd oddi wrth y bwrdd gan ddweud, 'Sori, fedra i'm deud. Yli, Ler. Dwi'n falch ein bod ni'n gallu siarad, ein bod ni'n ffrindia eto. Nid plant ydan ni, naci? 'Dan ni'n oedolion aeddfed, i fod.' Gwenodd Leri arno a nodio'i phen mewn cytundeb ag o. 'Cofia, os fyddi di isio sgwrs unrhyw bryd, ma'n rhif *mobile* i dal gen ti, ydy?' 'Ydy,' meddai Leri'n gelwyddog. 'Swn i'n licio meddwl bod ni'n gallu siarad efo'n gilydd unrhyw bryd, Ler. Deud be sy ar ein meddwl ni.'

Agorodd Leri'r drws iddo. Roedd hi ar fin dweud rhywbeth wrth Dei, ac fe welodd yntau hynny. 'Oeddat ti'n mynd i ddeud rhwbath?' gofynnodd iddi a direidi'n pefrio o'i lygaid lliw siocled. Roedd ar flaen tafod Leri i ddweud wrtho am chwythu'i drwyn, ond ymataliodd. 'Na. Do'n i'm isio deud dim. Hwyl i ti, Dei.' Caeodd Leri'r drws ar ei ôl a gwenu'n ddistaw bach iddi hi ei hun. Roedd y bennod fach honno yn ei bywyd, o'r diwedd, wedi ei chau.

29

Aeth rhai wythnosau heibio. Tybiai Leri fod cymodi o ryw fath wedi digwydd rhwng Dafydd a Linda; hynny ydy, roedden nhw'n parhau i fyw o dan yr un to, yn gefnogol o Sam ac yn gwrtais gyda Leri pan fydden nhw'n ei gweld. Roedd Dafydd wastad o gwmpas pan fyddai Leri'n mynd i Forannedd ac felly doedd hi ddim yn hoffi holi Linda sut oedd hi erbyn hyn. Ni chrybwyllwyd y noson pan ddychwelodd hi o'r ioga yn ei dagrau – gwell oedd gadael hynny i fod.

Fe synnwyd Leri felly un prynhawn pan ffoniodd Linda hi i'w gwahodd draw am swper. 'Pa noson fasa'n gyfleus, Leri? Dim nos Fawrth; be am nos Fercher?' gofynnodd ei chwaer-yng-nghyfraith iddi mewn llais mwy ymwthgar nag a glywsai Leri hi'n ei ddefnyddio o'r blaen. Synnai Leri bod Linda'n cofio ei bod yn rhoi gwersi yn y Ganolfan Gerdd ar nos Fawrth. Cytunodd y ddwy ar nos Fercher am saith.

Tybiodd Leri mai gwahoddiad oedd hwn i ddymuno'n dda i Sam cyn iddo fynd i'r Alban ar gyfer y gystadleuaeth, ond pan gyrhaeddodd ym Morannedd ar y noson benodedig, doedd dim sôn am Dafydd na Sam.

Agorodd Linda'r drws iddi gan grychu'i thrwyn a meinio'i llygaid. Byddai'n gwneud hyn bob tro, bron iawn fel na bai'n ei hadnabod. Tybiai Leri bod ei golwg yn wan. Pam na wisgai sbectol? Oedd hi'n rhy falch? Hebryngodd Linda hi i'r gegin. Agorodd y botel Corbieres a roddodd Leri iddi, ac esboniodd fod Dafydd wedi mynd â Sam i Fanceinion i gael gwers biano ychwanegol. Dechreuodd Leri deimlo'n annifyr. Doedd ganddi hi ddim cof o dreulio noson gyfan ar ei phen ei hun efo Linda o'r blaen. Pam ei bod wedi ei gwahodd? Oedd Linda wedi clywed am ei pherthynas hi a Dei? Wedi'r cyfan, roedd Linda'n un o ffrindiau mynwesol Isobel. Beth ddywedai Leri pe gofynnai Linda iddi am y gwirionedd? Roedd cyfrinach eu hen berthynas byglyd yn parhau i fod yn fwrn arni, yn gwmwl du cyson, yn barod i dywallt ei sen.

Aeth Leri drwodd i'r rhan o'r gegin a agorai yn ystafell fwyta. Eisteddodd wrth y bwrdd crwn gan edrych o'i chwmpas ar drylwyredd trefn y tŷ. Roedd pob dim yn ei le, fel pìn mewn papur. Roedd y bwrdd wedi'i osod yn ofalus ar gyfer dwy: dau fat *linen* a'r cyllyll a ffyrc Oneida a brynodd mam Leri a Dafydd iddyn nhw fel anrheg priodas, yn gymesur bob ochr iddyn nhw; syrfiét *linen* ar blât Denby gwyrdd, a photiau pupur a halen Denby ar y mat ynghanol y bwrdd. Roedd Linda'n un dda yn y gegin. Roedd ei chyfnod yn Ffrainc fel myfyrwraig wedi dysgu iddi werthfawrogi ac efelychu doniau coginio diamheuol y brodorion. Hyd yn oed pe byddai'r sgwrs yn anodd ac yn gloff, byddai'r pryd bwyd yn rhyw fath o wobr gysur.

Yn wahanol i'r tŷ capel, doedd dim hen bost a llyfrau'n bentyrrau blêr driphlith draphlith, dim hen gylchgronau'n disgwyl cael eu darllen neu eu lluchio, dim hen esgidiau'n gorwedd yn segur yn disgwyl cael eu gwisgo neu eu cadw'n dwt. Doedd dim llychyn allan o'i le, ac eto roedd rhywbeth yn wahanol. Cododd Leri ei golygon i fyny at waliau lliw mint yr ystafell fwyta. Collodd ei chalon guriad bychan wrth i'w llygaid ddisgyn ar lun yn crogi ar y wal. Roedd hi wedi gweld y llun o'r blaen, ond nid ym Morannedd. Doedd hi erioed wedi ei weld yma o'r blaen, ac eto roedd hi'n amlwg mai yma roedd y llun i fod. Yn y fan hon roedd ei le. Yma roedd ei berchennog bellach.

Daeth Linda drwodd â chrochan o gig oen Moroco a'i osod ar y bwrdd cyn mynd yn ôl at y popty i nôl y *couscous* a dechrau gweini'r bwyd. Dilynodd lygaid Leri i fyny at y llun. 'Llun ohono i ydy o.' Wrth gwrs, doedd dim rhaid iddi esbonio. Er mai llun o gefn noeth merch ifanc oedd o, roedd hi'n eithaf amlwg i unrhyw un a adwaenai Linda'n dda mai hi oedd y gwrthrych yn y llun. Sut na welsai Leri hynny'r tro diwethaf? Roedd y gwallt du tonnog yn gorwedd yn nodweddiadol ar ei hysgwyddau bychain, main, a'r cefn bron fel corff soddgrwth maint plentyn. 'Dwi wedi twchu tipyn ers eistedd i gael peintio'r llun,' meddai Linda'n lled-gellweirus. Wyddai Leri ddim beth i'w ddweud. Roedd hi'n gegrwth wrth feddwl am Linda'n eistedd yn noeth o flaen artist. Roedd hynny ynddo'i hun yn dipyn o sioc, ond roedd meddwl amdani'n eistedd o flaen Mr Pearce Bod Alaw yn rhyfeddod pur. Ceisiodd Leri gofio'r sgwrs a gawsai â Mr Pearce y noson honno, rai misoedd yn ôl, ar lwybr Bod Alaw. Roedd wedi gwneud sylw am y llun ar ôl bod yn nôl tabledi iddo o'r gegin gefn. Cofiai iddi ddweud bod y llun yn 'hyfryd', ac roedd Mr Pearce wedi dweud mewn llais hiraethus bod 'y ferch yn hyfryd hefyd'.

Dechreuodd y ddwy fwyta'r bwyd mewn distawrwydd. Aeth rhai eiliadau, a deimlai fel oes, heibio heb i'r un ohonynt yngan gair. Canmolodd Leri'r bwyd a diolchodd Linda iddi am ei geiriau caredig, ond buan yr ailgydiodd Linda yn y pwnc. Roedd hi ar dân eisiau bwrw'i bol, cael dweud yr hanes. Roedd Leri'n gallu uniaethu efo'r awydd hwnnw, felly gadawodd i Linda ddweud ei stori.

'Roedd Dafydd yn gwbod am Elwyn yn y dechra. Roedd Elwyn a fi newydd orffan. Roeddan ni'n ifanc, roeddan ni'n ffraeo tipyn ac yn gorffan y berthynas ac yn ei dechrau hi eto rownd y rîl. Yn ystod un o'r brêcs rhyngddon ni, fe ges i ffling efo dy frawd, ac wrth gwrs fe es i ddisgwl Sam. Fe blediodd Elwyn arna i i fynd yn ôl ato fo ac mi fasa fo wedi arddel y plentyn, ond fedrwn i ddim, ro'n i'n teimlo bod rhaid i mi briodi Dafydd.' Wrth gwrs, meddyliodd Leri; o edrych yn ôl, roedd priodas Dafydd a Linda wedi bod yn un frysiog, a Sam wedi ei eni o fewn saith mis i'r diwrnod hwnnw.

Roedd Leri wedi cael y pen chwithig i'r llinyn yn llwyr. Nid Dafydd fu'n anffyddlon, ond Linda! Roedd Leri wedi ei syfrdanu. Syllodd Linda ar ei phlât gan ddweud ag awgrym o gryndod yn ei llais, 'Ar ôl i ti symud i'r tŷ capel fe ailgychwynnodd petha rhyngddan ni. Doeddan ni ddim wedi gweld ein gilydd ers blynyddoedd, bron i bum mlynadd mae'n siŵr, ond pan ddechreuis i ddod â Sam draw atat ti am wersi piano, mi ddois i ddallt bod Elwyn yn byw gyferbyn â ti. Fedrwn i ddim peidio, ac mi fues i'n ei weld o bob wsnos wedyn y tu ôl i gefn Dafydd, tan iddo fo farw. Ro'n i efo fo yn yr ysbyty ym Mryste. Fe gafodd drawiad ar y galon wrth ddod o'r theatr.' Roedd meddwl Leri ar chwâl. Byddai celu affêr rhag Dafydd yn dipyn o gamp, ond sut gebyst y bu iddi hi lwyddo i weld Mr Pearce yn wythnosol heb i Leri wybod? Roedd y tŷ capel union gyferbyn â Bod Alaw.

Roedd cymaint o gwestiynau'n corddi, ond aeth Linda yn ei blaen. 'Weithia, Leri, dim bo fi'n trio cyfiawnhau fy ymddygiad, ond dwi'n siŵr y basa chdi'n gwerthfawrogi nad oes gen ti ddewis bob amser.' Mae'n rhaid bod Linda'n gwybod am Dei. Roedd ei geiriau a'r ffordd roedd hi'n rhythu arni hi'n awgrymu'n gryf ei bod hi'n gwybod yn iawn. Y cyfan fedrai Leri ei ddweud heb ddatgelu gormod oedd, 'Ma' pawb isio bod yn hapus. Dwi'n dallt gymaint â hynny.' Bu distawrwydd eto cyn i Linda ddweud: 'Ond weithia, dydy o ddim yn fater o hapusrwydd, mae'n fater o fod gen ti ddim dewis, neu'n fater o raid.' Roedd Leri'n gallu uniaethu efo hynny hefyd, nid yn gymaint ei phrofiad efo Dei – roedd ganddi hi ddewis efo fo, ac fe wnaeth hi'r dewis cywir yn y diwedd, diolch i'r drefn. Meddwl am Kevin roedd Leri. Oedd, roedd ganddi hi ddewis efo Kevin; fe allai hi gysylltu ag o, neu beidio gwneud. Anghofio amdano neu fod yn edifar am beidio cymryd yr awenau. Ond roedd yna rywbeth yn dweud wrthi hi, llais bach yn ei phen – greddf, neu beth bynnag – na fyddai hi'n gwbl hapus nes iddi wneud rhywbeth, beth bynnag oedd y rhywbeth hwnnw.

Roedd Linda fel pe bai'n darllen ei meddwl. 'Pasio drwodd ydan ni, Leri. Ma' rhaid ti ddal ar dy gyfla efo dwy law.' Gwenodd Leri arni. Roedd y Linda 'ma'n dipyn o dderyn. Roedd haenau iddi hi na welodd Leri mohonynt erioed o'r blaen. Aeth Linda yn ei blaen i esbonio ei bod yn awyddus i Leri gael gwybod yr hanes i gyd, gan ofyn iddi hi'n garedig beidio â sôn gair am hyn wrth Sam na Dafydd. Roedden nhw hefyd yn meddwl ei bod hi'n mynd i ddosbarth ioga bob nos Fawrth. 'Ond be am y llun?' gofynnodd Leri. Roedd Linda wedi dweud wrthyn nhw bod y llun ohoni'n un a ddaeth i lawr o'r atig, a'i fod wedi ei beintio yn ystod ei chyfnod yn y coleg. Roedd Dafydd wrth gwrs yn gwybod mai llun gan Elwyn Pearce oedd o. Roedd o hefyd wedi gorfod cael gwybod bod Elwyn wedi gadael ei eiddo iddi hi. Doedd ganddo ddim perthnasau agos. Ond doedd Dafydd ddim yn gwybod bod ei wraig wedi parhau i weld ei chariad y tu ôl i'w gefn. Dyna esbonio i Leri pam na wnaeth Dei ddatgelu pwy oedd yn gwerthu'r tŷ. Doedd Linda ddim am i neb wybod – er tegwch, efallai, â Dafydd.

Sipiodd y ddwy eu gwin mewn distawrwydd. Meddyliodd Leri am Mr Pearce a'r noson ryfedd a dreuliodd yn ei gwmni ar lwybr Bod Alaw rai misoedd yn ôl. Sut na fuasai hi wedi gweld Linda'n dod draw i'w weld? Yna fe'i trawodd mai ar nos Fawrth y byddai'n mynd, yr unig noson o'r wythnos y byddai hi, Leri, allan yn ddi-ffael. Bob nos Fawrth byddai Leri yn y Ganolfan Gerdd yn dysgu'r piano ac fe wyddai Linda hynny i'r dim. Nos Fawrth oedd hi pan ddaeth Linda'n ôl i Forannedd mewn cyflwr truenus. Gwnaeth Leri amcangyfrif o'r dyddiau yn ei phen. Y noson honno oedd diwrnod cynhebrwng Mr Pearce. Roedd y darnau'n dechrau disgyn i'w lle. Wrth gwrs, roedd Linda wedi bod yng nghynhebrwng ei chariad. Linda a fu ym Mod Alaw rai dyddiau'n ddiweddarach yn casglu ei bost, yn gwagio'r tŷ.

I Fryste yr aeth Linda tra oedd Dafydd a Sam yn Glasgow a Leri yn Ffrainc – nid i aros at ffrind, ond i gyrchu ei chariad i'r ysbyty ar gyfer ei lawdriniaeth. Mae'n rhaid bod ei byd wedi dymchwel wrth iddi sylweddoli bod ei chariad wedi marw ac na fyddai byth yn ei weld eto.

Roedd y gwin yn llifo, a'r ddwy wedi dechrau ymlacio ar ôl cychwyn y noson yn llawn tensiwn. Wrth i Linda agor yr ail botel, fedrai Leri ddim ymatal rhag gofyn yn bryfoclyd: 'Felly, yr ioga 'ma Linda, sut beth ydy ioga? Fasa ti'n argymell ioga fel ffordd o ymlacio i rywun fel fi?' Gwenodd Linda a'i bochau'n gwrido: 'Ma' 'na ffyrdd eraill o ymlacio, does Leri!' Meddyliodd Leri am Mr Pearce. Oedd dyn yn ei gyflwr o yn medru cael rhyw, tybed, ynte a oedd Linda efallai'n cyfeirio at ffyrdd eraill Mr Pearce o ymlacio? Trodd Linda ati gan ddrachtio'i gwin a dweud: 'Leri. Ydw i'n edrych fel dynes sy'n gneud ioga?' Chwarddodd Leri. Nag oedd, doedd Linda, yn ei dillad M&S cysáct, ddim yn edrych fel dynes a wnâi ioga, ond doedd hi chwaith ddim yn edrych fel dynes a smociai dôp! Rhyfedd o fyd!

30

Yn dilyn ei sgwrs ryfeddol â Linda, penderfynodd Leri gysylltu unwaith eto â Kevin. Roedd hi wedi cael ambell i e-bost ganddo yn ei hysbysu am dripiau arfaethedig i Ypres a'r *Menin Gate*. Er ei bod yn awyddus i weld Kevin eto, yn ogystal ag ymweld â'r *Menin Gate*, roedd y rhan fwyaf o'r dyddiadau a gynigiai Kevin iddi hi braidd yn anghyfleus. Dywedodd Kevin wrthi hi yn yr e-bost diwethaf:

Os na ddei di draw cyn bo hir,
fe fydda i'n dechre meddwl bo ti ddim moyn!

Doedd Leri ddim eisiau iddo feddwl nad oedd arni hi awydd mynd draw, felly penderfynodd ei bod am wneud amser a mynd ym mis Chwefror, mis ei phen-blwydd. Byddai'n rhywbeth iddi edrych ymlaen ato yn ystod misoedd llwm y gaeaf. Roedd rownd gyn-derfynol yr *Young Musician* yr adeg hynny, ac er yr hoffai fod yno, doedd hi ddim eisiau mynd ar draws Sam a'i athro newydd. Doedd hi ddim eisiau ymddangos fel pe bai'n busnesu neu'n chwilio am glod fel ei gyn-athrawes biano.

Eglurodd Leri i Sam ei bod yn bwriadu mynd i Ffrainc eto. Oedd o'n meindio? Dywedodd yntau wrthi nad oedd yn disgwyl iddi hi ddod efo fo, ond pe bai o'n mynd drwodd i'r *Finals* yna byddai'n rhaid iddi anghofio pob dim, 'drop tŵls' a mynd efo fo, doed a ddêl! Ymateb Leri oedd na fyddai hi'n colli'r achlysur hwnnw am bensiwn!

Dechreuodd Leri felly wneud ei threfniadau i fynd draw i Ffrainc. Byddai hi'n aros eto gyda Kevin ac yn mynd efo fo ar y trip bws i Ypres. Byddai hi oddi cartref am bum noson. Roedd hi'n edrych ymlaen yn eiddgar, ond yn teimlo ychydig yn betrus. Roedd yn rhaid iddi hi atgoffa'i hun mai ffrindiau oedd Kevin a hi, a dim byd mwy. Roedd yn rhaid iddi hi beidio â chodi unrhyw obeithion am ddim byd amgenach na hynny. Mor braf oedd cael rhywbeth i edrych ymlaen ato fo, ond dim ond iddi hi beidio edrych ymlaen yn ormodol.

* * *

Dridiau cyn iddi hi adael am Ffrainc cafodd Leri alwad ffôn gan Sam. Roedd hi'n wythnos hanner tymor ac roedd Linda ac yntau wedi mynd i fyny i'r Alban am yr wythnos cyn y gystadleuaeth er mwyn setlo a chael cyfle i ymarfer. Byddai Dafydd yn ymuno â nhw ar y nos Wener. Roedd Dr Moffet wedi trefnu iddyn nhw gael aros ar gampws y Brifysgol yng Nghaeredin, ac felly roedd Sam yn cael rhwydd hynt i ddefnyddio un o bianos Prifysgol Napier pryd bynnag y mynnai.

Synhwyrodd Leri'n syth bod rhywbeth mawr o'i le. Roedd llais Sam yn floesg ac yn grynedig. Yn araf bach, llwyddodd ei nai i gyfleu ei boen meddwl dros wifrau'r ffôn. Roedd hi'n ofynnol ar gyfer y rownd gyn-derfynnol i ddod â thâp o'r consierto roedd yr unawdydd wedi ei ddewis pe bai o'n mynd yn ei flaen i'r rownd derfynol. Roedd Sam wedi recordio'r consierto ym Manceinion rai wythnosau cyn hynny. Beth felly oedd y broblem? Dywedodd wrthi ei fod wedi gwrando ar y tâp y noson honno a bod nam ar ail ran y recordiad nes gwneud iddo swnio fel pe bai'n chwarae mewn bath ac yntau wedi meddwi.

Gofynnodd Leri iddo a fedrai ofyn i rywun ym Mhrifysgol Napier ei helpu i wneud recordiad arall? Gwyddai Leri wrth ofyn y byddai trefnu hynny mewn lle dieithr, heb adnabod neb, bron yn amhosib. Oedd gan Linda ryw awgrym ar ei gyfer? Doedd Sam ddim wedi dweud wrth ei fam fod ganddo gynllun arall. Dim ond Sam a Leri a allai fod yn rhan o'r cynllun. Neb arall. Oni fyddai Leri'n gallu recordio'r consierto ym Mangor? Roedd hi'n adnabod digon o bobl a fyddai'n gallu ei helpu i wneud recordiad o safon. Bu distawrwydd iasol am rai eiliadau cyn i Leri ddweud mewn anghrediniaeth lwyr: 'Be! Ti'n gofyn i fi 'i berfformio fo a smalio mai chdi sy'n chwara?!' 'Ydw,' meddai'r llais bach ar ben draw'r lein. 'Ond fedra i'm gneud hynny, Sam.' 'Medri Tad. Ti'n ymarfer y blydi darn bob bora. Dwi 'di dy glwad di. Fydd neb ddim callach. Dydyn nhw ddim yn defnyddio'r tâp i feirniadu'r unawdwyr. Mae'r tâp yno i roi syniad iddyn nhw o'r tempo a ballu. Ti'n gwbod sut dwi'n chwara fo . . . Plis, Ler.'

Llyncodd Leri ei phoer. Nid twyll y sefyllfa a'i poenai yn gymaint ag ysbrydion y consierto a'i phrofiad erchyll ohono yn y Barbican yr holl flynyddoedd yna'n ôl. Roedd y noson honno'n parhau i fod yn dipyn o enigma iddi hi. Roedd hi wedi llwyddo i chwarae'r consierto o'r dechrau i'r diwedd, oedd; ac roedd hynny ynddo'i hun yn dipyn o gamp. Ond doedd ei henaid hi ddim yn y darn y noson honno. Roedd ei phengliniau'n crynu, ei hysgwyddau'n dynn a'r gerddorfa ar brydiau, yn enwedig adran y pres, yn ei boddi. Roedd hi'n teimlo ei bod mewn cystadleuaeth, mewn brwydr na allai mo'i hennill, â'r gerddorfa. Doedd ganddi hi ddim rheolaeth ar y tempo, y deinamics na dim. Doedd hi ddim hyd yn oed yn cofio chwarae'r symudiad olaf.

Roedd yr adolygiadau yn y papurau yn ystod y dyddiau canlynol wedi bod yn 'garedig'. Byddai wedi bod yn well gan Leri pe bai'r adolygwyr wedi ei thynnu'n gareiau. Roedd un o'r adolygwyr wedi awgrymu'n nawddoglyd efallai bod yna ormod o bwysau arni a hithau ond yn '*young soloist, but a very attractive one*.' Roedd un arall wedi dweud ei fod yn tosturio wrthi gan ychwanegu '*An immense potential talent, but didn't have the requisite power . . .*'

Roedd llawer o ffactorau posib a allai fod wedi cyfrannu at ei hansicrwydd y noson honno. Roedd Leri wedi pwyso a mesur y posibiliadau i gyd bron yn ddyddiol ers hynny.

Tra oedd hi yn Llundain cafodd Leri ei dewis gan y Coleg Cerdd yn Fyfyriwr y Flwyddyn. Golygai'r fraint honno y câi gystadlu i roi datganiad yn Neuadd Wigmore. Byddai *début* yn y Wigmore yn cael ei recordio ar Radio Tri fel un o raglenni'r *New Generation Artists*. Roedd yn gyfle gwych a agorai bob math o gyfleon i unawdydd ifanc disglair. Enillodd Leri'r gystadleuaeth honno a chafodd ei dymuniad o berfformio yn Neuadd Wigmore. Cafodd adroddiadau gwych yn ogystal â galwadau gan asiantau cerdd ledled Llundain. Tra oedd hi'n pwyso a mesur yr holl gynigion a gawsai yn sgil y llwyddiant hwnnw, cafodd un alwad ffôn gan Arweinydd Cerddorfa'r LSO. Canmolodd hi ar ei pherfformiad yn y Wigmore. Roedd o hefyd wedi ei chlywed mewn cyfweliad ar Classic FM yn dweud iddi gael y cyfle i chwarae Consierto rhif un Tchaikovsky yn y coleg ac y buasai'n hoffi gwneud hynny'n broffesiynol rhyw ddydd. Roedd unawdydd ifanc o America i fod i chwarae'r consierto gyda'r LSO ymhen tair wythnos yn y Barbican, ond roedd o wedi ei ruthro i'r ysbyty i gael tynnu ei bendics: a fyddai hi'n ystyried cymryd ei le?

Er bod Leri'n gwbl gyfarwydd â'r consierto, doedd tair wythnos ddim yn ddigon o amser i baratoi'n drywadl ar gyfer perfformiad, ac eto, roedd y cyfle'n un rhy dda i'w golli. Byddai hyn yn bluen yn ei chap a byddai'n gwneud iawn am aberth ariannol ei rhieni yn prynu'r Bösendorfer drud iddi hi. Byddai hyd yn oed ei thad prin ei gefnogaeth yn gorfod cydnabod ei llwyddiant. Efallai mai ei chamgymeriad cyntaf oedd derbyn yr her o gwbl. Doedd hi ddim yn barod ar gyfer achlysur o'r fath. Er ei holl eiriau o ganmoliaeth doedd Leri chwaith ddim wedi cymryd at yr arweinydd dogmatig a ddioddefai o egomania dwys. Roedd o'n ddyn rhwysgfawr, yn gwybod bod Leri'n ifanc, yn swil, ac yn ferch. Roedd ganddo'r arferiad drwg, wrth stopio mewn rihyrsal, i ddweud '*Let's go from bar two hundred and eight.*' Roedd Leri'n gwybod y consierto ar ei chof, wrth gwrs, ond doedd hi heb serio rhifau'r blydi bars ar ei chof! Doedd ganddi hi ddim mo'r hyder yr adeg honno, o flaen cerddorfa gyfan o gerddorion proffesiynol, profiadol, i ddweud hynny wrtho. Felly byddai'n dyfalu o ba far y bydden nhw'n dechrau'r ymarfer bob tro. Rhan amlaf byddai'n ei gael yn iawn, ond weithiau roedd hi'n chwarae fel pe bai hi mewn ogof dywyll ddu â mwff am ei chlustiau!

Dywedodd yr arweinydd wrthi, o flaen y gerddorfa yn yr ymarfer olaf cyn y cyngerdd, '*If you are happy with my tempo, then please take it in my tempo or we feel corrected.*' Roedd o mor nawddoglyd fel y teimlai Leri'n aml fel hogan fach oedd newydd gael ei dal yn pigo'i thrwyn. Brawddeg arall yr oedd Leri yn cofio iddo'i defnyddio'n aml wrth siarad â'r gerddorfa, oedd: '*Lerrie will follow us, so if we're behind, it's Lerrie's fault*'. Bron iawn y teimlai Leri fod yr arweinydd yn cystadlu â hi am sylw a chlod. Doedd hen ffiflan fach ifanc fel hi ddim yn mynd i dynnu sylw oddi ar un o'i brofiad a'i allu o. Roedd yr holl brofiad wedi rhoi cipolwg enbyd iddi hi ar y proffesiwn cerddorol. Dymuniad Leri er pan oedd hi'n hogan fach oedd astudio cerddoriaeth, ond fe welodd drwy brofiad y Barbican nad dyna oedd y flaenoriaeth, ond gwneud gyrfa. Yn ogystal â hynny, roedd hi wedi gweld Paul, ei chyn-gariad, yn ystod bore'r cyngerdd. Roedd hi ar ei ffordd draw i'r neuadd ar gyfer yr ymarfer olaf pan welodd Paul yn ymuno â'r trên tanddaearol yn Baker Street. Daeth i eistedd gyferbyn â hi. Gofynnodd Leri iddo beth oedd o'n ei wneud yn Llundain. '*I've come to listen to a talented musician playing one of the most difficult concertos in the Barbican tonight*,' meddai yntau, gan feddwl, mae'n siŵr, ei fod yn gwneud ffafr â hi. Roedd meddwl am Paul yn dod i'r cyngerdd wedi ei thaflu oddi ar ei hechel fymryn. Gofynnodd Paul a gâi ei chyfarfod am ddiod ar ôl y cyngerdd ond esboniodd Leri iddo y byddai'n rhaid iddi fynd gyda'r arweinydd a'i *entourage* am bryd o fwyd. Roedd bwrdd wedi ei gadw iddyn nhw mewn tŷ bwyta, ac roedd ei rhieni'n ymuno â hi yno ar ddiwedd y cyngerdd.

Bu Paul ar ei meddwl drwy'r dydd. Ceisiodd ei gorau i'w ddileu o'i meddwl, ac fe lwyddodd i raddau, ond mynnai godi ei ben bob hyn a hyn i effeithio ar ei chanolbwyntio. Doedd cael ei thad yn hofran o gwmpas yr ystafell ymarfer yn ystod y prynhawn ddim wedi bod o help chwaith, na'r ffaith iddo awgrymu, heb fod yn rhy gynnil, bod ei ffrog gyngerdd yn datgelu gormod o gnawd! 'Unawdydd wyt ti, nid hwran!' oedd ei eiriau.

Roedd Leri wedi crybwyll rhywfaint o'r hanes wrth Sam ar adegau pan fyddai'n ei holi am ei chyfnod byr fel unawdydd. Roedd llawer o bethau wedi mynd o'i le. Doedd dim posib dweud pa un peth, pa ffactor yn union a arweiniodd at y ffaith iddi beidio â chwarae gystal ag y medrai, ac iddi benderfynu'r noson honno na fyddai'n chwarae'n gyhoeddus byth eto.

Daeth llais Sam ar hyd y gwifrau i dorri ar draws ei hatgofion poenus. Mae'n rhaid ei fod wedi darllen ei meddwl gan iddo ddweud heb gael ei brocio ganddi hi: 'Dim problem efo'r Tchaikovsky oedd gen ti pan oeddat ti'n chwara, Ler. Problam efo chdi dy hun. Roedd dy feddwl di'n rhwla arall a dy gymhelliad di dros chwarae yn un tila.' Doedd Leri ddim wedi meddwl beth oedd ei chymhelliad hi dros chwarae'r Tchaik yn y Barbican. Fe atebodd Sam drosti. 'Fe wnest ti'r cyngerdd yna, er bo chdi'm yn teimlo'n barod amdano fo, ella, er mwyn plesio dy dad. Roeddat ti'n trio ennill ei *approval* o. 'Di hynna ddim yn sail dda i gerddoriaeth. Dwi 'di bod yn lwcus. Os rhwbath, ma' Mam a Dad wedi bod yn rhy *pushy*, ond wastad yn gefnogol, a dwi 'di cael yr athrawes ora 'swn i rioed 'di gallu cael, athrawes oedd yn fy nallt i, yn sensitif i ngofynion i. 'Dan ni'n dau wastad wedi anelu at bethau positif wrth ymarfer. Ma' 'na dryst rhyngddan ni, does Ler?' Tro Leri oedd hi i fod yn floesg rŵan. Roedd araith Sam wedi ei tharo i'r byw. Fe wyddai bod yna wirionedd yn ei eiriau doeth. Llyncodd ei phoer cyn dweud: 'Ond be ydy nghymhelliad i dros chwara'r Tchaik i ti? Ydw i'm jyst yn gneud rhwbath i blesio rhywun arall eto?' 'Ella,' meddai ei nai, 'ond ma'r berthynas sy rhyngddan ni'n wahanol. Does 'na'm hang-yps na dim, ac ella, o achos hynny, y byddi di'n gallu anghofio hynny a chanolbwyntio ar y gerddoriaeth, achos mae o'n ffantastic, dydy Leri?' Roedd yn rhaid i Leri gyfaddef *bod* y Tchaik yn ffantastic. Beth oedd hi am wneud? Onid oedd hwn yn gyfle i gladdu'r gorffennol, dechrau eto? Nid fod arni awydd i chwarae'n broffesiynol eto, ond o leiaf byddai hi efallai'n gallu dechrau mwynhau cerddoriaeth unwaith yn rhagor.

Clywodd Leri ei hun yn gofyn, 'Erbyn pryd ti isio fo?' Eglurodd Sam, a'i lais yn awgrymu gwên enfawr, bod ganddi bedwar diwrnod. Byddai'n rhaid iddi roi'r tâp i'w dad ben bore dydd Gwener gan y byddai o'n teithio i fyny y diwrnod hwnnw. Dechreuodd meddwl Leri rasio. A fyddai hi'n gallu perfformio'r Tchaik eto a chael hyd i rywun i recordio'r tâp iddi hi? Er cymaint roedd hi wedi gwirioni ar y Bösendorfer, fe fyddai'n well pe gallai ddefnyddio Steinway y Brifysgol. Roedd sain y Bösendorfer yn rhy felys ar gyfer darn mor fawr â'r Tchaik. Byddai'r acwsteg yn y neuadd yn llawer gwell hefyd. Gwyddai Leri y byddai Melfyn yn fodlon ei helpu, ac os nad oedd y Brifysgol ar gael, fe allai recordio yn y Ganolfan Gerdd. 'Wel?' gofynnodd ei nai. Synnodd Leri ei hun wrth ddweud yn bendant: 'Gad o efo fi.'

31

Llwyddodd Leri i drefnu bod Melfyn yn ei recordio hi'n chwarae ar y nos Iau, y noson cyn i Dafydd fynd i'r Alban. O leiaf nid oedd rhaid chwarae'r consierto i gyd. Roedd yn un o reolau'r gystadleuaeth nad oedd y consierto oedd i'w chwarae yn y rownd derfynol i bara dim mwy na phum munud ar hugain. Dim ond y symudiad cyntaf roedd Sam yn bwriadu ei chwarae. Bu Leri drwy'r wythnos yn ei hamseru ei hun yn chwarae'r symudiad agoriadol. Roedd yn para ymron i dri munud ar hugain. Doedd dim lle i arafu! Byddai Sam yn cael ei ddiarddel o'r gystadleuaeth pe bai'n mynd dros yr amser. Byddai Sam, mae'n siŵr, hefyd yn cael ei ddiarddel o'r gystadleuaeth pe gwyddai'r beirniaid mai ei fodryb oedd yn chwarae ar y tâp.

Treuliodd Leri bob cyfle posib yn ymarfer. Chysgodd hi yr un hunell y ddwy noson gyntaf. Roedd Tchaikovsky'n ei chadw'n effro.

E-bostiodd Kevin i esbonio na fyddai'n medru dod i Ffrainc wedi'r cwbl.

Sori, sori, sori. Rhwbath 'di codi. 'Na i esbonio eto.
Gobeithio y gnei di adal i mi ddŵad rhywdro eto.
Leri. x

Cafodd e-bost byr yn ôl:

Mae'n siŵr.

Oedd o'n ei choelio? Onid oedd yna goegni yn y neges? Ynte ai siom oedd yna? On'd oedd hi'n bechod na fedrai rhywun glywed goslef drwy e-bost! Roedd ganddi deimlad iddi bechu Kevin ac roedd hynny'n ei phoeni, ond byddai'n rhaid i hynny aros am wythnos. Roedd yn rhaid iddi hi roi ei holl sylw i'r piano am y dyddiau nesaf a hynny er mwyn Sam ac er ei mwyn hi ei hun.

Parhaodd gyda'i gwersi piano, y gwersi piano a'i cadwai bellach rhag gorffwyllo. Dyna pryd y gallai anghofio'r Tchaik am ychydig oriau. Ond y munud y gadawai ei disgybl olaf am y dydd, roedd hi 'nôl o flaen y Bösendorfer yn ymgolli yn ei chwarae, neu'n mynd drwy'r symudiad cyntaf â chrib mân. Roedd yn rhaid chwarae'r *Allegro* yn gyflym, ond nid fel pe bai'r gwynt yn ei gwddf. Pan na fyddai o flaen y piano, er enghraifft wrth baratoi bwyd iddi hi ei hun, fe wrandawai ar dapiau o unawdwyr gwahanol yn chwarae'r consierto, gan droi, yn amlach na pheidio, at ei ffefryn – sef recordiad byw o Marta Argerich yn hedfan mor esmwyth drwy'r gerddoriaeth fel pe bai'r piano yn degan yn ei dwylo.

Ar ôl ymarfer y bore fe âi Leri am dro. Ers ei thrip i Ffrainc, ac i'w ffêr gryfhau, roedd hi wedi dechrau mwynhau cerdded y mynyddoedd a llwybrau'r hen reilffordd. Doedd ymarfer y piano drwy'r dydd yn ddi-baid ddim yn llesol, ac yn wir, er mawr syndod iddi hi ei hun, y noson cyn y recordiad fe gysgodd Leri yn well nag a wnaeth erstalwm. Fe gysgodd drwy'r nos heb chwysu dim.

* * *

Recordiwyd symudiad gyntaf y consierto yn ddiffwdan a di-lol. Yn wir, bron na ddywedai Leri iddi fwynhau'r profiad, er ei bod wedi llwyr ymlâdd ar ei ddiwedd. Roedd Melfyn, y technegydd, yn fud gan syndod ar ôl i adlais y cordiau diwethaf dewi. Fe wyddai bod Leri'n athrawes biano ddawnus, ond wyddai o ddim ei bod yn unwadydd mor ddeheuig. Dyn o ychydig eiriau oedd Melfyn, ac roedd ei glywed yn dweud 'O'dd hwnna'n *something else*' yn gystal canmoliaeth â phe bai'r neuadd gyngerdd dan ei sang a'r gynulleidfa ar eu traed yn cymeradwyo ac yn bonllefu. Mor hawdd oedd atgyfnerthu'r ego bach simsan! Cofiodd Leri sut y bu iddi unwaith fwynhau cerddoriaeth, ac fe roddodd y profiad hwn flas iddi unwaith eto ar ganu'r piano. Doedd ganddi ddim uchelgais o wneud gyrfa ohoni eto – roedd hi'n rhy hwyr i hynny – ond o leiaf doedd chwarae ddim yn codi ofn arni ddim mwy. Efallai ei bod wedi wynebu ei hofnau, efallai ei bod hyd yn oed wedi eu goresgyn. Wyddai Leri ddim yn iawn, ond fe wyddai ei bod yn teimlo'n ddedwyddach ei byd nag a wnaeth ers blynyddoedd lawer. Dechreuodd gynhesu at yr hen Tchaikovsky unwaith eto, a gwyddai'n awr na fyddai'n rhaid iddi chwarae'r consierto bob bore. Gallai ddychwelyd at rai o'i ffefrynnau eraill, y Rachmanainov efallai, neu gerddoriaeth hyfryd Beethoven. Chwarddodd Leri iddi hi ei hun. Oedd, roedd ei chariad at gerddoriaeth yno o hyd – a doedd chwarae ddim yn mynd i fod yn fwrn arni bellach, ond yn hytrach yn fraint.

Yr hyn a wnaeth i Leri deimlo'n nerfus oedd nid y perfformio na'r recordio, ond mynd â'r tâp at ei brawd. Aeth â'r tâp at Dafydd y noson honno a'i thu mewn yn glymau poenus. Beth ddywedai Dafydd pe gwyddai ei bod hi'n llawiach â Sam yn eu cynllwyn dichellgar? Esboniodd Leri fod Sam 'wedi anghofio' mynd â'r tâp efo fo, a'i bod hi'n hanfodol i Dafydd ei drosglwyddo'n ddiogel i'w fab y bore wedyn yng Nghaeredin. Edrychodd Dafydd arni'n syn gan ddweud: 'O'n i'n meddwl dy fod ti i fod yn Ffrainc.' Gwenodd Leri'n chwithig arno gan fwmian, 'Ges i draed oer.'

Gwahoddodd Dafydd hi i'r tŷ. Bu'n rhaid i Leri dderbyn y cynnig er bod ganddi ofn gwirioneddol y byddai'n datgelu ei heuogrwydd pe byddai'n aros yng nghwmni ei brawd drwgdybus yn rhy hir.

Fel arfer byddai Dafydd wedi ei hebrwng i'r lolfa, ond am ryw reswm aeth yn ei flaen yn syth i'r gegin.

Dilynodd Leri fo gan ddechrau mynd i banig. Beth ddylai hi ei ddweud am y llun? Byddai'n rhaid iddi ei grybwyll. Fedrai hi mo'i anwybyddu. Gwnaeth Dafydd debotaid o de a setlodd Leri wrth y bwrdd crwn â'i chefn at y ferch noeth uwch ei phen.

Ond doedd dim dianc i fod. 'Be ti'n feddwl o hwnna?' gofynnodd Dafydd heb oedi dim. Gwyddai Leri, cyn troi, at beth y cyfeiriai, ond wyddai hi ddim beth i'w ddweud. Y cyfan fedrai hi feddwl i'w ddweud oedd 'Neis iawn'. Gwenodd ei brawd. 'Llun o Linda ydy o,' ychwanegodd fel pe bai'n rhagflaenu ei chwestiwn. Roedd yn rhaid i Leri wedyn ofyn pwy oedd yr artist. Roedd Dafydd yn gwenu o glust i glust bron iawn fel pe bai'n mwynhau'r *charade.* 'Cymydog i chdi. Y diweddar Elwyn Pearce.' Cymerodd Leri arni synnu a rhyfeddu. Fe synnodd a rhyfeddodd go iawn pan aeth ei brawd yn ei flaen i ddweud: 'Roedd Linda a fo'n gariadon erstalwm. Mae Linda'n meddwl nad ydw i'n gwbod bod y garwriaeth wedi para ar ôl i ni briodi. Ond ro'n i'n gwbod o'r dechra'n deg.' Rhoddodd Leri ei chwpan yn ôl yn ei soser ac edrych ar ei brawd gan ofyn: 'O'dd dim ots gen ti?' Gwenodd Dafydd wên drist, flinedig. 'Wrth gwrs bod ots gen i, ond doeddwn i ddim am ei cholli hi. Ma' 'na rai petha mewn bywyd rwyt ti'n fodlon 'u derbyn. Doedd dim pwynt i mi gwffio yn erbyn ei chariad hi ato fo, roedd y peth yn rhy gryf. Y cysur oedd gen i oedd bod ganddi hi gornel bach o hyd i mi, ac roedd ganddon ni Sam yn gwlwm rhyngddon ni. Ma' hynny'n dal gennon ni.'

Wyddai Leri ddim yn iawn pam fod Dafydd yn dweud hyn wrthi hi. Efallai ei fod, fel Linda, ag arno awydd bwrw'i fol. 'Dwyt ti'm yn meindio bod y llun i fyny ar wal y tŷ?' gofynnodd Leri'n betrus wrtho. Ysgydwodd Dafydd ei ben gan ddweud drwy hanner chwerthin, 'Na, a deud y gwir mae o'n lun reit dda ohoni!' Gwenodd Leri arno. Cododd Dafydd i fynd â'r cwpanau at y peiriant golchi llestri. Roedd y sgwrs, mae'n amlwg, wedi dod i ben. Chafodd hi ddim cynnig paned arall, a doedd fiw i neb adael llestri budron ar fwrdd Morannedd.

Cododd Leri gan estyn am ei goriadau o'i bag. Trodd Dafydd ati hi o grombil y peiriant golchi llestri a dweud: 'Paid â sôn wrth Linda dy fod ti'n gwbod. Mae hi'n meddwl ei bod hi wedi bod yn llwyddiannus yn fy nhwyllo i, ond dwi inna'n gwbod sut i chwara'r gêm. 'Dan ni i gyd ar brydia'n twyllo'n gilydd, yntydan!' Roedd ei eiriau wedi ei hatgoffa am y tâp ohoni hi'n chwarae'r Consierto. Siarsiodd ei brawd i gofio mynd â'r tâp efo fo. Dymunodd yn dda iddo ar ei siwrne i'r Alban ac aeth yn ôl i'r Dyffryn.

Wrth yrru'n ôl, bu Leri'n chwarae â'r syniad o fynd i fyny i Gaeredin efo'i brawd. Doedd dim byd rŵan i'w rhwystro rhag mynd, ar wahân i ludded enbyd. Roedd paratoi a pherfformio'r Tchaik wedi tynnu'r stwffin ohoni. Penderfynodd orffwys dros y penwythnos er mwyn magu nerth newydd.

* * *

Ar ddiwrnod y gystadleuaeth, oedd yn digwydd bod yn ddiwrnod ei phen-blwydd, penderfynodd Leri fynd am dro. Doedd hi ddim wedi clywed gair gan ei nai, ac roedd hi ar bigau'r drain braidd. Roedd yn rhaid iddi fynd allan o'r tŷ. Gwyddai i ble roedd hi am fynd. Bwriadai fynd yno ers tro, ond roedd rhywbeth wedi ei dal yn ôl. Cydiodd yn ei chot a'i chap a'i menig a chasglu ei nerth i wynebu'r gwynt a fu'n rhuo i lawr y simne drwy gydol y bore. Aeth â'r car i fyny i ben draw'r dyffryn a'i adael wrth ochr y lôn. Roedd hi'n brynhawn oer, ond sych. Gwthiodd ei dwylo'n ddwfn i'w menig gwlanog. Gyda'r map OS o dan ei chesail, cerddodd y ddwy filltir drwy'r brwyn i fyny at Lyn y Ffridd. Anadlodd awyr bur y llethrau i berfeddion ei hysgyfaint, gadawodd i'w hysgwyddau ddisgyn, a dechreuodd ymlacio. Welodd hi 'run enaid byw, dim ond clywed bref ambell i ddafad a rhu y gwynt yn ei chlustiau.

Daeth i olwg y llyn mawr du a'r creigiau duach fyth a'i amgylchynai. Roedd rhywbeth yn fawreddog ac yn frawychus am y creigiau du a'r llyn a'i gyfrinachau. Eisteddodd ar garreg fechan ger y llyn i gael ei gwynt ati. Roedd y dŵr yn crychdonni gan sisial a llepian yn rhythmig gyson yn erbyn y graean ar y lan. Fedrai Leri ddim peidio meddwl am Marged yn tynnu ei hesgidiau a'u gadael yn dwt ar y lan cyn cerdded i'w gwely llaith, gwlyb. Roedd yn rhaid i rhywun fod yn isel iawn, yn sâl, yn byw mewn carchar anobaith, i fod mor ddigalon ag i roi terfyn ar fywyd. Felly'n union y gwnaeth Michael, ffrind ysgol Sam. Ond dewisodd o, fel Anna Karenina, gledrau'r rheilffordd yn feddrod iddo. Pa un oedd waethaf? Pe byddai'n rhaid lladd eich hun, pa ffordd fyddai orau gan Leri? Chwarddodd. Yn sicr, fyddai hi ddim yn dod i Lyn y Ffridd – roedd hi'n rhy oer yno. Doedd dull y cledrau ddim yn apelio ychwaith. A dyna Tchaikovsky. Gwenwyn oedd ei ddewis o. Yn ystod y Rhyfel Byd Cyntaf fe laddodd amryw o filwyr digalon eu hunain drwy ddal gwn at eu pennau a thanio'n syth tuag at yr ymennydd. Na. Doedd gan Leri ddim ffansi yr un o'r dulliau hynny. Yn wir, doedd Leri ddim ar frys i farw o gwbl.

Aeth gwich ei ffôn bach. Cythrodd amdano. Er mor braf oedd unigedd y mynyddoedd o'i chwmpas diolchai am fod mewn cysylltiad â'r byd mawr. Byddai milwyr y Rhyfel Byd Cyntaf wedi diolch am ddatblygiadau technolegol fel hyn. Mae'n siŵr y byddai hanes y Rhyfel Mawr yn dra gwahanol pe byddid wedi gallu cael cyfathrebu gwell rhwng y cadfridogion a'u swyddogion. Lledaenodd gwên fawr gynnes dros ei hwyneb rhynllyd wrth ddarllen neges Sam.

Dwi yn y Finals. Paid mynd i Ffrainc mis Mai! Diolch.......................

Wrth i'r hen Forus y Gwynt chwarae â'i gwallt gan beri iddo ddawnsio'n rhydd o gwmpas coler ei chot, teimlodd Leri bwysau ei deugain mlynedd ac un yn llifo ymaith. Hwn oedd y pen-blwydd cyntaf iddi lle na bu cysgod Sylvia Plath fel hugan dywyll drosti. Na, nid cofio marwolaeth Sylvia a wnaeth hi y diwrnod hwnnw, ond cofio geni Ifor. Byddai Ifor wedi bod yn – faint, tybed? Ceisiodd Leri wneud ei syms. Byddai Ifor wedi bod yn gant a chwech, yn hen, hen ddyn.

Cododd Leri oddi ar y garreg gan agor ei breichiau ar led yn barod i gofleidio'r gwynt, i gofleidio'r hyn oedd o'i chwmpas, i gofleidio'r presennol a'r gorffennol a'i ysbrydion i gyd. Roedd hi'n gwenu fel giât ac fe wyddai fod popeth yn iawn. Trodd ei chefn at y graig fawr ddu gan edrych i lawr y Dyffryn tuag at y môr glas, eang.

Roedd Leri wedi gweld y Dyffryn sawl tro, ond heb edrych arno'n iawn ac, yn sicr, nid oedd wedi ei weld o'r pellter hwn o'r blaen. Er mor arw'r tirlun, roedd y Dyffryn yn hardd, ac er ei fod yn ymddangos yn fach o ben y mynydd, tybiai Leri bod angen y pellter i werthfawrogi ei fawredd yn iawn.

Roedd ei bywyd yn ymestyn o'i blaen yn gynfas gwyn yn disgwyl lliw. Roedd Linda'n iawn pan ddywedodd bod yn rhaid dal ar gyfle efo dwy law. Meddyliodd am Sam a rownd derfynol yr *Young Musician*. Câi wisgo ei ffrog newydd ar gyfer yr achlysur, ac eto roedd arni awydd gwisgo'r ffrog cyn hynny. Roedd yna un yn arbennig yr hoffai iddo ei gweld yn ei ffrog fach ddu. Byddai'n rhaid iddi gadw mis Mai yn glir i fynd i'r Alban, ond roedd ganddi fis Mawrth ac Ebrill cyn hynny. Digon o amser i grwydro! Dechreuodd Leri gyfri i ddeg, ond roedd hi bellach wedi cyfri i ddeg ddwsinau o weithiau ers gadael Ffrainc. Fe wyddai beth oedd yn rhaid ei wneud. Doedd dim brys. Ymadawodd â Llyn y Ffridd â ffresni newydd yn ei henaid a chychwynnodd ar ei thaith yn ôl.